L'ŒIL NATURE

LES

POISSONS
D'AQUARIUM

LES
POISSONS
D'AQUARIUM

DICK MILLS

Photographies de
JERRY YOUNG

Conseiller scientifique
DR CHRIS ANDREWS

BORDAS

A DORLING KINDERSLEY BOOK

Avis important
L'éditeur s'est efforcé d'obtenir une reproduction précise des couleurs
de chaque poisson mais, comme la coloration de certaines espèces
change sous le stress de la photographie, cela n'a pas été possible
dans tous les cas.

Édition originale
Eyewitness Handbook-Aquarium Fish
©1993 Dorling Kindersley Limited, Londres
©1993 Dick Mills pour le texte

Édition française
Éditeur : Sylvie Daumal
Traduction : Marc Baudoux
Relecture scientifique : Patrick Butteux et Colette Rabut
Corrections : Yves Verbeek, Agnès Petit
Fabrication : Fabienne Rousseau
Responsable d'édition : Jean Arbeille

— ❨ —

Composition et mise en pages
Nord-Compo, Villeneuve d'Ascq

© Bordas, Paris 1994
ISBN : 2-04-019987-X
Dépôt légal : février 1994
Achevé d'imprimer à Singapour
sur les presses de Kyodo Printing Co

— ❨ —

Sommaire

INTRODUCTION

On peut aujourd'hui choisir des centaines de poissons d'aquarium, aux formes étranges et aux couleurs merveilleuses. Les soigner ne demande que peu de temps et de connaissances techniques. Les progrès du matériel pour aquariophiles et du transport aérien ont mis à la portée de l'amateur tous les types de poissons, qu'ils soient d'eau douce ou marins, tropicaux ou d'eaux froides.

L ES ESPÈCES de poissons pour aquarium appartiennent à quatre catégories, à savoir : les espèces tropicales d'eau douce, les espèces tropicales marines, les espèces d'eau douce froide, enfin les espèces marines d'eaux froides. Les poissons seront présentés dans ce livre suivant cet ordre. Bien que beaucoup de poissons d'eau douce froide, comme le koï et le poisson rouge, agrémentent les pièces d'eau dans les jardins, ce sont les poissons tropicaux d'eau douce qui ont le plus de succès, parce qu'ils sont relativement aisés à entretenir.

Koï
Ce poisson résulte d'un élevage séculaire.

ORIGINES DE L'AQUARIOPHILIE

La pratique de l'aquariophilie s'est développée graduellement à partir des besoins alimentaires. Les poissons comestibles étaient autrefois le privilège des riverains, car la conservation de poissons vivants était peu praticable. Aussi est-ce devenu un luxe rare de posséder des poissons vivants en captivité. Les premiers de ceux-ci ont sans doute été des membres de la famille de la carpe. Avec le temps, ceux qui les gardaient ont dû apprendre à reconnaître tel ou tel individu, et ils se sont passionnés pour leur travail ; l'apparition de curiosités génétiques ou de couleurs inhabituelles a pu attirer leur attention. On aura mis certains poissons à part et on les aura élevés pour leur aspect plutôt que pour leur chair : une activité de loisir était née.

L'EXPANSION D'UN PASSE-TEMPS

C'est, pense-t-on, chez les anciens Égyptiens que sont apparus les premiers aquariophiles. Des peintures tombales montrent qu'ils considéraient certains poissons comme sacrés. Les Romains élevaient en vivier des espèces d'eau douce et de mer, les unes pour l'alimentation et les autres pour leur valeur décorative et représentative d'un statut social.

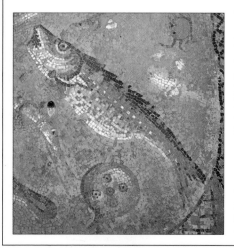

DÉTAIL D'UNE FONTAINE ROMAINE
Les Romains élevaient des poissons pour l'alimentation et pour le plaisir (mosaïque du IVᵉ siècle ap. J.-C.).

EXPOSITION DE 1867 À PARIS

Les amateurs se pressent pour admirer le spectaculaire aquarium de poissons tropicaux marins.

Mais c'est en Chine et au Japon que l'art d'élever des poissons est devenu un phénomène culturel. Sous la dynastie Song (970-1279), l'élevage du poisson rouge était pratique courante et au XVIᵉ siècle, lorsque son exportation vers le Japon fut devenue régulière, ses admirateurs s'y multiplièrent. La mode gagna l'Europe au XVIIᵉ siècle et des cyprins dorés furent introduits en Amérique un siècle plus tard. Le premier grand aquarium public fut construit au zoo de Londres en 1853.

FANTAISIE

L'enthousiasme a conduit à des inventions bizarres, comme cette combinaison d'un aquarium et d'un terrarium.

DÉCOUVERTES

Récemment encore, on représentait les nouvelles espèces au moyen de dessins coloriés.

L'AQUARIOPHILIE MODERNE

Les aquariophiles d'aujourd'hui peuvent contribuer aux progrès de leur passe-temps favori en étudiant la vie et les besoins de leurs poissons. De meilleures connaissances en ce domaine devraient permettre de reproduire les poissons destinés au commerce en quantité suffisante pour qu'on ne touche plus aux populations sauvages. D'ailleurs, beaucoup de poissons d'eau douce se reproduisent déjà en captivité, alors que la reproduction des espèces marines reste expérimentale. En tout cas, les aquariophiles doivent être conscients des réalités de la capture. Par exemple, du cyanure peut être utilisé pour prendre les poissons coralliens, et les conditions de transport peuvent relever de l'entassement. De plus, il n'y a pas de sens à acheter un poisson s'il ne s'adapte pas à la vie en aquarium, ce qui est souvent le cas des poissons de mer. Heureusement, beaucoup de pays réglementent ou même interdisent certaines exportations en attendant que les habitats et les populations se reconstituent.

TROPHÉES
*Des fédérations
nationales
encouragent
l'aquariophilie.*

OBJECTIFS ET LIMITES

Ce livre présente tous les poissons aisément accessibles, ainsi que certaines espèces très rares et destinées aux spécialistes. On a photographié quelques spécimens juvéniles (en général d'espèces très appréciées) ; leurs couleurs et leurs dessins peuvent différer de ceux des adultes ou (à cause du stress de la photographie) des poissons en liberté. La combinaison de photographies précises et de textes clairs fournit toutes les informations nécessaires pour préparer et entretenir un aquarium passionnant.

UN NID DOUILLET
*Les aquariums existent sous diverses formes,
dont le modèle de table basse ci-dessus.
L'amateur s'efforcera d'y inclure des éléments
de l'habitat naturel (ci-contre).*

COMMENT UTILISER CE LIVRE

CE LIVRE est divisé en quatre parties : poissons tropicaux d'eau douce, poissons d'eau douce froide, poissons marins tropicaux, poissons marins d'eaux froides. Ce classement est admis par les aquariophiles.

Chaque partie se divise à son tour suivant les familles ou les groupes de poissons, les espèces apparaissant dans l'ordre alphabétique des noms scientifiques. L'exemple ci-dessous montre comment s'organise la description d'une espèce.

description des caractéristiques d'une famille ou d'un sous-ordre

nom de la famille

nom vernaculaire ou, à défaut, nom latin

texte décrivant les caractéristiques physiques de l'espèce

paragraphes décrivant son habitat, sa distribution et ses particularités

autres noms usités et/ou divergences de classification

figure principale montrant le mâle, sauf présence du symbole ♀

régimes alimentaires

nom scientifique de la famille ou du sous-ordre

nom scientifique de l'espèce

taille maximale de l'adulte en aquarium

photographie montrant l'espèce dans la nature

mise en évidence des caractères d'identification

carte montrant la répartition géographique approximative

TRANCHOIRS

LE TRANCHOIR représenté ci-dessous est la seule espèce de la famille des zanclidés. Celle-ci est apparentée à celle des acanthuridés, qui comprend les poissons-chirurgiens, comme on peut le voir aux ressemblances physiques chez les jeunes. Le tranchoir juvénile n'a toutefois pas de « scalpel » au pédoncule caudal. Espèce grégaire, commune dans toute la région indopacifique.

Famille ZANCLIDÉS — Espèce Zanclus canescens — Taille 25 cm

TRANCHOIR

Cette espèce monotypique a le corps très haut, comprimé latéralement, jaune clair et blanc, traversé verticalement de bandes foncées, s'étendant sur les nageoires dorsale et anale. Une marque jaune orne le haut du « bec » proéminent, à la base du front en pente très raide. Mâchoire inférieure noire. Dorsale blanche, noire et jaune, à rayons très allongés. L'adulte porte de petites « cornes » au-dessus de l'œil.
• **HABITAT** Récifs coralliens de la région indopacifique.
• **REMARQUE** Poisson populaire mais souvent difficile à acclimater. Ne mangera pas en aquarium s'il a été transporté dans un conteneur pollué, et mourra d'inanition.
• **AUTRES NOMS** Porte-enseigne cornu. Précédemment Z. cornutus.

nageoire dorsale à rayons allongés

Groupe de tranchoirs sur un fond marin.

nageoire caudale noire à bordure blanche

arrière du corps à bordure foncée

mâchoire inférieure noire

bande noire s'étendant sur les nageoires

INDOPACIFIQUE

Régime Omnivore — Niveaux de nage Moyen et inférieur — Tempérament

niveaux de nage dans l'aquarium : supérieur, moyen, inférieur ou combiné

symbole indiquant le tempérament (voir ci-dessous)

LÉGENDES DES SYMBOLES

pacifique

grégaire

timide

territorial

agressif

espèce à séparer

QU'EST-CE QU'UN POISSON ?

Jusqu'à un certain point, on peut tracer un parallèle entre l'anatomie d'un poisson et celle de l'homme : tous deux ont un squelette, soutenant des muscles, et un cœur, irriguant de sang les différentes parties du corps. Les cinq sens sont également présents chez le poisson, avec les modifications qui s'imposent. Les similitudes s'arrêtent là toutefois, car des changements fondamentaux sont intervenus quand des formes vivantes se sont adaptées à la vie sur terre. Les plus grandes différences affectent le mode de locomotion et de déplacement : les poissons se propulsent généralement par des ondulations du corps, les nageoires agissant comme stabilisateurs et gouvernails. Les narines ne servent normalement qu'à l'odorat et ne jouent aucun rôle dans la respiration. La peau est le plus souvent couverte d'écailles qui réduisent le frottement et protègent les tissus contre les prédateurs, les parasites et même le soleil.

LA BOUCHE
Les poissons qui ont la bouche tournée vers le haut (supère ou dorsale) se nourrissent en surface ; une bouche dite infère (ou ventrale) permet de se nourrir sur le fond ; enfin, une bouche terminale (symétrique) permet la chasse entre deux eaux.

BOUCHE SUPÈRE

BOUCHE INFÈRE

BOUCHE TERMINALE

œil

nageoire dorsale

bouche

opercule protégeant les branchies

nageoire pectorale

nageoire pelvienne, ou ventrale

LE TÉGUMENT
La plupart des écailles sont de deux types : les cténoïdes, dentelées sur le bord postérieur, et les cycloïdes, à bord postérieur lisse. La cuirasse, composée de plaques osseuses, caractérise certains poissons-chats.

ÉCAILLES CTÉNOÏDES

ÉCAILLES CYCLOÏDES

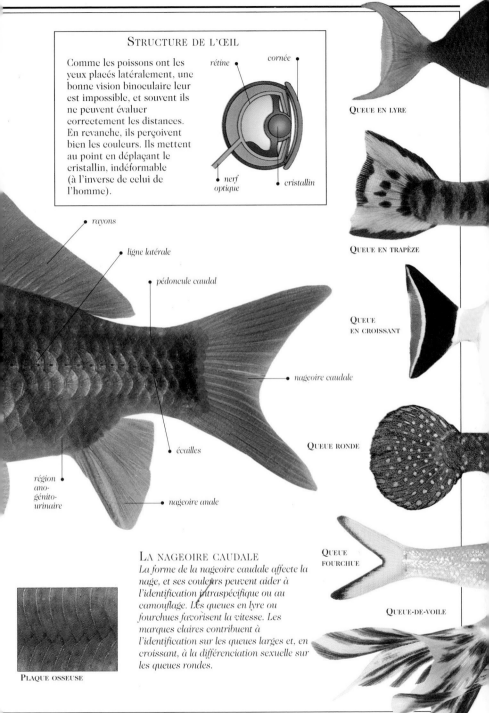

STRUCTURE DE L'ŒIL

Comme les poissons ont les yeux placés latéralement, une bonne vision binoculaire leur est impossible, et souvent ils ne peuvent évaluer correctement les distances. En revanche, ils perçoivent bien les couleurs. Ils mettent au point en déplaçant le cristallin, indéformable (à l'inverse de celui de l'homme).

rétine

cornée

nerf optique

cristallin

QUEUE EN LYRE

rayons

ligne latérale

pédoncule caudal

QUEUE EN TRAPÈZE

nageoire caudale

QUEUE EN CROISSANT

écailles

QUEUE RONDE

région ano-génito-urinaire

nageoire anale

LA NAGEOIRE CAUDALE

La forme de la nageoire caudale affecte la nage, et ses couleurs peuvent aider à l'identification intraspécifique ou au camouflage. Les queues en lyre ou fourchues favorisent la vitesse. Les marques claires contribuent à l'identification sur les queues larges et, en croissant, à la différenciation sexuelle sur les queues rondes.

QUEUE FOURCHUE

QUEUE-DE-VOILE

PLAQUE OSSEUSE

LES FONCTIONS BIOLOGIQUES

L ES POISSONS ont certaines fonctions spécialisées qui leur permettent de survivre dans l'eau : branchies au lieu de poumons, vessie natatoire pour s'équilibrer, système de la ligne latérale servant à détecter les variations de l'environnement.

LA RESPIRATION

Les poissons « respirent » en aspirant l'eau par la bouche et en la filtrant à travers les branchies. Les filaments des branchies absorbent l'oxygène de l'eau, qui passe ensuite dans le sang. En même temps, le dioxyde de carbone et d'autres impuretés sont éliminés. Certaines espèces ont développé des organes respiratoires auxiliaires pour collecter l'oxygène des eaux stagnantes ou encombrées de plantes en décomposition, dans lesquelles ce gaz est rare. Les anabantidés, par exemple, ont un organe auxiliaire près des branchies, le labyrinthe, qui retient de l'air pris à la surface et qui en extrait l'oxygène. Certaines loches absorbent, elles aussi, l'oxygène de l'air, au moyen d'un intestin riche en terminaisons capillaires.

LA VESSIE NATATOIRE

La plupart des poissons ont un diverticule du tube digestif rempli de gaz servant à régler leur flottabilité de manière à se maintenir à la profondeur voulue. Elle gonfle ou se dégonfle en donnant au poisson une flottabilité « neutre », c'est-à-dire que le poids du corps et la poussée de l'eau s'annulent. Certaines espèces utilisent cette vessie pour produire ou amplifier des sons.

LES BRANCHIES

Les branchies absorbent l'oxygène de l'eau avalée par la bouche et filtrée par les cavités branchiales.

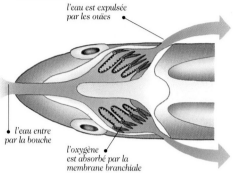

l'eau est expulsée par les ouïes

l'eau entre par la bouche

l'oxygène est absorbé par la membrane branchiale

LA VUE ET L'ODORAT

La vue est moins importante pour les poissons que pour nous, car beaucoup d'espèces naviguent et se nourrissent dans les eaux les plus noires et les plus troubles, détectant les obstacles grâce à leur ligne latérale (*voir ci-dessous*). L'œil du poisson (*voir p. 11*) n'a pas de paupières. La perception chimique est développée chez les poissons : les récepteurs de l'odorat sont les sacs olfactifs sous les narines ; les récepteurs du goût se trouvent dans la bouche, sur les lèvres, les barbillons et parfois sur les nageoires.

LE SYSTÈME LATÉRAL

Le système latéral est un ensemble de canaux ouverts à l'extérieur par des pores. Ces canaux

des ouvertures dans les écailles forment sur le flanc la ligne latérale

UN SIXIÈME SENS

Les poissons peuvent naviguer en détectant les vibrations extérieures par les petites ouvertures de la ligne latérale.

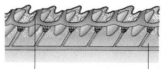

ouvertures (pores) dans les écailles

système nerveux

renferment des récepteurs sensoriels. Le canal de la ligne latérale court horizontalement le long des flancs ; d'autres canaux se ramifient sur la tête. Grâce à ce système, les poissons détectent les variations de pression, donc les courants, et les vibrations de l'eau. Ils reçoivent aussi les vibrations provoquées par leurs déplacements : le système latéral fonctionne alors comme un sonar.

L'OSMOSE

La peau d'un poisson est une membrane semi-perméable : elle ne laisse passer l'eau que dans un sens. L'eau va du milieu le moins concentré vers le milieu le plus concentré. En eau douce, l'eau passe donc constamment dans le corps du poisson : pour éviter l'éclatement, il doit excréter le plus possible et boire peu. À l'inverse, les poissons marins perdent de l'eau au profit de l'eau de mer, plus concentrée que leur milieu interne : ils doivent donc boire constamment mais peu excréter. Rares sont les poissons qui peuvent passer sans dommage d'une eau à l'autre : ces exceptions sont les espèces migratoires.

l'eau traverse la peau en diluant le milieu intérieur plus concentré

POISSON D'EAU DOUCE

POISSON MARIN

excrétion du surplus d'eau

l'eau bue remplace l'eau perdue par osmose

l'eau sortant dilue l'eau de mer plus concentrée

LES ÉCHANGES
En eau douce, l'eau extérieure pénètre dans le corps ; en mer, l'eau passe dans le milieu.

LA PRÉHENSION DE NOURRITURE

La recherche de la nourriture est facilitée par les organes sensoriels situés au bout des barbillons, comme chez les poissons-chats, ou situés sur les filaments à l'aspect chevelu, comme chez les blennies. D'autres, comme les gouramis, portent des cellules sensorielles à l'extrémité des nageoires pelviennes.

organes olfactifs spécialisés dans la localisation de proies carnées

POISSON-ÉLÉPHANT

la mâchoire inférieure, en forme de trompe, permet de creuser

cellules sensorielles au bout des nageoires pelviennes

COLISA GÉANT

PIRANHA

BLENNIE DE YARRELL

filaments détecteurs de sensations et de vibrations

barbillons détecteurs de nourriture

DIANEMA LONGIBARBIS

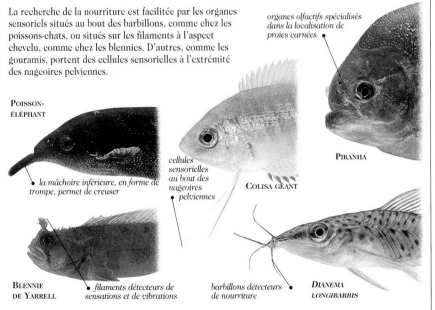

L'ADAPTATION AU MILIEU

LES FORMES les plus diverses apparaissent chez les poissons d'eau douce, selon la zone où ils vivent, la rapidité du courant, les écarts de température et la densité de la végétation. Les poissons marins, quant à eux, s'adaptent surtout à la reconnaissance intraspécifique, au camouflage et à la défense.

LA FORME DU CORPS

La forme d'un poisson dépend de son milieu. Les habitants des cours d'eau rapides, par exemple, sont souvent plus longilignes que ceux des eaux dormantes, au corps en disque. Des poissons d'eau douce auront le ventre plat pour raser le fond, évitant ainsi les courants forts. Les espèces au corps comprimé latéralement se trouvent souvent dans les lacs, parmi les tiges des plantes aquatiques, tandis que les poissons au dos plat nagent près de la surface.

CORPS FUSIFORME
Forme typique des nageurs rapides en eaux libres.

CORPS COMPRIMÉ LATÉRALEMENT
Facilite la nage parmi les plantes.

VENTRE PLAT
Les habitants du fond ont le ventre plat pour raser le lit de la rivière.

VENTRE BOMBÉ
Un corps profondément caréné abrite des muscles puissants permettant au poisson de quitter l'eau en s'aidant de ses nageoires pectorales.

DOS PLAT
Les poissons de cette forme nagent près de la surface.

CORPS CYLINDRIQUE
Un corps mince et sinueux permet de se cacher parmi les racines des plantes et les rochers.

LA DÉFENSE

Les poissons ont développé divers modes de défense
pour affronter l'hostilité d'autres poissons. Ainsi, des
nageoires épineuses et érectiles empêchent la proie
potentielle d'être délogée d'une crevasse, ou avalée.
Certaines espèces sécrètent du poison quand un
danger menace, ou produisent de l'électricité pour
étourdir leurs ennemis (tandis que d'autres y
recourent comme auxiliaire de la navigation).

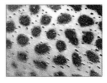

UNE SURPRISE DE TAILLE
*Les diodons
peuvent gonfler
leur corps pour
intimider les prédateurs.*

ÉPINES VENIMEUSES
*Les nageoires
épineuses des
rascasses
contiennent
un poison
violent.*

UN SCALPEL ACÉRÉ
*Le stylet érectile
des acanthuridés
peut infliger des
blessures sévères.*

*stylet
érectile sur
le pédoncule
caudal*

LA COLORATION

Les couleurs souvent éblouissantes des poissons ont
plusieurs objectifs : se reconnaître entre congénères,
se camoufler face à l'ennemi, leurrer les proies par
homochromie, attirer le partenaire par des couleurs
plus vives au temps des amours. Et les dessins
colorés aident les jeunes à identifier leurs parents.

PROTECTION DES YEUX
*Des rayures les cachent (à gauche) ; des ocelles
sur le corps détournent l'attention (à droite).*

COLORATION
*Elle est produite par des cristaux réfléchissants
de guanine sous la peau ou par la pigmentation.*

CAMOUFLAGE
*Rayures verticales et taches brouillent la silhouette
d'un poisson dans les coraux et plantes.*

JEUNE ET VIEUX
*Chez les pomacanthidés marins, la coloration des
juvéniles (gauche) change à l'âge adulte (droite).*

IDENTIFICATION
*Dessins et marques sont servent à reconnaître des
congénères dans les bancs de poissons coralliens.*

LA REPRODUCTION

D E NOMBREUSES particularités distinguent les modes de reproduction des différentes familles de poissons. Il y a cependant deux grandes catégories. La plupart des espèces, ovipares, pratiquent la fécondation externe. Les œufs se développent dans l'eau. Chez les autres, ovovivipares, les œufs sont fécondés et se développent dans le corps de la femelle. Les manières de féconder comme les soins parentaux diffèrent également. La prédation et le cannibalisme sont fréquents.

ŒUFS D'ÉPINOCHE
Ces œufs se développent dans l'eau. Les yeux et la colonne vertébrale apparaissent d'abord. Les alevins éclosent après 10 à 14 jours.

L'OVOVIVIPARITÉ

La nageoire anale du mâle se modifie souvent en un organe reproducteur nommé gonopode. Il sert à introduire le sperme dans le corps de la femelle. La gestation prend à peu près un mois à température moyenne d'aquarium tropical, après quoi le frai est expulsé, prêt à vivre sa vie. Les femelles des poissons ovovivipares les plus populaires, comme les guppys et les xiphos, peuvent stocker le sperme et donc obtenir des portées successives sans nouvel accouplement. On parle de superfétation. Le terme d'« ovoviviparité » est préféré à celui de « viviparité », car il n'y a pas d'organe d'échange entre la mère et l'embryon. Seuls les poissons de la famille des goodéidés et certains requins sont des vivipares vrais, les embryons recevant leur nourriture directement de la mère.

NÉS VIVANTS
Ce goodéidé donne naissance à de multiples alevins vivants.

ŒUFS DISPERSÉS

La dispersion est la forme la plus simple de reproduction ovipare. La femelle éjecte les œufs dans l'eau, habituellement après avoir été vivement poursuivie par un mâle, qui stimule ainsi la ponte. Il les féconde ensuite de son liquide spermatique mais seuls survivront les œufs emportés par les courants et ceux qui tombent parmi des plantes ou des galets ; les autres seront bientôt mangés par des poissons, y compris les parents. La ponte est très copieuse pour augmenter les chances de survie.

ŒUFS ENFOUIS

Les poissons vivant dans des eaux qui tarissent une fois par an enfouissent leurs œufs. La survie de l'espèce dépend donc des œufs fécondés qui résistent à la déshydratation, parfois pendant des mois, pour éclore quand reviennent les pluies. En captivité, il faut ramasser ces œufs et les stocker un certain temps en un lieu pas trop sec, avant de les réhydrater.

ŒUFS DÉPOSÉS

Les poissons qui déposent leurs œufs pratiquent quelques soins parentaux après la ponte (*voir page de droite, en bas*). Le dépôt est fait soigneusement au revers de feuilles, dans des anfractuosités ou au-dessus de la surface, sur des plantes. Parfois le mâle possède une poche servant à accueillir les œufs. Ce groupe s'adonne aussi à la garde des œufs et à la surveillance des alevins. Les soins parentaux vont souvent de pair avec la tendance naturelle à vivre en couple.

L'INCUBATION BUCCALE

Les femelles de certaines espèces font incuber leurs œufs dans leur bouche jusqu'à l'éclosion, pendant plusieurs semaines. Elles s'abstiennent de manger jusqu'à ce que le frai se mette à nager et, en cas de danger, les alevins cherchent refuge dans la bouche de la mère. En captivité, ces espèces n'ont besoin que d'un aquarium séparé. Les mâles des cichlidés des lacs africains qui pratiquent cette incubation ont des poches à œufs sur la nageoire anale ; les femelles heurtent celle-ci pour stimuler l'émission du sperme.

HAUTE SÉCURITÉ
La bouche maternelle est un refuge sûr pour ces alevins.

LA CONSTRUCTION DU NID

Les poissons tropicaux construisent une grande variété de nids, des trous creusés dans le sable aux amas de bulles. Certains mâles font un nid de bulles enrobées de salive, au-dessous duquel ils enlacent la femelle (*voir ci-dessous*) ; les œufs sont pondus, fécondés puis placés dans le nid. Selon l'espèce, ces nids sont flottants ou fixés au revers de feuilles.

LA REPRODUCTION EN CAPTIVITÉ

Pour produire des alevins de haute qualité, on choisira des parents sains, de bonne taille, de belle couleur, aux nageoires parfaites. Les meilleurs spécimens résultent de soins attentifs : on veillera à la qualité de l'eau et à la nourriture, composée de vifs et parfois de végétaux. Certains poissons ne se reproduisent que si l'eau leur convient, et vous devrez empêcher les parents de manger leurs œufs ou leurs alevins. Il faudra aussi prévoir la quantité de frai que pourra donner une portée réussie.

SÉPARER LES REPRODUCTEURS

Mieux vaut prévoir un aquarium séparé pour la reproduction. On pourra y adapter la qualité de l'eau, et les poissons s'y accoupleront sans être dérangés. Le faible volume d'eau augmente le risque de voir les œufs dévorés, mais on y remédiera en meublant l'aquarium de plantes touffues ou en tapissant le fond de galets ou de billes, pour dissimuler les œufs. Les plantes flottantes fournissent un abri aux alevins. La séparation des sexes avant la reproduction (surtout chez les espèces qui dispersent leurs œufs) augmente les chances de réussite une fois le couple réuni. Les mâles de ces espèces ont généralement des couleurs plus vives, des nageoires plus longues et le corps plus mince.

COMPORTEMENT NUPTIAL
Le mâle doit enlacer la femelle sous le nid de bulles attaché à la feuille, avant qu'elle ne ponde et qu'il ne féconde les ovules.

SOINS PARENTAUX
Ce cichlidé mâle sud-américain surveille un tapis d'œufs déposés sur une roche plate.

CHOISIR UN POISSON

CHOISIR un poisson, ce n'est pas simplement se rendre dans un magasin et acheter le spécimen le plus attrayant. Vous devez décider quel poisson s'accommodera de votre aquarium et de votre équipement, puis vous demander si cette espèce ne demande pas des soins particuliers (par exemple, si elle ne nécessite pas de la nourriture vivante). Le volume de la cuve et la qualité de l'eau varient suivant les espèces. Une fois ces points vérifiés, vos critères d'achat seront l'adaptabilité à votre aquarium, la compatibilité, les exigences en soins et la santé.

L'ADAPTATION À L'AQUARIUM

Certains poissons, bien que présents sur le marché, ne conviennent pas à l'aquarium. Certains deviennent trop grands ; d'autres, surtout marins, ne s'habituent jamais à la captivité. On vend habituellement des juvéniles et il est sage de vérifier s'ils ne grandiront pas trop pour votre cuve ou pour leurs petits compagnons, qu'ils pourraient dévorer.

LA COMPATIBILITÉ

Il ne faut pas s'attendre à ce que des poissons venant de différentes parties du monde vivent nécessairement en bonne harmonie dans un aquarium communautaire. Par exemple, ceux qui, dans la nature, vivent en bancs, devront être nombreux en captivité, mais une espèce solitaire dépérirait dans une cuve surpeuplée. Les luttes entre mâles adultes constituent un autre problème, notamment avec le combattant du Siam ; les poissons marins peuvent être particulièrement territoriaux et s'en prendre souvent aux autres espèces de couleurs similaires.

POISSON ROUGE

PIRANHA

POISSON-ANGE

DÉBUTS MODESTES
Il faut s'assurer que le poisson ne deviendra pas trop grand pour l'aquarium. Voyez ici comme des juvéniles de taille similaire peuvent différer à l'âge adulte.

L'HÔTE PARFAIT
Le poisson nettoyeur (à droite) ôte leurs parasites à ses compagnons d'aquarium.

ATTENTION !
Ne pas mêler petits poissons et prédateurs comme les murènes (ci-dessus).

UN SANCTUAIRE
La moindre cavité dans la rocaille ou le substrat rassurera les poissons nerveux, tel cet opistognathe à front doré (ci-contre).

DES POINTS À VÉRIFIER

Un poisson peut avoir parcouru des milliers de kilomètres avant d'arriver chez le détaillant, ou il peut avoir été capturé suivant des méthodes nocives. Ces facteurs ou d'autres peuvent l'avoir affaibli ou endommagé irrémédiablement. Avant d'acheter, vérifiez s'il nage sans effort et maintient aisément sa position dans l'eau. Voyez s'il n'a pas de pustules, de plaies, de nageoires entaillées ou pliées. Assurez-vous, surtout avec un poisson marin, qu'il se nourrit : regardez-le manger. N'acceptez jamais un poisson provenant d'une cuve contenant des spécimens morts.

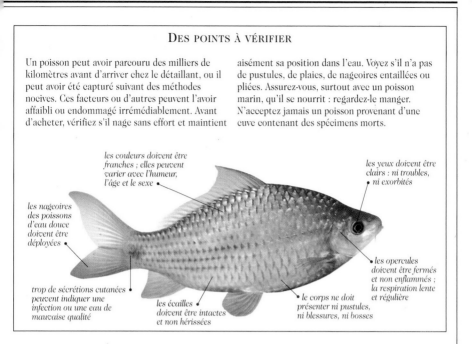

les couleurs doivent être franches ; elles peuvent varier avec l'humeur, l'âge et le sexe •

les yeux doivent être clairs : ni troubles, • ni exorbités

les nageoires des poissons d'eau douce doivent être déployées •

• les opercules doivent être fermés et non enflammés ; la respiration lente • le corps ne doit et régulière présenter ni pustules, ni blessures, ni bosses

trop de sécrétions cutanées • peuvent indiquer une infection ou une eau de mauvaise qualité

les écailles • doivent être intactes et non hérissées

DES SIGNES INQUIÉTANTS

Un poisson qui se réfugie dans un coin de l'aquarium n'est pas nécessairement malade ; peut-être est-il nocturne et fuit-il la lumière des lampes. On évitera les poissons dont la nage paraît pénible. En revanche, on acceptera les spécimens d'élevage aux nageoires extravagantes. Chez les poissons marins, des nageoires repliées ne sont pas toujours signe de mauvaise santé.

DE LA CRÉATIVITÉ

Il serait peu sage de recommander avec précision quelles espèces acheter, car les goûts diffèrent et certains poissons ne s'obtiennent que localement. Peupler un aquarium est un processus créatif qui implique l'acquisition de poissons que l'on aime et que l'on sait pouvoir entretenir. Pour exploiter au mieux l'espace de votre aquarium, achetez des poissons qui en occuperont tous les niveaux et recoins. En mélangeant les espèces de surface, de fond et de zone intermédiaire, vous n'en représenterez que plus complètement le monde subaquatique. Vous pouvez accueillir des poissons du monde entier, d'un continent ou seulement d'une région. Souvent, le goût de la spécialisation se déclare au bout d'un certain nombre d'années, avec l'expérience.

DE HAUT EN BAS
Peuplez votre aquarium d'un ensemble d'espèces occupant tous les niveaux de l'eau.

Colisa • géant

Gourami bleu •

• Barbus de Sumatra

• Labéo à queue rouge

LE PREMIER AQUARIUM

Tout ce que l'on introduit dans un aquarium altère son équilibre. L'aquariophile prendra donc garde au moindre de ses actes. Les poissons ont besoin de beaucoup d'espace et d'oxygène, ainsi que d'une nourriture et d'une eau soigneusement contrôlées. Un aquarium moderne doit être équipé selon ces exigences. Nous parlerons ici du système de base ; certains poissons spécialisés peuvent demander des modifications : votre détaillant vous conseillera.

CHOISIR UN FOURNISSEUR

Un magasin proche de chez vous aura sans doute la même distribution d'eau que vous (donc les mêmes problèmes qui en découlent), et l'on pourra vous y donner à ce propos des conseils avisés. Essayez d'observer son stock de poissons pendant un certain temps et, s'il a une rotation rapide, de déterminer si c'est parce que la vente est bonne ou par

UN NOUVEL ARRIVANT
Transportez-le dans un sac. Ajustez la température de son eau en faisant flotter le sac dans l'aquarium pendant 10 à 15 minutes.

UN MAGASIN MODERNE
Choisissez un négociant capable de vous conseiller utilement sur ses fournitures.

mortalité. Vérifiez si les nouvelles acquisitions sont mises en quarantaine à l'arrivée. Un bon détaillant connaîtra les besoins de tous les poissons de son stock. Il voudra savoir ce que vous possédez déjà, pour vous prémunir d'achats malheureux ou pour vous faire connaître de nouvelles espèces qui pourraient vous intéresser. Fiez-vous à un fournisseur réputé : les poissons bon marché ne sont jamais les bonnes affaires que l'on croit.

GUIDE D'ACHAT

- N'achetez pas de poissons d'arrivage récent. Attendez qu'ils sortent de quarantaine.

- Évitez les poissons rares, chers ou délicats tant que vous n'en êtes qu'à vos débuts.

- N'achetez pas un poisson malade, même s'il vous plaît.

- Achetez plusieurs spécimens d'une espèce grégaire ou qui, dans la nature, vit en bancs.

- Renseignez-vous sur l'alimentation des nouveaux venus : herbivores, ils pourraient s'attaquer à vos plantes d'aquarium.

- Avant l'achat, sachez quelle taille un poisson atteint à l'âge adulte, et s'il ne lui faut pas une eau particulière.

LE TAUX D'OCCUPATION

De toute évidence, un poisson a besoin d'assez d'espace pour nager librement ; d'autre part, la taille de l'aquarium et la température de l'eau affectent son contenu en oxygène et dictent donc le nombre d'individus qu'on peut y loger. La consommation d'oxygène diffère chez les quatre grands groupes de poissons, les eaux chaudes étant moins oxygénées. Les dimensions minimales conseillées des aquariums diffèrent en conséquence. Un aquarium de 60 cm de long sur 30 cm de large, d'une surface en contact avec l'air de 1 800 cm², convient aux poissons d'eau douce. En revanche, on préférera un aquarium d'au moins 90 cm sur 30 cm pour les poissons d'eau douce froide et pour les poissons marins, plus avides d'oxygène.

POISSON TROPICAL MARIN
Une surface d'eau de 1 800 cm² peut abriter un poisson de 15 cm.

LA SURFACE

La profondeur de la cuve n'intervient pas dans le calcul du contenu d'oxygène : c'est sa superficie qui importe. Les espèces tropicales marines demandent 300 cm² d'eau pour 2,5 cm de longueur corporelle ; les poissons d'eau douce froide, 190 cm² ; les poissons tropicaux d'eau douce, 75 cm². Donc, les aquariums horizontaux de 30 x 60 cm illustrés ici contiendront à peu près 15 cm de poissons tropicaux marins (mesurés du nez au pédoncule caudal), 23 cm de poissons d'eau douce froide ou 60 cm de poissons tropicaux d'eau douce.

POISSONS D'EAU DOUCE FROIDE
Une superficie de 1 800 cm² peut abriter deux cyprins de 11,5 cm ou un de 23 cm.

POISSONS TROPICAUX D'EAU DOUCE
Une superficie de 1 800 cm² peut abriter quatre poissons-chats de 15 cm ou un de 60 cm.

CUVE HAUTE OU BASSE ?
Ces deux cuves contiennent le même volume d'eau et procurent le même espace pour nager mais, la haute présentant une plus faible surface en contact avec l'air que la basse, elle abritera beaucoup moins de poissons.

CUVE HAUTE

CUVE BASSE

• *plus de surface en contact avec l'air que la cuve haute*

• *plus d'oxygène, donc beaucoup plus de poissons*

moins d'oxygène, donc moins de poissons

• *même volume d'eau que la cuve basse*

L'ÉQUIPEMENT DE L'AQUARIUM

LES AQUARIUMS modernes sont en verre collé ou en acrylique moulé d'une pièce. Ils ne se corrodent pas, ce qui représente un avantage considérable si l'on entend y mettre des poissons marins. Les dimensions, standardisées, s'expriment en mesures de longueur et de largeur, ou de volume. Avant de le remplir d'eau, il faut poser l'aquarium sur une surface solide et horizontale. L'ébénisterie décorant un aquarium doit résister à la condensation.

NETTOYAGE

Des filtres assureront la propreté de l'aquarium et une pompe à air son oxygénation. Beaucoup de filtres sont reliés à une pompe, qui fait passer l'eau de l'aquarium dans le filtre. Celui-ci débarrasse la cuve de l'ammoniaque et d'autres polluants toxiques produits par les poissons, ainsi que de débris divers. On élimine aussi ces déchets en changeant régulièrement une partie de l'eau. Les plantes, quant à elles, fixent les métaux, les nitrates et le dioxyde de carbone. L'équipement varie des simples écumeurs aux systèmes sophistiqués de filtration « totale ». Le filtre enlève mécaniquement les matières en suspension dans l'eau et une masse filtrante, comme le carbone actif, absorbe les déchets dissous.

l'eau passe à travers des grilles de plastique

gravillons ronds

pompe faisant circuler l'eau sous le gravier

INSTALLATION D'UN FILTRE SOUS GRAVIER

FILTRATION SOUS SABLE OU SOUS GRAVIER

Ce système fonctionne sans masse filtrante. Une pompe aspire l'eau à travers le sable ou le gravier, la faisant entrer en contact avec une colonie de bactéries vivant sur le fond et se nourrissant des déchets.

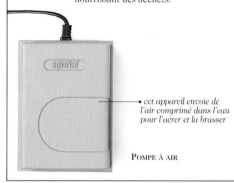

ECHINODORUS GRISEBACHII

cet appareil envoie de l'air comprimé dans l'eau pour l'aérer et la brasser

POMPE À AIR

DÉCOR

Les aquariums d'eau douce ont plus belle allure si on les meuble de rocailles, de racines et de plantes vertes. Toutefois les poissons herbivores auront tôt fait de dévorer les plantes ; par ailleurs, certaines espèces dévastent tout le décor lorsqu'elles se reproduisent. On peut recourir à de fausses plantes en plastique et à des répliques en résine moulée de branches et autres ornements : elles ne relâchent aucun produit nocif. Les aquariums d'eau de mer se garnissent de coraux synthétiques.

EAU

La majorité des poissons d'aquarium
s'accommodent de l'eau de distribution, pourvu
qu'on en élimine ou neutralise les métaux lourds et
le chlore. Une modification plus poussée du milieu
aqueux n'est nécessaire que si l'on veut tenter la
reproduction ou si l'on s'intéresse à des espèces
délicates. L'eau des aquariums marins doit se
préparer en utilisant du sel synthétique.

CHAUFFAGE

L'eau d'un aquarium de poissons tropicaux, d'eau
douce comme marins, doit garder une température
constante d'environ 25 °C. Une résistance à
thermostat maintiendra de façon fiable cette
température. On équipera les grandes cuves de deux
appareils, pour répandre la chaleur rapidement et de
manière égale. Les thermostats récents possèdent
un circuit intégré qui assure une régulation plus
exacte ; certains systèmes externes de contrôle
thermostatique ont même une mémoire et un
système d'alarme signalant les fortes variations.

ÉCLAIRAGE

La lumière éclaire l'aquarium et en même temps
fournit de l'énergie pour la photosynthèse des
plantes. Les cuves de plus de 38 cm de hauteur et
celles où la végétation est luxuriante auront besoin
d'un éclairage très important. Le meilleur système
consiste en tubes fluorescents placés sous le rebord
supérieur de la cuve ; cependant les aquariums
marins à coraux nécessitent des lampes de haute
intensité, à iodure métallique ou à
vapeur de mercure. Les lampes au
tungstène dégagent trop de
chaleur mais servent à faire
pousser les plantes.

FILTRE
INTÉRIEUR

COMBINÉ DE
CHAUFFAGE

THERMOMÈTRE
IMMERGEABLE

THERMOMÈTRE
EXTÉRIEUR

ÉPUISETTE

ECHINODORUS
CORDIFOLIUS

• système de sécurité
pour connecter des
fils et brancher un
commutateur

certaines plantes •
peuvent être mises
en place avec leur
pot ou leur conteneur

BOÎTE DE CONNEXION

TUBE FLUORESCENT

LES SOINS AUX POISSONS

L'UN DES avantages de l'aquariophilie est qu'elle demande peu de temps : quelques minutes par jour pour nourrir et peut-être une heure par semaine pour nettoyer. Des vérifications périodiques de la qualité de l'eau sont à conseiller, surtout pour les aquariums marins, mais la dureté de l'eau ne doit pas trop préoccuper l'amateur. Les maladies des poissons sont généralement dues au stress, à des modifications du milieu de l'aquarium, à une pollution par excès de nourriture ou par décomposition d'un individu mort. La plupart des problèmes peuvent être diagnostiqués et traités.

LE TRAITEMENT DES MALADIES COURANTES

- **Point blanc** (*Ichtyophthirius*) Petits points blancs sur le corps et les nageoires. On y remédie par un traitement approprié de l'eau (équivalent marin : *Cryptocaryon*).
- **Velours** ou « poussière dorée » Mêmes symptômes, mais les taches sont plus petites et veloutées. Diverses formes, dues aux parasites du genre *Oodinium*, traitables.
- **Mousse** (*Saprolegnia*) Excroissances « laineuses » sur le corps. Il y a des remèdes appropriés mais un bain d'eau salée peut traiter les poissons d'eau douce.
- **Champignon de la bouche** Ne se guérit habituellement qu'aux antibiotiques (voir le vétérinaire).
- **Vers de la peau et des ouïes** Les poissons se frottent contre des objets pour atténuer la démangeaison provoquée par les vers de la peau (*Gyrodactylus*). Les vers des branchies (*Dactylogyrus*) les poussent à se tenir à la surface. Traitements efficaces.
- **Nageoires effilochées** Souvent dues à la mauvaise qualité de l'eau. Les tissus, entre les rayons des nageoires, sont rongés par des bactéries. Changer l'eau peut parfois suffire.
- **Hydropisie** Les écailles s'écartent du corps et le poisson se boursoufle. Pas de remède fiable : il vaut mieux euthanasier.

AQUARIUM HÔPITAL
Un aquarium de réserve permet de traiter les poissons malades et sert à la quarantaine.

GUIDE D'ENTRETIEN

	EAU DOUCE	EAU DE MER
EAU		
Vérifier la température	tous les jours	tous les jours
Rétablir le niveau d'eau	une fois par semaine	une fois par semaine
Vérifier la densité	sans intérêt	une fois par semaine
Vérifier le taux d'ammoniaque, de nitrites, de nitrates (kit de mesure)	sans objet	avant d'empoissonner, puis périodiquement
Vérifier le pH (kit de mesure)	si reproduction ou spécialisation	une fois par semaine
Vérifier la dureté (kit de mesure)	si reproduction ou spécialisation	sans objet
Changer une partie de l'eau	chaque mois ou plus	chaque mois
FILTRES		
Laver ou changer la masse filtrante et le charbon	suivant nécessité	suivant nécessité
Nettoyer les matières biologiques	partiellement tous les 2-3 mois	partiellement tous les 2-3 mois
PLANTES		
Tailler ; enlever les feuilles décomposées	suivant nécessité	sans intérêt
DIVERS		
Vérifier la santé des poissons	tous les jours	tous les jours
Ôter les algues ; laver le système d'éclairage ; siphonner les débris	suivant nécessité	suivant nécessité

L'ALIMENTATION

Le genre et la quantité de nourriture offerte aux poissons sont cruciaux, parce que l'excédent non consommé pourrira et compromettra l'équilibre de l'aquarium. Il ne faut jamais donner plus que les poissons ne consomment en quelques minutes. Tout aliment non consommé rejoint les déchets en diminuant le taux d'oxygène de l'eau. Les poissons ne mourront pas s'ils restent sans manger environ une semaine, pendant un congé, pourvu qu'ils aient été bien nourris auparavant. Les aliments se répartissent en deux catégories : aliments secs ou préparés et aliments naturels tels que nourriture vivante, graines ou fruits. Le but est d'être le plus près de l'alimentation naturelle du poisson.

FLOCONS SÉCHÉS

COMPRIMÉS SECS

NOURRITURE SÈCHE

L'industrie agro-alimentaire spécialisée pour les animaux produit des aliments équilibrés, convenant à toutes les espèces de poissons d'aquarium. Les œufs de fourmis et le biscuit en poudre ont perdu de leur attrait car on peut aujourd'hui beaucoup mieux imiter le régime naturel des poissons. Qu'ils soient carnivores, herbivores ou omnivores, adultes ou juvéniles, on peut leur fournir des aliments de substitution adéquats, sous de nombreuses formes telles que flocons, granulés, comprimés et liquides. Outre des protéines, des glucides et des lipides, il leur faut des vitamines et des sels minéraux, tout comme aux hommes, qui sont souvent ajoutés au cours de la fabrication des aliments manufacturés.

GRANULÉS

CREVETTES LYOPHILISÉES

ARTÉMIAS

REPAS RAPIDE

Le poisson-archer peut sauter hors de l'eau pour attraper un insecte ou projeter un jet d'eau pour le faire tomber dans l'eau.

NOURRITURE VIVANTE

La congélation et la lyophilisation permettent de conserver des microfaunes aquatiques. Ce sont là des solutions idéales car les êtres vivants, qu'ils soient terrestres ou aquatiques, contiennent naturellement tous les nutriments dont un poisson a besoin. Si on ne les donne qu'occasionnellement, ils constitueront un changement de régime bienvenu. On peut collecter les larves de moustiques dans des réservoirs d'eau de pluie. Les vers de vase et les daphnies sont généralement disponibles en magasin.

VERS DE VASE

DAPHNIES

LARVES DE MOUSTIQUES

LES HABITATS D'EAU DOUCE

L A PROPORTION d'eau douce dans le monde est très faible : environ 2 pour cent. Toutefois, en raison de son ubiquité et de ses caractéristiques propres, la diversité des poissons d'eau douce est très grande. Ces poissons se rencontrent en un grand nombre de lieux, dans différentes eaux, à différentes températures : adaptables et robustes, ils sont très aptes à la vie en aquarium.

LES TYPES D'EAU DOUCE

Quand il pleut, l'eau atmosphérique est modifiée par le sol sur lequel elle tombe. Cela conditionne aussi la tolérance des poissons à la qualité de leur eau. Si l'eau ruisselle sur des roches granitiques, sa composition ne change guère et elle reste très douce. En revanche, si elle traverse du calcaire, elle absorbe du calcium qui la rend alcaline et dure. Un sol tourbeux l'acidifie. Il en va de même pour la végétation pourrissante des cours d'eau lents. Les poissons habitant ces eaux, dont la majorité des poissons d'aquarium, comme les barbus et les rasboras, tolèrent donc l'acidité. Les lacs sans communication avec des cours d'eau, comme dans la vallée des lacs africains, contiennent beaucoup de sels minéraux, lesquels doivent être ajoutés en captivité, en usant de mélanges

LA FORÊT HUMIDE

Bien qu'abritant beaucoup d'espèces d'aquarium, les eaux des jungles du Sud-Est asiatique (ci-dessous) ont une végétation en décomposition dévoreuse d'oxygène. Les chutes d'eau contribuent à y remédier.

LA VIE SUR LE FOND

L'anostome (ci-dessus) cherche sa nourriture sur le fond des rivières d'Amazonie, habitat de nombreux poissons d'aquarium appréciés. Ses rayures l'aident à se confondre avec son milieu.

LE RIFT
Vue du lac Malawi, dans la vallée du Rift, en Afrique orientale. Plusieurs de ces lacs africains aux eaux dures abritent des cichlidés. Dans ce lac, il y en a plus de 250 espèces.

appropriés. Les estuaires sont altérés à chaque marée haute par l'addition de sel marin, et les poissons qui y vivent, comme le mono et le scatophage, apprécient une adjonction correspondante dans leur eau. Quand l'eau de pluie retourne à la mer, elle a complètement changé de composition. Elle s'y évapore et le cycle recommence.

EFFETS DE LA TEMPÉRATURE

Les changements de température, eux aussi, diversifient sensiblement les habitats d'eau douce. Si la profondeur est faible, l'écart de température entre le jour et la nuit augmente. Des fluctuations plus importantes sont induites par la fonte des neiges, qui apporte aux torrents de l'eau froide, et par l'effet thermique du soleil sur les étangs.

LES EAUX DOUCES DU MEXIQUE
Le lac Catemaco, au Mexique, connaît un climat tropical, à une altitude de 370 m. Il abrite des cichlidés, des pœcilidés et des cyprinodontidés (killies).

*MYXOCYPRINUS ASIATICUS
Une variété robuste des eaux tempérées de Chine.*

LES AQUARIUMS D'EAU DOUCE

IL Y A BEAUCOUP plus d'options offertes à l'amateur de poissons d'eau douce qu'à l'aquariophile marin. Le premier peut recréer les éléments d'une rivière ou d'un lac tropicaux, d'une mare stagnante, d'un lac africain ou d'un habitat aux eaux froides. Quel que soit l'habitat que vous choisissiez de reproduire, la qualité de l'eau sera de première importance. Il est possible de simuler la composition chimique de tel ou tel lieu en introduisant dans le système de filtrage des résines, des sels minéraux, voire de la tourbe. Cela adoucira, durcira, alcalinisera ou acidifiera l'eau. L'addition d'eau de pluie réduira la dureté, tandis qu'on pourra durcir de l'eau trop douce en utilisant des roches calcaires.

• fougère
de Java

scalaire •

**GALETS ET
ROCHERS**

**HYGROPHILE
DES INDES**

• haut-fond de
gravier sableux

• végétation
dense

• poisson arc-en-ciel
de la Goldie River

AQUARIUM
SPÉCIALISÉ
*L'aquarium spécialisé, à
l'inverse du
communautaire (ci-
dessus), vise à recréer un
milieu particulier. Celui que
nous illustrons ici s'inspire
d'une rivière sablonneuse
des hautes terres de
Papouasie-Nouvelle-
Guinée, habitat de trois
espèces de « poissons
arc-en-ciel ».*

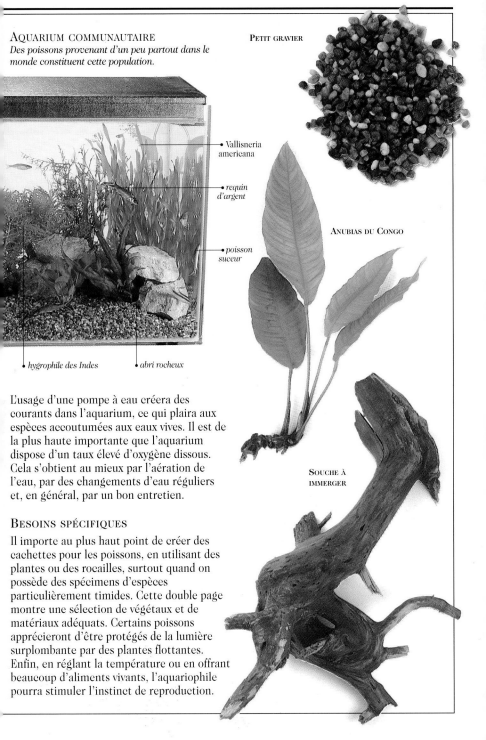

AQUARIUM COMMUNAUTAIRE
Des poissons provenant d'un peu partout dans le monde constituent cette population.

PETIT GRAVIER

• Vallisneria americana

• requin d'argent

ANUBIAS DU CONGO

• poisson suceur

• hygrophile des Indes   • abri rocheux

SOUCHE À IMMERGER

L'usage d'une pompe à eau créera des courants dans l'aquarium, ce qui plaira aux espèces accoutumées aux eaux vives. Il est de la plus haute importante que l'aquarium dispose d'un taux élevé d'oxygène dissous. Cela s'obtient au mieux par l'aération de l'eau, par des changements d'eau réguliers et, en général, par un bon entretien.

BESOINS SPÉCIFIQUES

Il importe au plus haut point de créer des cachettes pour les poissons, en utilisant des plantes ou des rocailles, surtout quand on possède des spécimens d'espèces particulièrement timides. Cette double page montre une sélection de végétaux et de matériaux adéquats. Certains poissons apprécieront d'être protégés de la lumière surplombante par des plantes flottantes. Enfin, en réglant la température ou en offrant beaucoup d'aliments vivants, l'aquariophile pourra stimuler l'instinct de reproduction.

LES HABITATS MARINS

COUVRANT à peu près 77 pour cent de la surface du globe, les mers sont considérées comme un milieu très stable, qu'affectent seulement des variations mineures de la salinité. L'inconvénient, pour l'amateur de poissons marins, c'est que ceux-ci ne tolèrent quasiment pas le moindre changement dans la composition de l'eau, à la différence de leurs lointains cousins d'eau douce. Or l'immensité du volume d'eau océanique efface très rapidement la pollution due aux déchets des poissons et aux matières organiques en décomposition. Même le plus grand aquarium marin ne pourrait reproduire de telles conditions d'auto-épuration et il faut intervenir pour que la vie s'y maintienne.

DES EAUX ENCOMBRÉES
Bien qu'apparemment surpeuplé, ce récif des Fidji offre de la nourriture à tous.

D'OÙ VIENNENT LES POISSONS ?

La plupart des espèces marines disponibles pour l'aquariophilie proviennent d'eaux côtières peu profondes, près des récifs de corail, où la capture est aisée. Contrairement à beaucoup de poissons d'eau douce, ceux de mer sont encore, le plus souvent, prélevés dans la nature. Leur attrait et leur valeur commerciale tiennent à leurs couleurs extraordinaires et à leurs formes curieuses, mais leur reproduction en captivité, difficile, reste insuffisante pour répondre à la demande.

HABITANTS DES CORAUX
Ces hippocampes s'ancrent aux coraux et aux algues.

LE PARADIS DES POISSONS
Les récifs de corail, comme ici dans le Pacifique Sud, foisonnent de vie marine.

OASIS DE VIE

Sur les rivages de toutes les régions tempérées, les marées basses laissent derrière elles des bassins d'eau emprisonnée dans les rochers, constituant de véritables écosystèmes. Ceux-ci contiennent des poissons aisés à prendre, des algues aux nuances vives et de curieux invertébrés. Bien que moins brillamment colorés que les tropicaux, les poissons qui vivent là fascinent par la diversité de leurs techniques de protection et de chasse.

UNE ALIMENTATION SPÉCIALISÉE

Certains poissons marins ont des habitudes alimentaires spécialisées, qui peuvent compliquer la vie de l'aquariophile. Beaucoup d'espèces mangent des éponges, des algues ou le corail lui-même. Il est difficile de les leur procurer en captivité, mais nombreuses sont celles qui refusent tout produit de substitution. Par exemple, les poissons-perroquets sont beaux et aisés à collecter, mais ne mangent que des algues poussant dans les coraux. Heureusement, les aliments industriels comprennent aujourd'hui un plus grand nombre de ces produits naturels. D'autres poissons au régime spécialisé, comme les pomacanthidés de l'Atlantique, mangeurs d'éponges, et les chétodons mangeurs de polypes, peuvent s'adapter à l'aquarium s'ils ont été capturés très jeunes. Ils accepteront des daphnies, des aliments congelés et des flocons. Les pomacanthidés nains, mangeurs d'algues, s'habitueront à l'alimentation carnée, avec un complément de légumes blanchis.

EN SÛRETÉ DANS LE VARECH

Ces syngnathes, longs et effilés, se cachent, tête en haut, parmi les plantes et algues de la côte.

LES AQUARIUMS MARINS

PROCURER aux poissons l'équivalent des conditions naturelles qu'ils trouvent dans les récifs de corail, tel est le secret de l'aquariophilie marine. Il faut avant tout contrôler la qualité de l'eau suivant des paramètres très précis. L'aquarium marin doit être le plus grand possible, pour favoriser la stabilité du milieu aqueux : au minimum, 90 cm de longueur et 30 cm de profondeur. Au moins un quart de l'eau doit être changé chaque mois. L'eau de remplacement doit être aérée puis recevoir les additifs qui lui assureront une masse spécifique correcte (le contrôle se fait au moyen d'un densimètre). Votre détaillant vous renseignera à ce sujet. Un bon système de filtration est primordial pour éliminer de dangereuses toxines. Chaque aquarium a une capacité optimale en poissons mais il ne faut l'atteindre que peu à peu, pour que les filtres assument l'épuration

canne d'aspiration du filtre extérieur • • rocaille

poisson-papillon • vagabond

anémone de mer •

TUF CALCAIRE

COQUILLAGE

crevette •

• mulets

• algues en plastique

AQUARIUM SPÉCIALISÉ
Un aquarium marin d'eau froide constitue un choix intéressant, mais exigeant par rapport aux aquariums tropicaux. Il faut une cuve plus grande car les poissons peuvent atteindre une taille considérable. Température, pH, densité et salinité doivent être contrôlés. L'aquarium doit être refroidi en été.

AQUARIUM COMMUNAUTAIRE

Choisissez vos poissons pour leur couleur, leur forme, l'intérêt de leur comportement et leur utilisation de l'espace. Pour le pittoresque, ornez d'anémones, de vers marins et de crabes.

POMPE-FILTRE EXTÉRIEURE

tête de pompe montée sur filtre plaque

débris de corail sur lit de sable corallien

DENSIMÈTRE

poisson-écureuil

d'une eau de plus en plus chargée de déchets. Ce supplément de travail appelle un équipement spécial comprenant des filtres biologiques, des lampes à ultraviolets et de l'ozone (un oxydant).

AUTRES BESOINS

Sur les récifs, l'intensité lumineuse est forte, et un bon éclairage de l'aquarium favorisera la croissance des algues exigées par les espèces herbivores. Il faut plus de cachettes que de poissons et, pour certaines espèces fouisseuses, veiller à la qualité du substrat. Cette double page illustre des suggestions de décor.

MÉLANGE DE SELS MARINS

SABLE CORALLIEN

CLASSIFICATION

T OUS les poissons s'identifient par leur nom scientifique, reconnu dans le monde entier. Les espèces similaires se regroupent en genres, qui à leur tour forment des familles, comme il est montré ci-dessous. Les groupements utilisés dans ce livre sont décrits plus loin (*pp. 35-45*).

FOSSILE DE POISSON
Les fossiles aident à retracer l'évolution des caractères communs à une famille, un genre, une espèce.

FAMILLE

Une famille comprend généralement plusieurs genres apparentés, mais parfois un seul. Le nom de famille s'écrit en caractères romains. Ex. : Bélontiidés.

FAMILLE

GENRE

Un genre comprend généralement plusieurs espèces apparentées, mais parfois une seule. Le nom du genre s'écrit en caractères italiques. Ex. : *Sphaerichthys*.

Genre

ESPÈCE

Les membres d'une espèce se ressemblent et peuvent se reproduire entre eux. Le nom scientifique se compose du nom du genre et d'un épithète spécifique. Ex. : *Betta bellica*.

Espèce   *Espèce*

VARIÉTÉS ET SOUS-ESPÈCES

Les variétés (var.) sont obtenues par sélection dans une espèce : les sous-espèces (le nom scientifique comporte un second épithète) sont en général séparées géographiquement.

Variété (var.)

Sous-espèce (ex. : Trichogaster trichopterus sumatranus)

CYPRINIDÉS

BARBUS DE SUMATRA
Un corps en losange et une dorsale haute caractérisent les barbus, les plus communs des cyprinidés tropicaux.

nageoire dorsale haute •

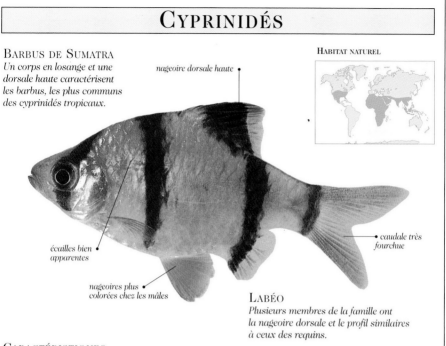

• caudale très fourchue

écailles bien • apparentes

nageoires plus • colorées chez les mâles

LABÉO
Plusieurs membres de la famille ont la nageoire dorsale et le profil similaires à ceux des requins.

CARACTÉRISTIQUES

La famille des cyprinidés comprend environ 1 300 espèces, largement distribuées sur tous les continents. Elles habitent tous les milieux aquatiques et s'adaptent donc rapidement au type d'eau de l'aquarium.

La forme du corps, classique, aux contours symétriques, peut être étroite ou plutôt haute, suivant l'habitat. Les cyprinidés ont sept nageoires. Les mâchoires sont dépourvues de dents. Le pharynx, en revanche, comporte des rangées de dents servant à broyer la nourriture. Leur nombre et leur disposition aident à la détermination des espèces.

Les cyprinidés d'eaux froides (*voir pp. 213-223*) comptent les poissons d'aquarium les plus populaires : les poissons rouges et les koïs. Les cyprinidés tropicaux (*voir pp. 46-73*) se divisent, pour l'aquariophile, en trois groupes principaux : les barbus, au profil de carpe, qui habitent les eaux moyennes et profondes ; les danios, nageurs rapides qui préfèrent la proximité de la surface ; les rasboras, qui n'ont pas de préférence. Tous les cyprinidés fraient en dispersant leurs œufs, et ils ne pratiquent habituellement pas de soins parentaux.

RASBORA
Les rasboras nagent en eaux moyennes et peuvent avoir le corps étroit ou haut, très coloré ou argenté.

DANIO
Ce cyprinidé fraie aisément. Il est toujours actif, près de la surface.

CHARACOÏDES

FEUX-DE-POSITION
La forme du corps est typique de la famille des characidés si populaires que sont les tétras. Les profils supérieur et inférieur sont de courbure égale.

HABITAT NATUREL

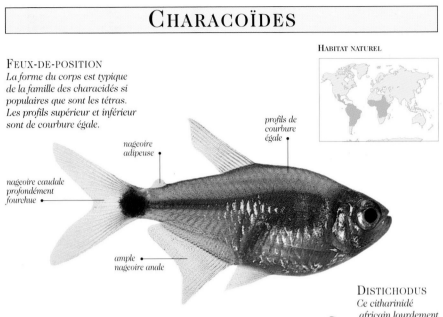

nageoire adipeuse

profils de courbure égale

nageoire caudale profondément fourchue

ample nageoire anale

DISTICHODUS
Ce citharinidé africain lourdement bâti exige beaucoup de place.

CARACTÉRISTIQUES
Le sous-ordre des characoïdes comprend environ 1 300 espèces, distribuées en Amérique centrale et du Sud, ainsi qu'en Afrique. La plupart vivent en bancs dans les lacs, fleuves et rivières.

Forme et taille varient considérablement, de 5 cm de long pour le poisson-crayon aux 40 cm du gros *Distichodus* africain. Piranhas et pacus sont musclés et lourdement bâtis, pour mieux déchirer la chair ou les fruits. D'autres peuvent manger obstinément les plantes d'aquarium. Les characoïdes possèdent des dents acérées et la plupart ont sur le dos une nageoire supplémentaire, dite adipeuse. Nombre de characoïdes sont populaires, dont les tétras, tels le néon et le cardinal.

La plupart de ces poissons fraient par dispersion des œufs. Le mâle peut avoir de petits crochets à la nageoire anale pour maintenir la femelle contre lui pendant le frai. Les œufs sont adhésifs et, une fois pondus, se logent généralement parmi les plantes. Une exception notable est celle du tétra *Copella arnoldi*, qui dépose ses œufs sur une surface solide, hors de l'eau, pour les protéger des prédateurs aquatiques.

POISSON-HACHETTE
Ce gastéropélécidé au corps haut et au dos plat est capable de sauter hors de l'eau.

POISSON-CRAYON
Les marques colorées de ce lébiasinidé au corps fuselé s'estompent de nuit.

CICHLIDÉS

CICHLIDÉ NAIN BRILLANT
Bien que de petite taille, ce poisson a le corps trapu, caractère typique des cichlidés.

nageoire dorsale longue

nageoire caudale arrondie

corps trapu

chez le mâle, nageoire anale pointue

SCALAIRE
Cette vedette des aquariums diffère beaucoup, par la forme, de la plupart des cichlidés.

CARACTÉRISTIQUES

Les 1 000 membres, ou plus, de la famille des cichlidés sont natifs d'Amérique centrale et du Sud, d'Afrique, d'Asie et d'une partie des États-Unis. La plupart s'habitueront à l'eau du robinet mais certaines espèces, comme les discus, ont besoin d'une eau soigneusement contrôlée.

Couleurs, forme et taille varient beaucoup, bien que tous les cichlidés tendent à être lourdement bâtis. Certains deviennent trop grands pour un aquarium moyen. D'autres se reproduisent sans tarder parmi les divers poissons d'un aquarium communautaire. Les cichlidés mâles des Amériques peuvent avoir les nageoires dorsale et anale plus longues et plus pointues, tandis que ceux des lacs africains présentent souvent des taches ovoïdes jaunes ou orange sur l'anale. Cette famille fournit quantité d'occasions de se spécialiser : par exemple, les cichlidés des lacs africains préfèrent l'eau dure et les rocailles. Beaucoup sont herbivores. Tous, gros mangeurs, produisent beaucoup de déchets, d'où la nécessité de changements d'eau fréquents. Ils sont pondeurs sur substrat ou pratiquent l'incubation buccale. Chez tous, les soins parentaux sont importants.

GRAND CICHLIDÉ
Certains cichlidés, comme cet oscar, deviennent parfois trop grands pour un aquarium moyen. Malgré leur taille, ils peuvent devenir familiers.

DISCUS
Ce cichlidé gracieux et coloré exige une eau douce et acide.

ANABANTOÏDES

GOURAMI PERLÉ
*Corps ovale et nageoires
sont typiques des nageurs
gracieux que sont les
gouramis.*

*nageoire dorsale longue
• chez les mâles*

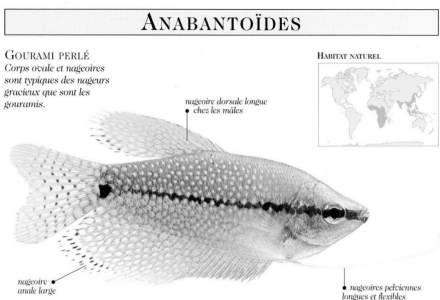

*nageoire
anale large •*

*• nageoires pelviennes
longues et flexibles*

CARACTÉRISTIQUES

Les poissons de ce sous-ordre habitent souvent des eaux peu oxygénées, en Afrique et en Asie. Ils ont un organe respiratoire auxiliaire qui leur permet d'utiliser l'air atmosphérique : le labyrinthe, situé dans la cavité branchiale et formé d'un ensemble d'os et de tissus riches en capillaires. Il stocke l'air et en extrait l'oxygène.

Les anabantoïdes asiatiques, généralement pacifiques, nagent gracieusement. Les gouramis ont les nageoires pelviennes filamenteuses et terminées par des cellules sensorielles. Quelques espèces asiatiques émettent une sorte de coassement quand elles fraient ou quand on les sort de l'eau. Les poissons africains, plus grands, sont des prédateurs furtifs, aux couleurs et aux marques souvent spectaculaires.

La majorité des anabantoïdes construisent des nids de bulles flottants et y déposent leurs œufs. Le mâle repousse la femelle quand il a fini de frayer. Il peut même la tuer, quand il prend la garde des œufs dans le nid. Fait exception le gourami chocolat. C'est un incubateur buccal.

BETTA
*Le combattant du Siam, une variété du genre
Betta élevée en aquarium, est de couleur plus
vive que son homologue
sauvage.*

CTENOPOMA
*Les anabantidés africains
sont généralement des
prédateurs. Ils n'en
pas moins de vi
couleurs.*

CYPRINODONTIDÉS

APHYO BLEU
*Grand et coloré, ce cyprinodontidé est un hôte
apprécié des aquariums tropicaux.*

*coloration
brillante*

*profil
dorsal plat,
caractéristique du
poisson de surface*

*rayons extérieurs
et centraux allongés*

CARACTÉRISTIQUES

Les 300 espèces de cyprinodontidés, ou killies,
habitent de nombreux milieux : marigots
intermittents, marais saumâtres, lacs et cours d'eau
des Amériques, d'Afrique, d'Asie et d'Europe
méridionale. Corps petit et cylindrique, bouche
tournée vers le haut pour la préhension d'aliments
en surface. Les mâles sont en général plus
brillamment colorés. En captivité, ces poissons
mangent de tout. Ils déposent leurs œufs sur des
plantes ou sur le substrat. Ces œufs prennent des
semaines, voire des mois pour éclore, en survivant le
cas échéant à des périodes de déshydratation
presque totale. La multiplicité des sous-espèces
diversement colorées entraîne des difficultés
d'identification.

SILUROÏDES

ACANTHODORAS SPINOSISSIMUS
*Espèce à la coloration brun moucheté,
typique des poissons-chats.*

*barbillons
autour de
la bouche*

*la surface
ventrale plate
caractérise
l'hôte des fonds*

*épines
et cuirasse de
plaques osseuses
sur le corps*

*nageoire
caudale
tronquée*

CARACTÉRISTIQUES

Le sous-ordre des siluroïdes (poissons-chats)
comprend environ 2 000 espèces, dont quelques-unes
des grandes attractions de l'aquarium : certaines
nagent la tête en bas ou peuvent manœuvrer sur la
terre ferme, d'autres émettent des sons ou usent de
l'électricité pour tuer. Américaines, africaines ou
asiatiques, elles partagent la caractéristique de
hanter les fonds. Beaucoup, étonnamment grégaires,
aiment se trouver en nombre dans l'aquarium ; mais
certaines sont nocturnes et leur activité passe
souvent inaperçue. On les identifie aux barbillons qui
entourent la bouche et qui servent à repérer les
proies dans l'obscurité. La peau est nue ou couverte,
non d'écailles, mais d'une cuirasse de plaques
osseuses. Les poissons-chats utilisent souvent
l'oxygène de l'air. Ils sont généralement omnivores,
mais des espèces herbivores servent à contenir la
prolifération des algues dans l'aquarium. Ils fraient
de différentes façons, dont le dépôt des œufs et la
construction de nids de bulles.

COBITIDÉS

KUHLI

Le corps allongé de ce cobitidé lui permet de se glisser aisément dans des cachettes.

bandes mimétiques foncées

épine érectile sous l'œil

ventre clair

CARACTÉRISTIQUES

Les espèces de la famille des cobitidés, ou loches, disponibles pour l'aquariophile proviennent d'Asie, surtout de l'Inde. Elles passent le plus clair de leur temps sur le fond des fleuves, rivières et ruisseaux, d'où leur ventre plat. Une caractéristique de cette famille est l'épine érectile, près de l'œil : elle dissuade les prédateurs mais elle a tendance à accrocher l'épuisette de l'aquariophile. La bouche, tournée vers le bas, porte des barbillons détecteurs.

Comme les anabantoïdes et certains poissons-chats, les cobitidés peuvent capter de l'air à la surface et en extraire l'oxygène lorsqu'il passe par l'intestin. Beaucoup d'espèces sont nocturnes et se cachent le jour parmi les plantes et les pierres, pour en sortir au crépuscule ou quand une proie passe à proximité. Leur régime naturel se compose de vers et d'insectes, mais la plupart des cobitidés captifs accepteront les aliments préparés, principalement les comprimés et autres produits qui vont rapidement au fond.

On connaît mal leur reproduction, mais on a pu en faire frayer en captivité à l'aide d'injections d'hormones. Les espèces du genre *Botia* sont depuis longtemps les favorites des amateurs.

LOCHE-CLOWN
Le ventre plat et la bouche tournée vers le bas de ce cobitidé l'aident à fouiller le substrat.

BOTIA STRIATA
Des zébrures foncées servent de camouflage à ce cobitidé.

ACANTHOPSIS CHOIRORHYNCHUS
La tête est plus longue que celle des autres cobitidés. Espèce active par mauvais temps.

AUTRES ESPÈCES TROPICALES OVIPARES

DATNOIDES MICROLEPIS
Son corps comprimé latéralement
permet à cette espèce ovipare
prédatrice de se tapir parmi les
plantes aquatiques.

HABITAT NATUREL

la seconde dorsale a
des rayons plus souples

nageoire dorsale
épineuse

nageoire
caudale
puissante

grande
bouche de
prédateur

CARACTÉRISTIQUES

Beaucoup de poissons ovipares sont
monotypiques, c'est-à-dire qu'un genre ne
comporte qu'une seule espèce. D'autres
genres ne regroupent que très peu d'espèces,
et certaines espèces ne se rangent de façon
convaincante dans aucun taxon supérieur.
Dans ce livre, nous rassemblons ces poissons
inclassables par ordre alphabétique des noms
scientifiques (*voir pp. 180-186*).

Cette catégorie offre un choix
extraordinaire de poissons
d'aquarium, qu'ils proviennent
d'eaux dormantes ou d'eaux vives.
Les amateurs les choisissent souvent
comme solutions d'attente avant de se
mesurer avec les exigences de l'aquarium
marin.

Les poissons décrits ici ont été sélectionnés
afin de montrer la variété de poissons
disponibles pour animer même le plus petit
aquarium. Mais il n'est pas sûr que tous
puissent être acquis partout, car leur
popularité varie localement.

POISSON-ÉLÉPHANT
L'extension de sa mâchoire inférieure rend
très reconnaissable cet étrange poisson
tropical ovipare.

POISSON
ARC-EN-CIEL
La présence de deux
dorsales séparées
caractérise la famille des
mélanotaeniidés.

POISSON-FEUILLE
En imitant une feuille morte, ce prédateur peut
approcher sa proie sans l'inquiéter.

POISSONS TROPICAUX OVOVIVIPARES

*nageoire caudale
large et déployée*

GUPPY

*Guppys, mollys, xiphos et platys
forment un groupe très populaire
de poissons ovovivipares apparentés.
Les mâles sont plus petits mais plus
colorés que les femelles.*

HABITAT NATUREL

*nageoire anale
formant le gonopode
chez le mâle*

*bouche
orientée
vers le haut*

CARACTÉRISTIQUES

Ces poissons ovovivipares sont natifs des
Amériques (du New Jersey au Brésil) et de
l'Extrême-Orient. Ils ont été introduits
dans d'autres zones tropicales pour y
combattre le paludisme, car ils
mangent les larves de moustique.

Les femelles sont habituellement plus
longues que les mâles mais ceux-ci ont
des couleurs et des marques plus vives,
voire souvent de plus longues nageoires.
La plupart des poissons ovovivipares
s'adaptent bien à l'aquarium et
s'accommodent de l'eau dure. Faciles à
nourrir, ils apprécient cependant un
complément d'aliments végétaux.

L'attrait principal de ces poissons tient
à leur facilité de reproduction en
captivité ; c'est particulièrement
le cas des souches brillamment
colorées, et sélectionnées pour
l'aquarium, de guppys, mollys,
platys et xiphos. Il est à conseiller
de placer une femelle gravide
dans un aquarium séparé,
abondamment garni de plantes,
pour que le frai puisse se
protéger de la mère affamée.

MOLLY VERT
*Ce poisson
ovovivipare
apprécie un
régime à base de
verdure.*

XIPHO (PORTE-ÉPÉE)
*L'extension des rayons de
la nageoire caudale en
forme d'épée
caractérise le
mâle de
l'espèce.*

GOODÉIDÉ
*La nageoire anale
spermatophore du goodéidé
mâle est différente
du gonopode
habituel des
autres mâles
ovovivipares.*

POISSONS D'EAU DOUCE FROIDE

COMÈTE
Le poisson rouge est le plus populaire de tous les poissons d'aquarium. Les taches rouges et blanches sont typiques de cette souche d'élevage au corps étroit.

HABITAT NATUREL

nageoire dorsale longue

couleurs variant suivant la lignée

grande nageoire caudale en fourche profonde

écailles métalliques, translucides ou opaques

QUEUE-DE-VOILE
Race à l'anale et à la caudale divisées.

CARACTÉRISTIQUES
La popularité des poissons d'ornement vivant en eaux froides a fait vivre l'aquariophilie pendant des siècles, jusqu'à l'introduction des poissons tropicaux au XIXᵉ siècle. La plupart de ces poissons d'aquarium d'eau froide représentent, tel le poisson rouge, des variétés du cyprin commun, ou carassin (*Carassius auratus*), membre de la famille des cyprinidés, originaire d'Asie. Un de ses parents, le koï (*Cyprinus carpio*), a été développé au Japon mais pour l'élevage en bassin plutôt qu'en aquarium. L'un et l'autre vivent longtemps et s'adaptent aisément à ces deux modes de captivité. Nous ne proposons pas de valeur de taille pour ces espèces, car elles grandissent généralement en fonction de leur milieu ; de même, nous n'indiquons pas d'habitat pour les variétés élevées en aquarium.

Nous avons inclus dans cette catégorie quelques espèces des régions tempérées d'Amérique du Nord, d'Europe et du Japon récemment admises dans les aquariums. Il peut y avoir localement des lois interdisant la vente ou la capture de certaines de ces espèces.

PERCHE-SOLEIL
Les espèces du genre Lepomis ont une tache sur l'opercule.

« IDE AMÉRICAINE » À NAGEOIRES ROUGES
Les poissons de ce genre développent des tubercules à la tête quand ils fraient.

POISSONS TROPICAUX MARINS

POISSON-PAPILLON
Un corps en disque, un long museau et des marques aux yeux caractérisent les chétodontidés.

Le corps comprimé latéralement facilite le passage entre les branches de corail

long museau aidant à la chasse dans le corail

queue courte

LABRIDÉ
Spectaculairement ornés dans leur jeunesse, à l'âge adulte ces labridés deviennent trop grands et perdent leurs couleurs.

CARACTÉRISTIQUES

Les poissons marins sont sans doute les plus attrayants de tous les candidats à l'aquarium, mais ils sont aussi les plus intolérants aux variations de la qualité de l'eau. Ils impliquent une spécialisation que l'aquariophile n'abordera pas sans réflexion. Il vaut mieux commencer par les espèces les plus robustes.

Ces poissons tropicaux proviennent généralement des récifs de corail et des zones côtières des mers chaudes. Ils offrent un grand choix de formes, de tailles et de couleurs, mais toute sélection devra prendre en compte la question de la compatibilité. Beaucoup de ces poissons ne tolèrent pas leurs congénères et, comme ils peuvent être très territoriaux, on devra toujours prévoir des cachettes. Certaines espèces nouent, dans la nature, des relations avec d'autres poissons ou avec des invertébrés, et l'on pourra donc les mettre ensemble : par exemple, les pomacentridés apprécient les anémones de mer. La reproduction des poissons marins ne concerne guère que les pomacentridés et les gobies.

Nous décrirons en premier lieu les familles les plus populaires et nous les ferons suivre par les genres comprenant peu d'espèces.

POISSON-ANGE
La forme du corps ressemble à celle des poissons-papillons mais l'opercule porte une épine.

GOBIE
Les gobies, très colorés, portent habituellement une ventouse formée par les nageoires pelviennes.

POISSONS MARINS D'EAUX FROIDES

CHABOT DE MER
Les longs rayons venimeux de cette belle espèce peuvent empoisonner d'autres poissons ou le pêcheur imprudent.

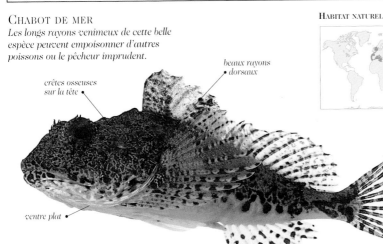

crêtes osseuses sur la tête

beaux rayons dorsaux

ventre plat

ÉPINOCHE DE MER
Ces poissons s'identifient aisément à leurs épines et aux plaques osseuses de leurs flancs.

CARACTÉRISTIQUES

Les aquariophiles qui vivent près d'une côte peuvent collecter des poissons locaux dans les flaques laissées par le reflux. Si ces derniers grandissent trop pour l'aquarium, on peut aisément les remettre à la mer. Les espèces décrites dans ce chapitre ne sont pas représentatives de tous les rivages tempérés mais elles offrent une indication sur la diversité des poissons que l'aquariophile peut se procurer sans intermédiaire. Il faut dire que, d'une manière générale, les espèces d'eaux froides sont moins colorées que les tropicales : le brun moucheté est de règle.

La plupart des poissons marins d'eaux froides hantent des retraites rocheuses ; vous en prévoirez donc dans l'aquarium. Un substrat profond et à grain fin rassurera les fouisseurs tels que les labridés. Comme dans l'aquarium tropical, vous pouvez ajouter des invertébrés : anémones de mer, crevettes, étoiles de mer et petits crabes donneront de la vie à votre paysage marin. Les poissons de mer indigènes peuvent se garder sans grands frais dans une cuve moyenne à grande, pourvu qu'on ne la laisse pas devenir trop chaude en été.

LOMPE
Une première dorsale cachée et une peau épineuse caractérisent cette étrange espèce.

PORTE-ÉCUELLE
Comme les gobies, ce poisson adhère aux surfaces dures au moyen d'une ventouse.

POISSONS TROPICAUX D'EAU DOUCE

BARBUS, DANIOS ET RASBORAS

I L Y A environ 1 250 espèces, robustes et actives, au sein de la famille des cyprinidés. Les plus communes sont les barbus, les danios et les rasboras. Ces attrayants petits poissons proviennent des eaux tropicales et subtropicales. En aquarium, ils sont aisés à nourrir. Ils fraient par dispersion des œufs.

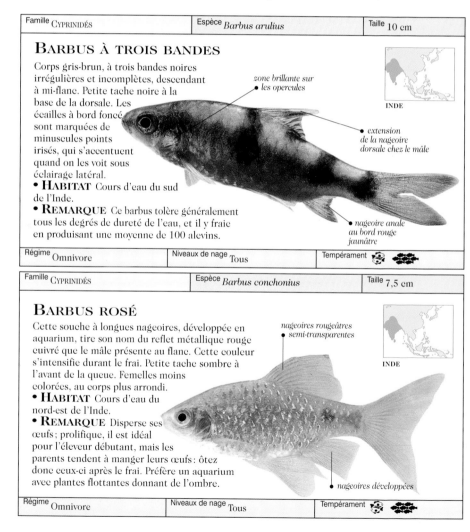

Famille CYPRINIDÉS	Espèce *Barbus arulius*	Taille 10 cm

BARBUS À TROIS BANDES

Corps gris-brun, à trois bandes noires irrégulières et incomplètes, descendant à mi-flanc. Petite tache noire à la base de la dorsale. Les écailles à bord foncé sont marquées de minuscules points irisés, qui s'accentuent quand on les voit sous éclairage latéral.
• **HABITAT** Cours d'eau du sud de l'Inde.
• **REMARQUE** Ce barbus tolère généralement tous les degrés de dureté de l'eau, et il y fraie en produisant une moyenne de 100 alevins.

zone brillante sur les opercules

INDE

extension de la nageoire dorsale chez le mâle

nageoire anale au bord rouge jaunâtre

Régime Omnivore	Niveaux de nage Tous	Tempérament

Famille CYPRINIDÉS	Espèce *Barbus conchonius*	Taille 7,5 cm

BARBUS ROSÉ

Cette souche à longues nageoires, développée en aquarium, tire son nom du reflet métallique rouge cuivré que le mâle présente au flanc. Cette couleur s'intensifie durant le frai. Petite tache sombre à l'avant de la queue. Femelles moins colorées, au corps plus arrondi.
• **HABITAT** Cours d'eau du nord-est de l'Inde.
• **REMARQUE** Disperse ses œufs ; prolifique, il est idéal pour l'éleveur débutant, mais les parents tendent à manger leurs œufs : ôtez donc ceux-ci après le frai. Préfère un aquarium avec plantes flottantes donnant de l'ombre.

nageoires rougeâtres semi-transparentes

INDE

nageoires développées

Régime Omnivore	Niveaux de nage Tous	Tempérament

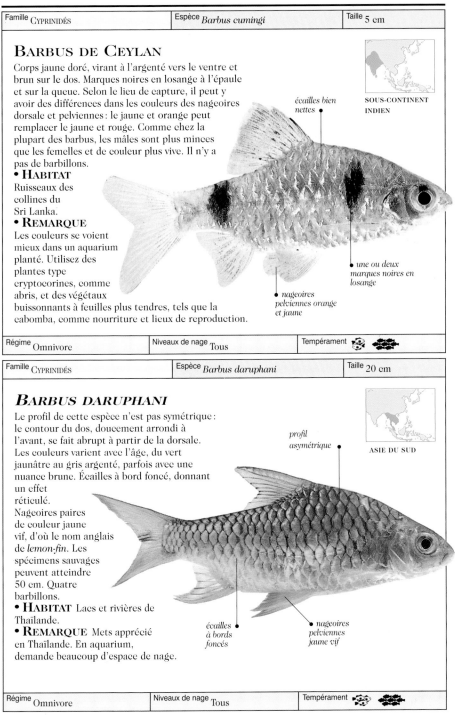

Famille CYPRINIDÉS	Espèce *Barbus cumingi*	Taille 5 cm

BARBUS DE CEYLAN

Corps jaune doré, virant à l'argenté vers le ventre et brun sur le dos. Marques noires en losange à l'épaule et sur la queue. Selon le lieu de capture, il peut y avoir des différences dans les couleurs des nageoires dorsale et pelviennes : le jaune et orange peut remplacer le jaune et rouge. Comme chez la plupart des barbus, les mâles sont plus minces que les femelles et de couleur plus vive. Il n'y a pas de barbillons.
* **HABITAT**
Ruisseaux des collines du Sri Lanka.
* **REMARQUE**
Les couleurs se voient mieux dans un aquarium planté. Utilisez des plantes type cryptocorines, comme abris, et des végétaux buissonnants à feuilles plus tendres, tels que la cabomba, comme nourriture et lieux de reproduction.

écailles bien nettes •

SOUS-CONTINENT INDIEN

• une ou deux marques noires en losange

• nageoires pelviennes orange et jaune

Régime Omnivore	Niveaux de nage Tous	Tempérament

Famille CYPRINIDÉS	Espèce *Barbus daruphani*	Taille 20 cm

BARBUS DARUPHANI

Le profil de cette espèce n'est pas symétrique : le contour du dos, doucement arrondi à l'avant, se fait abrupt à partir de la dorsale. Les couleurs varient avec l'âge, du vert jaunâtre au gris argenté, parfois avec une nuance brune. Écailles à bord foncé, donnant un effet réticulé.
Nageoires paires de couleur jaune vif, d'où le nom anglais de *lemon-fin*. Les spécimens sauvages peuvent atteindre 50 cm. Quatre barbillons.
* **HABITAT** Lacs et rivières de Thaïlande.
* **REMARQUE** Mets apprécié en Thaïlande. En aquarium, demande beaucoup d'espace de nage.

profil asymétrique •

ASIE DU SUD

écailles • à bords foncés

• nageoires pelviennes jaune vif

Régime Omnivore	Niveaux de nage Tous	Tempérament

Famille CYPRINIDÉS	Espèce *Barbus dorsalis*	Taille 13 cm

BARBUS DORSALIS

Corps symétrique et généralement plus allongé que chez la plupart des barbus. Les couleurs varient du bronze métallique au rouge ; le brun-vert du dos se dégrade jusqu'à l'argenté de la région ventrale. Zone sombre bien marquée à l'avant de chaque écaille.
• **HABITAT** Cours d'eau du Sri Lanka.
• **REMARQUE** Cette espèce active a besoin d'un système de filtration efficace pour que l'eau reste claire et propre.

nageoire dorsale érigée, triangulaire et teintée de rouge

SOUS-CONTINENT INDIEN

partie supérieure de l'œil rouge

nageoire caudale en fourche profonde

museau proéminent, bouche terminale

Régime Omnivore	Niveaux de nage Tous	Tempérament

Famille CYPRINIDÉS	Espèce *Barbus everetti*	Taille 14 cm

BARBUS-CLOWN

La couleur de fond est un rose-brun doré, avec des nuances d'argent sur le ventre. Plusieurs taches régulièrement espacées se montrent sur les flancs. Les femelles ont le corps plus haut.
• **HABITAT** Cours d'eau de Bornéo, de Malaisie et de Singapour.
• **REMARQUE** Une eau non calcaire est préférable. Ce poisson actif se reproduit aisément dans de grands aquariums aux plantes buissonnantes.

des taches sombres peuvent se succéder de près

SUD-EST ASIATIQUE

nageoires jaunâtres teintées de rouge

surface ventrale argentée

Régime Omnivore	Niveaux de nage Moyen et inférieur	Tempérament

Famille CYPRINIDÉS	Espèce *Barbus fasciatus*	Taille 11 cm

BARBUS ZÉBRÉ

Corps allongé, or pâle, traversé horizontalement de rayures sombres, régulièrement espacées. La plus large suit la ligne médiane du flanc ; il y en a trois, plus étroites, au-dessus et une ou deux au-dessous. La femelle, plus ronde, a le dos plus haut et plus arqué, mais moins de rayures.
• **HABITAT** Cours d'eau de Malaisie, de Sumatra et de Bornéo.
• **REMARQUE** Barbillons mis à part, ce poisson ressemble tout à fait à *B. lineatus*.
• **AUTRE NOM** Barbus de feu. Récemment reclassé sous le nom de *B. eugrammus*.

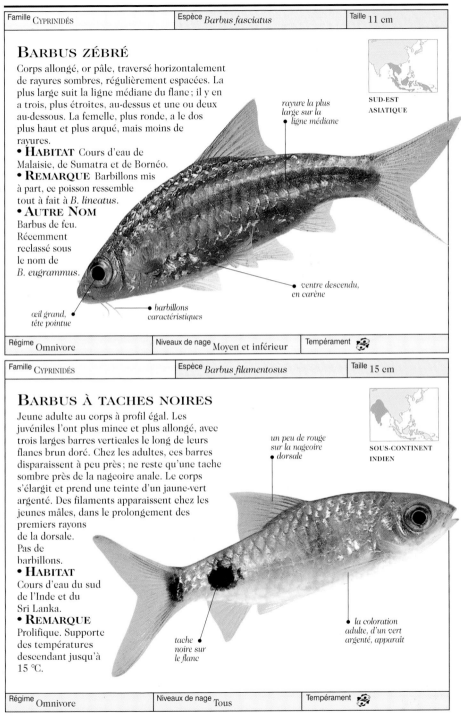

rayure la plus large sur la • *ligne médiane*

SUD-EST ASIATIQUE

ventre descendu, en carène

œil grand, • *tête pointue*

barbillons caractéristiques

Régime Omnivore	Niveaux de nage Moyen et inférieur	Tempérament

Famille CYPRINIDÉS	Espèce *Barbus filamentosus*	Taille 15 cm

BARBUS À TACHES NOIRES

Jeune adulte au corps à profil égal. Les juvéniles l'ont plus mince et plus allongé, avec trois larges barres verticales le long de leurs flancs brun doré. Chez les adultes, ces barres disparaissent à peu près ; ne reste qu'une tache sombre près de la nageoire anale. Le corps s'élargit et prend une teinte d'un jaune-vert argenté. Des filaments apparaissent chez les jeunes mâles, dans le prolongement des premiers rayons de la dorsale. Pas de barbillons.
• **HABITAT** Cours d'eau du sud de l'Inde et du Sri Lanka.
• **REMARQUE** Prolifique. Supporte des températures descendant jusqu'à 15 °C.

un peu de rouge sur la nageoire • *dorsale*

SOUS-CONTINENT INDIEN

tache • *noire sur le flanc*

la coloration adulte, d'un vert argenté, apparaît

Régime Omnivore	Niveaux de nage Tous	Tempérament

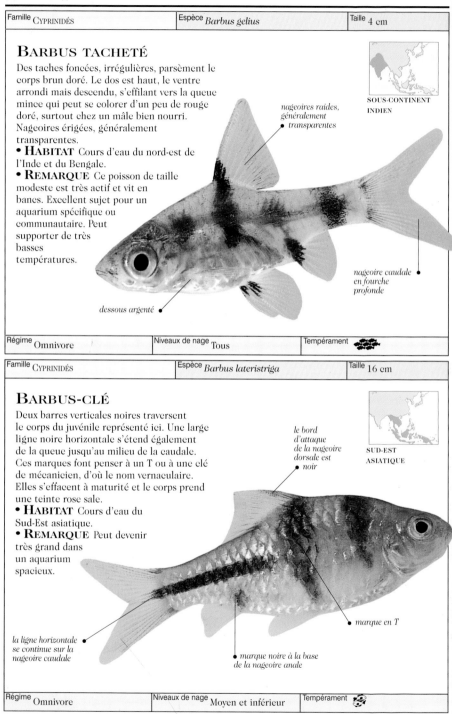

| Famille CYPRINIDÉS | Espèce *Barbus gelius* | Taille 4 cm |

BARBUS TACHETÉ

Des taches foncées, irrégulières, parsèment le corps brun doré. Le dos est haut, le ventre arrondi mais descendu, s'effilant vers la queue mince qui peut se colorer d'un peu de rouge doré, surtout chez un mâle bien nourri. Nageoires érigées, généralement transparentes.
• **HABITAT** Cours d'eau du nord-est de l'Inde et du Bengale.
• **REMARQUE** Ce poisson de taille modeste est très actif et vit en bancs. Excellent sujet pour un aquarium spécifique ou communautaire. Peut supporter de très basses températures.

nageoires raides, généralement transparentes

SOUS-CONTINENT INDIEN

nageoire caudale en fourche profonde

dessous argenté

| Régime Omnivore | Niveaux de nage Tous | Tempérament |

| Famille CYPRINIDÉS | Espèce *Barbus lateristriga* | Taille 16 cm |

BARBUS-CLÉ

Deux barres verticales noires traversent le corps du juvénile représenté ici. Une large ligne noire horizontale s'étend également de la queue jusqu'au milieu de la caudale. Ces marques font penser à un T ou à une clé de mécanicien, d'où le nom vernaculaire. Elles s'effacent à maturité et le corps prend une teinte rose sale.
• **HABITAT** Cours d'eau du Sud-Est asiatique.
• **REMARQUE** Peut devenir très grand dans un aquarium spacieux.

le bord d'attaque de la nageoire dorsale est noir

SUD-EST ASIATIQUE

marque en T

la ligne horizontale se continue sur la nageoire caudale

marque noire à la base de la nageoire anale

| Régime Omnivore | Niveaux de nage Moyen et inférieur | Tempérament |

| Famille CYPRINIDÉS | Espèce *Barbus melanympyx* | Taille 10 cm |

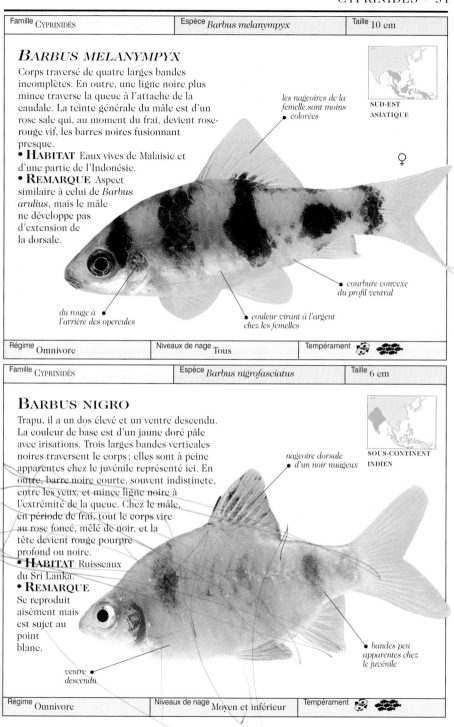

BARBUS MELANYMPYX

Corps traversé de quatre larges bandes incomplètes. En outre, une ligne noire plus mince traverse la queue à l'attache de la caudale. La teinte générale du mâle est d'un rose sale qui, au moment du frai, devient rose-rouge vif, les barres noires fusionnant presque.
• **HABITAT** Eaux vives de Malaisie et d'une partie de l'Indonésie.
• **REMARQUE** Aspect similaire à celui de *Barbus arulius*, mais le mâle ne développe pas d'extension de la dorsale.

les nageoires de la femelle sont moins colorées

SUD-EST ASIATIQUE

♀

courbure convexe du profil ventral

du rouge à l'arrière des opercules

couleur virant à l'argent chez les femelles

| Régime Omnivore | Niveaux de nage Tous | Tempérament |

| Famille CYPRINIDÉS | Espèce *Barbus nigrofasciatus* | Taille 6 cm |

BARBUS NIGRO

Trapu, il a un dos élevé et un ventre descendu. La couleur de base est d'un jaune doré pâle avec irisations. Trois larges bandes verticales noires traversent le corps ; elles sont à peine apparentes chez le juvénile représenté ici. En outre, barre noire courte, souvent indistincte, entre les yeux, et mince ligne noire à l'extrémité de la queue. Chez le mâle, en période de frai, tout le corps vire au rose foncé, mêlé de noir, et la tête devient rouge pourpre profond ou noire.
• **HABITAT** Ruisseaux du Sri Lanka.
• **REMARQUE** Se reproduit aisément mais est sujet au point blanc.

nageoire dorsale d'un noir nuageux

SOUS-CONTINENT INDIEN

bandes peu apparentes chez le juvénile

ventre descendu

| Régime Omnivore | Niveaux de nage Moyen et inférieur | Tempérament |

| Famille CYPRINIDÉS | Espèce *Barbus odessa* | Taille 6 cm |

BARBUS D'ODESSA

Deux taches noires marquent les flancs de ce barbus d'un brun verdâtre pâle. Le dimorphisme sexuel est fort, surtout en période de frai, lorsque le mâle porte une large bande rouge sur le côté et des moucheures foncées sur la dorsale. Comme chez la plupart des espèces qui déposent leurs œufs, la femelle est généralement plus ronde et moins colorée.
• **HABITAT** Ce poisson ne semble pas exister dans la nature. Il tire son nom de la ville d'Ukraine où il aurait été produit pour la première fois en aquarium.
• **REMARQUE** Peut-être très proche de *Barbus ticto* (*voir* p. 57), d'Asie méridionale, ou d'une de ses variétés.

ASIE DU SUD

le rouge s'intensifie
• pendant le frai

nageoire •
caudale claire

écailles bien
apparentes

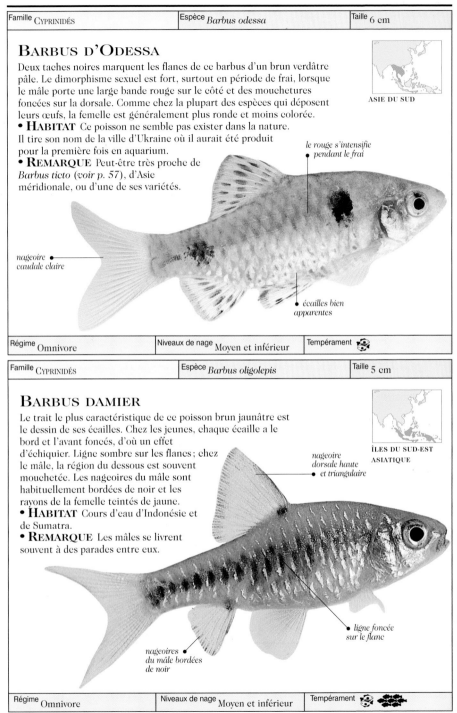

| Régime Omnivore | Niveaux de nage Moyen et inférieur | Tempérament 🐢 |

| Famille CYPRINIDÉS | Espèce *Barbus oligolepis* | Taille 5 cm |

BARBUS DAMIER

Le trait le plus caractéristique de ce poisson brun jaunâtre est le dessin de ses écailles. Chez les jeunes, chaque écaille a le bord et l'avant foncés, d'où un effet d'échiquier. Ligne sombre sur les flancs ; chez le mâle, la région du dessous est souvent mouchetée. Les nageoires du mâle sont habituellement bordées de noir et les rayons de la femelle teintés de jaune.
• **HABITAT** Cours d'eau d'Indonésie et de Sumatra.
• **REMARQUE** Les mâles se livrent souvent à des parades entre eux.

ÎLES DU SUD-EST
ASIATIQUE

nageoire
dorsale haute
• et triangulaire

ligne foncée
• sur le flanc

nageoires •
du mâle bordées
de noir

| Régime Omnivore | Niveaux de nage Moyen et inférieur | Tempérament 🐢 🐟 |

Famille CYPRINIDÉS	Espèce *Barbus pentazona johorensis*	Taille 5 cm

BARBUS À CINQ BANDES

Cinq bandes foncées traversent verticalement le corps. La première passe par l'œil et ne recouvre pas toute la surface ventrale. Une bonne part des nageoires se nuance de rose, généralement vers la base ; c'est moins apparent chez les juvéniles, comme celui de l'illustration. Femelles plus rondes et moins colorées.
• **HABITAT** Ruisseaux de Bornéo, Malaisie et Sumatra.
• **REMARQUE** Il y a d'autres sous-espèces de *Barbus pentazona*, identifiables à des différences dans les bandes.

SUD-EST ASIATIQUE

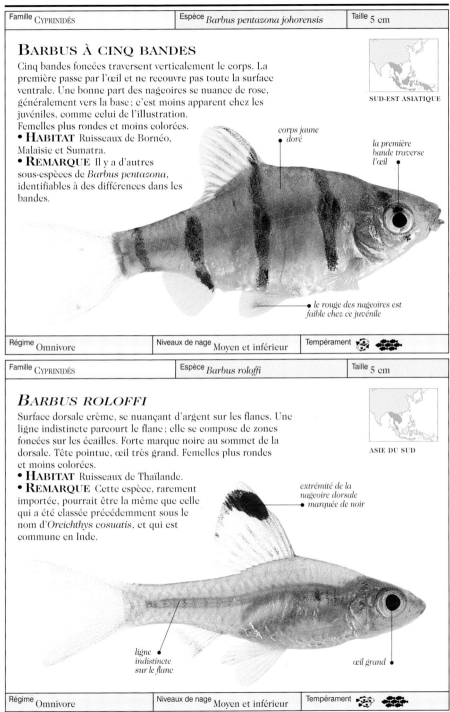

corps jaune doré

la première bande traverse l'œil

le rouge des nageoires est faible chez ce juvénile

Régime Omnivore	Niveaux de nage Moyen et inférieur	Tempérament

Famille CYPRINIDÉS	Espèce *Barbus roloffi*	Taille 5 cm

BARBUS ROLOFFI

Surface dorsale crème, se nuançant d'argent sur les flancs. Une ligne indistincte parcourt le flanc ; elle se compose de zones foncées sur les écailles. Forte marque noire au sommet de la dorsale. Tête pointue, œil très grand. Femelles plus rondes et moins colorées.
• **HABITAT** Ruisseaux de Thaïlande.
• **REMARQUE** Cette espèce, rarement importée, pourrait être la même que celle qui a été classée précédemment sous le nom d'*Oreichthys cosuatis*, et qui est commune en Inde.

ASIE DU SUD

extrémité de la nageoire dorsale marquée de noir

ligne indistincte sur le flanc

œil grand

Régime Omnivore	Niveaux de nage Moyen et inférieur	Tempérament

| Famille CYPRINIDÉS | Espèce *Barbus sachsi* | Taille 10 cm |

BARBUS DORÉ

Ce poisson plutôt allongé a le pédoncule caudal étroit mais un profil arrondi. Coloration jaune dans l'ensemble, avec de l'argent sur la surface ventrale. Il peut y avoir çà et là quelques courtes marques verticales foncées, surtout chez les juvéniles (spécimen illustré) ; elles s'effacent généralement avec l'âge. Femelles plus rondes.
• **HABITAT** Ruisseaux de Singapour.
• **REMARQUE** Les différences entre cette espèce et *Barbus « schuberti »* (*ci-dessous*) sont faibles. Il s'agit peut-être de formes apparentées.

ASIE DU SUD

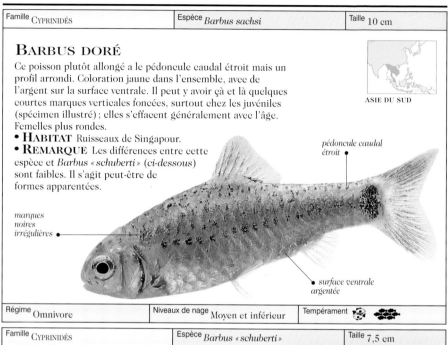

marques noires irrégulières

pédoncule caudal étroit

surface ventrale argentée

| Régime Omnivore | Niveaux de nage Moyen et inférieur | Tempérament |

| Famille CYPRINIDÉS | Espèce *Barbus « schuberti »* | Taille 7,5 cm |

BARBUS « SCHUBERTI »

Mouchetures noires sur la surface dorsale. Des marques plus grandes recouvrent la ligne latérale, et une tache foncée s'étend sur le pédoncule caudal. La couleur principale est le jaune, avec du vert métallique sur les flancs. Chez les jeunes, les nageoires sont rouge clair rayées de jaune ; parties rouge clair également à la base et sur les lobes de la caudale. Femelles plus rondes.
• **HABITAT** Cours d'eau d'Asie méridionale.
• **REMARQUE** Le nom latin pourrait ne pas être scientifiquement exact. Il vient de ce que ce poisson a été découvert par l'Américain Thomas Schubert mais certains auteurs pensent qu'il s'agit d'une forme de *B. semifasciolatus*.

Les barbus aiment vivre en bancs.

œil rougeâtre

vert métallique sur le flanc

ASIE DU SUD

tache noire sur le pédoncule caudal

| Régime Omnivore | Niveaux de nage Moyen et inférieur | Tempérament |

Famille CYPRINIDÉS	Espèce *Barbus schwanenfeldi*	Taille 30 cm

BARBUS ARGENTÉ

Le gris-brun du juvénile illustré ici se dégrade jusqu'aux flancs argentés et brillants, aux écailles bien dessinées. Nageoire dorsale triangulaire au bord arrière concave ; noire à base rouge chez l'adulte. Chez celui-ci encore, les nageoires pelviennes et anale sont d'un brillant rouge orangé tandis que la caudale, moins colorée, a les bords supérieur et inférieur noirs.
• **HABITAT** Cours d'eau et lacs de Bornéo, Sumatra et Thaïlande.
• **REMARQUE** Ce poisson actif a besoin d'espace et de verdure. Grand consommateur de lentilles d'eau.

ÎLES DU SUD-EST ASIATIQUE

flancs argent brillant

traces de noir au bord de la nageoire caudale

nageoire anale jaune orangé

Régime Omnivore	Niveaux de nage Moyen et inférieur	Tempérament

Famille CYPRINIDÉS	Espèce *Barbus semifasciolatus*	Taille 7,5 cm

BARBUS-LAITON

Espèce robuste. Lignes verticales foncées, minces et incomplètes sur fond vert olive. Des mouchetures foncées peuvent apparaître sur la surface dorsale. En période de frai, toutes les nageoires du mâle sont rouges à rayures jaunes.
• **HABITAT** Cours d'eau et rizières de Malaisie, de Hongkong, de Chine centrale et méridionale.
• **REMARQUE** Poisson d'aquarium populaire, aujourd'hui produit en grande quantité dans les piscicultures d'Asie et de Floride.
• **AUTRE NOM** Barbus de Hongkong.

ASIE DU SUD

lignes verticales foncées

surface ventrale argentée

écailles bien dessinées

Régime Omnivore	Niveaux de nage Moyen et inférieur	Tempérament

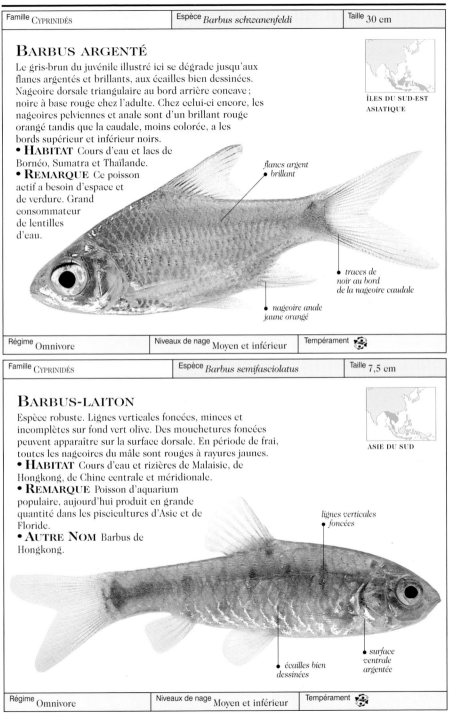

Famille CYPRINIDÉS	Espèce *Barbus tetrazona*	Taille 6 cm

BARBUS DE SUMATRA

Corps beige traversé de quatre bandes verticales foncées. Nageoire dorsale noire à bord rouge. Nageoires pectorales et pelviennes rouges, caudale claire à lobes rouges. Le museau du mâle est rouge vif. Femelles moins bien marquées.
• **HABITAT** Cours d'eau de Sumatra, d'Indonésie et de Bornéo.
• **REMARQUE** Mordille les nageoires : ne pas le mêler à des scalaires ou à des gouramis.

écailles à bord foncé

SUD-EST ASIATIQUE

bandes verticales foncées

Régime Omnivore	Niveaux de nage Moyen et inférieur	Tempérament

Famille CYPRINIDÉS	Espèce *Barbus tetrazona*	Taille 6 cm

SUMATRA VERT

Forme chez laquelle de larges zones foncées remplacent les quatre bandes verticales du barbus ci-dessus. Couleur et marques du corps varient mais la coloration des nageoires reste constante. Femelles plus rondes en période de frai.
• **HABITAT** En aquarium seulement.
• **REMARQUE** Mordeur de nageoires.

nageoire à bord rouge

vastes zones foncées

Régime Omnivore	Niveaux de nage Moyen et inférieur	Tempérament

Famille CYPRINIDÉS	Espèce *Barbus tetrazona*	Taille 6 cm

SUMATRA ROUGE

Forme au corps presque entièrement rouge ; les bandes sombres ont été supprimées en cherchant à créer une race albinos.
• **HABITAT** En aquarium seulement.
• **REMARQUE** Mordeur de nageoires.

pas de bandes

œil pigmenté

Régime Omnivore	Niveaux de nage Moyen et inférieur	Tempérament

Famille CYPRINIDÉS	Espèce *Barbus ticto stoliczkae*	Taille 6 cm

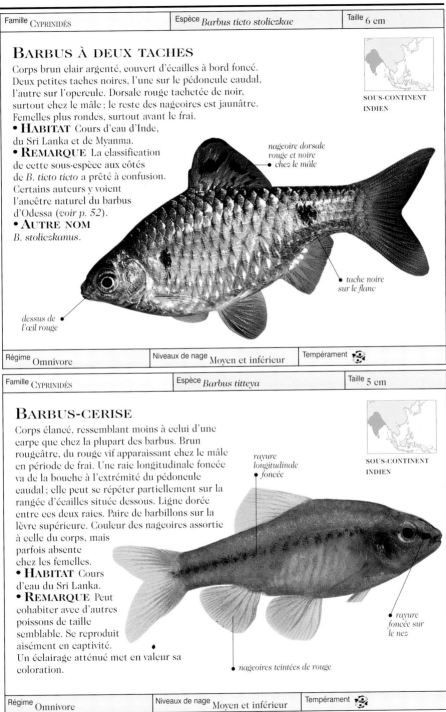

BARBUS À DEUX TACHES

Corps brun clair argenté, couvert d'écailles à bord foncé.
Deux petites taches noires, l'une sur le pédoncule caudal,
l'autre sur l'opercule. Dorsale rouge tachetée de noir,
surtout chez le mâle ; le reste des nageoires est jaunâtre.
Femelles plus rondes, surtout avant le frai.
• **HABITAT** Cours d'eau d'Inde,
du Sri Lanka et de Myanma.
• **REMARQUE** La classification
de cette sous-espèce aux côtés
de *B. ticto ticto* a prêté à confusion.
Certains auteurs y voient
l'ancêtre naturel du barbus
d'Odessa (*voir p. 52*).
• **AUTRE NOM**
B. stoliczkanus.

SOUS-CONTINENT
INDIEN

*nageoire dorsale
rouge et noire
chez le mâle*

*tache noire
sur le flanc*

*dessus de
l'œil rouge*

Régime Omnivore	Niveaux de nage Moyen et inférieur	Tempérament

Famille CYPRINIDÉS	Espèce *Barbus titteya*	Taille 5 cm

BARBUS-CERISE

Corps élancé, ressemblant moins à celui d'une
carpe que chez la plupart des barbus. Brun
rougeâtre, du rouge vif apparaissant chez le mâle
en période de frai. Une raie longitudinale foncée
va de la bouche à l'extrémité du pédoncule
caudal ; elle peut se répéter partiellement sur la
rangée d'écailles située dessous. Ligne dorée
entre ces deux raies. Paire de barbillons sur la
lèvre supérieure. Couleur des nageoires assortie
à celle du corps, mais
parfois absente
chez les femelles.
• **HABITAT** Cours
d'eau du Sri Lanka.
• **REMARQUE** Peut
cohabiter avec d'autres
poissons de taille
semblable. Se reproduit
aisément en captivité.
Un éclairage atténué met en valeur sa
coloration.

*rayure
longitudinale
foncée*

SOUS-CONTINENT
INDIEN

*rayure
foncée sur
le nez*

nageoires teintées de rouge

Régime Omnivore	Niveaux de nage Moyen et inférieur	Tempérament

Famille CYPRINIDÉS	Espèce *Barbus vittatus*	Taille 6 cm

BARBUS VITTATUS

La forme de ce barbus est typique du genre. Surface dorsale vert olive se dégradant jusqu'au ventre argent verdâtre. Grandes écailles, présentant des irisations sous un éclairage favorable. Tache noire à l'extrémité du pédoncule caudal. Toutes les nageoires sont d'un jaune légèrement verdâtre mais la dorsale est traversée d'une bande oblique noire.
• **HABITAT** Cours d'eau de l'Inde et du Sri Lanka.
• **REMARQUE** Espèce assez rare sur le marché, qui favorise les barbus plus colorés.

SOUS-CONTINENT INDIEN

rayure sur la nageoire dorsale

écailles parfois irisées

tache foncée sur le pédoncule caudal

Régime Omnivore	Niveaux de nage Moyen et inférieur	Tempérament

Famille CYPRINIDÉS	Espèce *Barbus walkeri*	Taille 10 cm

BARBUS WALKERI

Le corps de ce barbus africain n'est pas aussi arrondi que celui des asiatiques, mais un peu plus allongé. Couleur d'un brun doré, avec des écailles bien nettes. Trois taches foncées, régulièrement espacées, sur le flanc ; une autre, peu distincte, sous la dorsale. Les deux de devant sont reliées par une ligne sombre en zigzag. La bouche et les yeux sont grands. Mouchetures foncées sur la dorsale. Opercule or rougeâtre.
• **HABITAT** Fleuves côtiers du Ghana.
• **REMARQUE** D'autres espèces africaines, assez semblables, peuvent présenter des taches foncées sur les flancs.

AFRIQUE TROPICALE

zigzag foncé

opercule or rougeâtre

trois taches sur le flanc

Régime Omnivore	Niveaux de nage Moyen et inférieur	Tempérament

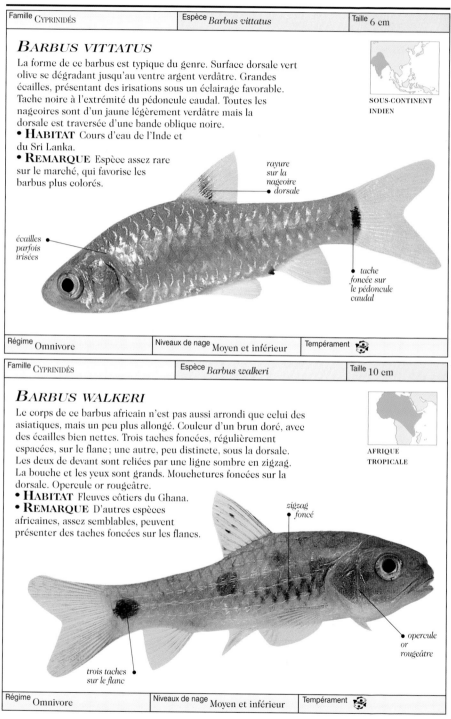

| Famille CYPRINIDÉS | Espèce *Brachydanio albolineatus* | Taille 5 cm |

DANIO PERLÉ

Les spécimens matures sont gris-vert irisé. La couleur du corps varie suivant l'éclairage : sous lumière rasante, et surtout en période de frai, le poisson prend un lustre perlé, bleu-violet. Les nageoires, généralement d'un vert translucide, peuvent présenter des nuances rouges ou jaunes à la base. La femelle a le corps plus haut.

SUD-EST ASIATIQUE

• **HABITAT** Ruisseaux plutôt rapides de Myanma, Sumatra et Thaïlande.
• **REMARQUE** Excellent sauteur, il a besoin d'un grand aquarium à couvercle.
• **AUTRE NOM** Danio arc-en-ciel.

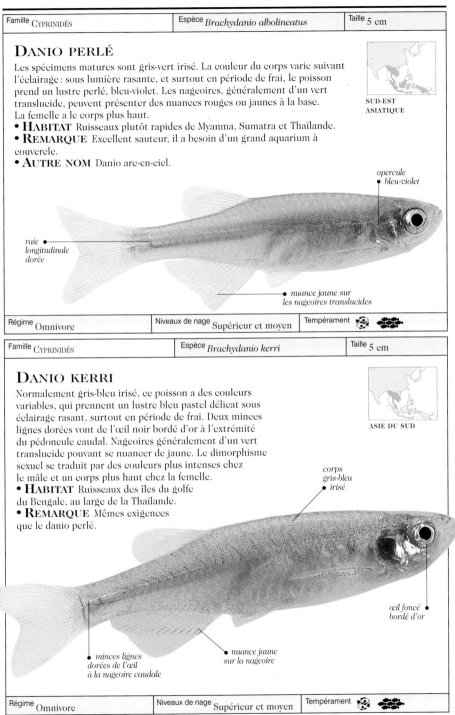

opercule
bleu-violet

raie
longitudinale
dorée

nuance jaune sur
les nageoires translucides

| Régime Omnivore | Niveaux de nage Supérieur et moyen | Tempérament |

| Famille CYPRINIDÉS | Espèce *Brachydanio kerri* | Taille 5 cm |

DANIO KERRI

Normalement gris-bleu irisé, ce poisson a des couleurs variables, qui prennent un lustre bleu pastel délicat sous éclairage rasant, surtout en période de frai. Deux minces lignes dorées vont de l'œil noir bordé d'or à l'extrémité du pédoncule caudal. Nageoires généralement d'un vert translucide pouvant se nuancer de jaune. Le dimorphisme sexuel se traduit par des couleurs plus intenses chez le mâle et un corps plus haut chez la femelle.

ASIE DU SUD

• **HABITAT** Ruisseaux des îles du golfe du Bengale, au large de la Thaïlande.
• **REMARQUE** Mêmes exigences que le danio perlé.

corps
gris-bleu
irisé

œil foncé
bordé d'or

minces lignes
dorées de l'œil
à la nageoire caudale

nuance jaune
sur la nageoire

| Régime Omnivore | Niveaux de nage Supérieur et moyen | Tempérament |

Famille CYPRINIDÉS	Espèce *Brachydanio frankei*	Taille 4,5 cm

DANIO-LÉOPARD

Ses mouchetures sur fond doré donnent à ce poisson son nom vernaculaire. L'un des deux spécimens représentés ici appartient à une variété à nageoires longues, développée en aquarium. Chez les deux, les mouchetures sont plus petites et plus serrées sur le dessus du corps, lui donnant un aspect plus foncé ; elles peuvent même se grouper pour former des lignes pointillées, surtout sur le pédoncule caudal. Faibles marques sur l'anale, jaunâtre, et au milieu de la caudale. Femelle généralement plus grande que le mâle, même en dehors de la période de frai, et de profil plus convexe.

• **HABITAT** Inde centrale et méridionale, Malaisie (espèce sauvage).

• **REMARQUE** Classification controversée dès l'introduction en aquarium et compliquée encore par des hybridations précoces avec *B. rerio* et *B. albolineatus*. D'aucuns considèrent ce poisson comme dérivant d'une de ces deux espèces.

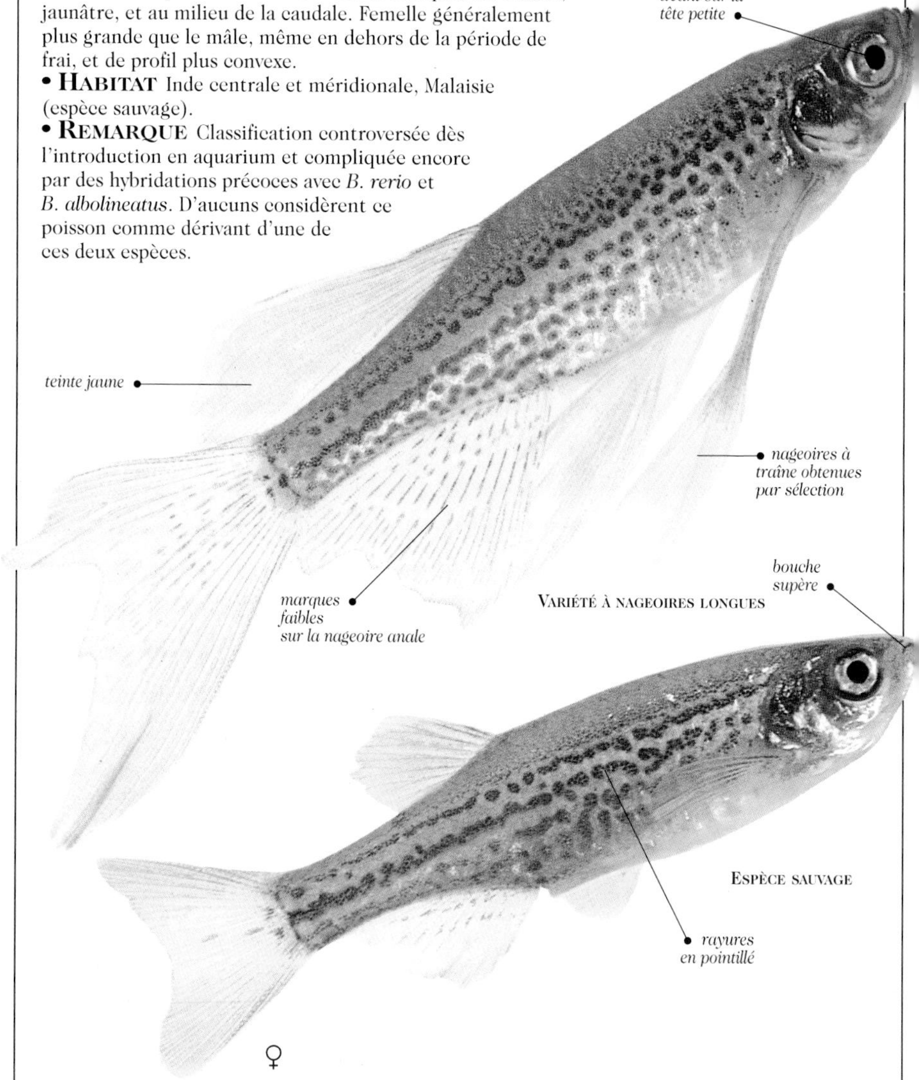

SOUS-CONTINENT INDIEN

œil très en avant sur la tête petite

teinte jaune

nageoires à trame obtenues par sélection

bouche supère

marques faibles sur la nageoire anale

VARIÉTÉ À NAGEOIRES LONGUES

ESPÈCE SAUVAGE

rayures en pointillé

♀

Régime Omnivore	Niveau de nage Supérieur	Tempérament

Famille CYPRINIDÉS	Espèce *Brachydanio rerio*	Taille 4,5 cm

DANIO RÉRIO

Couleur de base argentée ou dorée, fortement marquée de rayures horizontales bleu clair ou pourpres, qui vont de la tête à l'extrémité de la nageoire caudale. Elles se répètent sur l'anale. La région dorsale est d'un olive jaunâtre. La variété à nageoires longues a été développée en aquarium. Mâles plus minces et un peu plus petits que les femelles.
• **HABITAT** Est de l'Inde (espèce sauvage).
• **REMARQUE** Espèce active, toujours en mouvement près de la surface. Préfère vivre en groupe. Prolifique, convient à l'éleveur débutant. À surveiller toutefois : les adultes mangent les œufs, même abrités dans la végétation dense prévue à cet effet. L'élevage sélectif a produit des variétés à nageoires longues et queue-de-voile.
• **AUTRE NOM** Danio-zèbre.

INDE

bouche supère

corps plus mince chez le mâle

VARIÉTÉ À NAGEOIRES LONGUES

nageoires pelviennes non marquées

rayures sur la nageoire anale

nageoire dorsale attachée très en arrière

rayures horisontales sur tout le corps

ESPÈCE SAUVAGE

♀

rayures sur la nageoire caudale

Régime Omnivore	Niveau de nage Supérieur	Tempérament

Famille CYPRINIDÉS	Espèce *Danio aequipinnatus*	Taille 10 cm

DANIO MALABAR

Corps bleu pâle ; trois ou quatre rayures verticales jaunes, de l'opercule au pédoncule caudal. Les femelles sont plus hautes et leurs rayures jaunes s'incurvent vers la base de la caudale.
• **HABITAT** Torrents du sud-ouest de l'Inde et du Sri Lanka.
• **REMARQUE** Poisson très actif, demandant beaucoup d'espace. Préfère vivre en bancs.

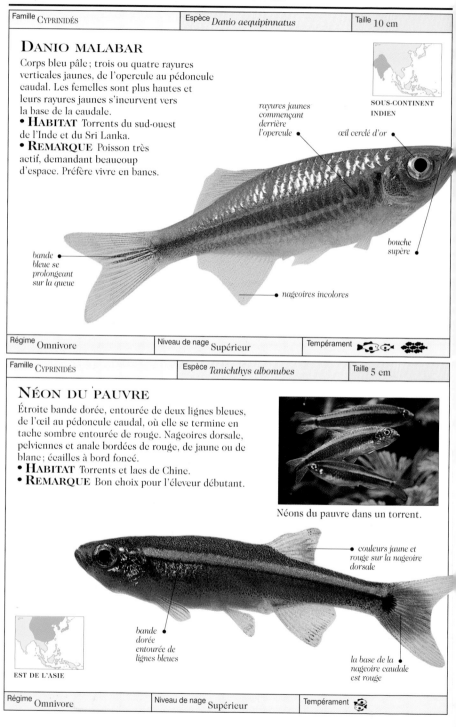

SOUS-CONTINENT INDIEN

rayures jaunes commençant derrière l'opercule

œil cerclé d'or

bouche supère

bande bleue se prolongeant sur la queue

nageoires incolores

Régime Omnivore	Niveau de nage Supérieur	Tempérament

Famille CYPRINIDÉS	Espèce *Tanichthys albonubes*	Taille 5 cm

NÉON DU PAUVRE

Étroite bande dorée, entourée de deux lignes bleues, de l'œil au pédoncule caudal, où elle se termine en tache sombre entourée de rouge. Nageoires dorsale, pelviennes et anale bordées de rouge, de jaune ou de blanc ; écailles à bord foncé.
• **HABITAT** Torrents et lacs de Chine.
• **REMARQUE** Bon choix pour l'éleveur débutant.

Néons du pauvre dans un torrent.

couleurs jaune et rouge sur la nageoire dorsale

bande dorée entourée de lignes bleues

EST DE L'ASIE

la base de la nageoire caudale est rouge

Régime Omnivore	Niveau de nage Supérieur	Tempérament

| Famille CYPRINIDÉS | Espèce *Rasbora borapetensis* | Taille 5 cm |

RASBORA À QUEUE ROUGE

Corps mince, jaune pâle ; bande foncée de l'opercule à l'extrémité du pédoncule caudal ; au-dessus, mince ligne dorée. Une autre raie foncée borde la base de la nageoire anale. Les beaux spécimens matures ont la nageoire caudale rouge, d'où le nom vernaculaire. Les mâles ont le corps plus étroit.
• **HABITAT** Ruisseaux de Thaïlande.
• **REMARQUE** Poisson prolifique mais qui mange ses œufs. Espèce active, demandant un aquarium de taille moyenne mais non encombré.

ASIE DU SUD

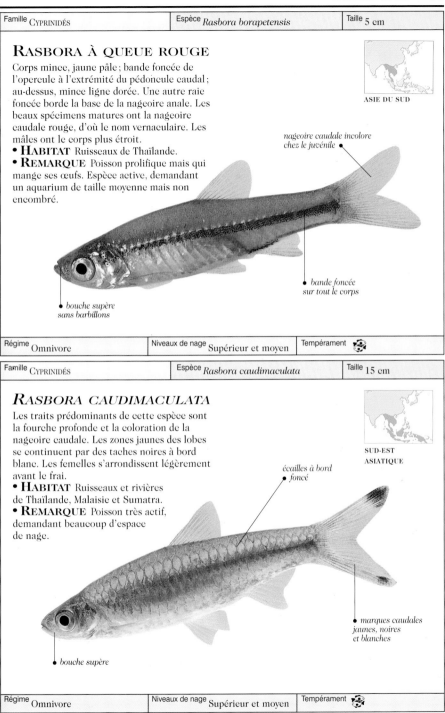

nageoire caudale incolore chez le juvénile

bande foncée sur tout le corps

bouche supère sans barbillons

| Régime Omnivore | Niveaux de nage Supérieur et moyen | Tempérament |

| Famille CYPRINIDÉS | Espèce *Rasbora caudimaculata* | Taille 15 cm |

RASBORA CAUDIMACULATA

Les traits prédominants de cette espèce sont la fourche profonde et la coloration de la nageoire caudale. Les zones jaunes des lobes se continuent par des taches noires à bord blanc. Les femelles s'arrondissent légèrement avant le frai.
• **HABITAT** Ruisseaux et rivières de Thaïlande, Malaisie et Sumatra.
• **REMARQUE** Poisson très actif, demandant beaucoup d'espace de nage.

SUD-EST ASIATIQUE

écailles à bord foncé

marques caudales jaunes, noires et blanches

bouche supère

| Régime Omnivore | Niveaux de nage Supérieur et moyen | Tempérament |

Famille CYPRINIDÉS	Espèce *Rasbora daniconius*	Taille 9 cm

RASBORA DANICONIUS

Corps allongé, aux profils dorsal et ventral de courbure faible. Coloration argentée, avec des nuances de pourpre, de vert ou de jaune. Une bande bleu-noir parcourt toute la longueur du poisson. Les nageoires du mâle ont des teintes jaunâtres et le corps de la femelle est un peu plus haut.
• **HABITAT** Cours d'eau de Myanma, des grandes îles de la Sonde et de Thaïlande ; présent dans le sud-est de l'Inde et au Sri Lanka.
• **REMARQUE** Très semblable à *R. einthoveni*. Atteint 18 cm à l'état sauvage.

SUD-EST
ASIATIQUE

bande
• bleu-noir

la bande
foncée se
prolonge sur
la nageoire
caudale

• nageoires
plutôt incolores

• corps allongé

Régime Omnivore	Niveau de nage Moyen	Tempérament

Famille CYPRINIDÉS	Espèce *Rasbora dorsiocellata*	Taille 6 cm

RASBORA À OCELLE

Coloration vert doré, se dégradant vers le blanc du ventre. La nageoire dorsale porte une tache noire caractéristique, bordée de blanc. Les autres nageoires sont plutôt unies. La femelle a le corps plus haut que le mâle, dont les nageoires peuvent se colorer.
• **HABITAT** Cours d'eau de la péninsule Malaise et de Sumatra.
• **REMARQUE** Poisson à héberger en petits bancs dans des aquariums bien plantés, où la reproduction sera possible. Une sous-espèce plus petite, *R. dorsiocellata macrophthalma*, n'atteint que 3 cm et a l'œil bleu vif.

SUD-EST
ASIATIQUE

tache noire bordée
• de blanc

• nageoires
incolores

• bouche
supère

• surface
ventrale blanche

Régime Omnivore	Niveaux de nage Supérieur et moyen	Tempérament

Famille CYPRINIDÉS	Espèce *Rasbora einthoveni*	Taille 9 cm

RASBORA EINTHOVENI

Le corps de ce poisson brun rosâtre peut se nuancer de violet en fonction de l'éclairage. Une bande bleu-noir va du museau à l'extrémité de la nageoire caudale. Les femelles sont plus rondes et plus hautes que les mâles.

• **HABITAT** Eaux vives et dormantes de Bornéo, Malaisie, Sumatra et Thaïlande.

• **REMARQUE** Espèce robuste et active, vivant en bancs ; tolère des températures descendant jusqu'à 18 °C.

SUD-EST
ASIATIQUE

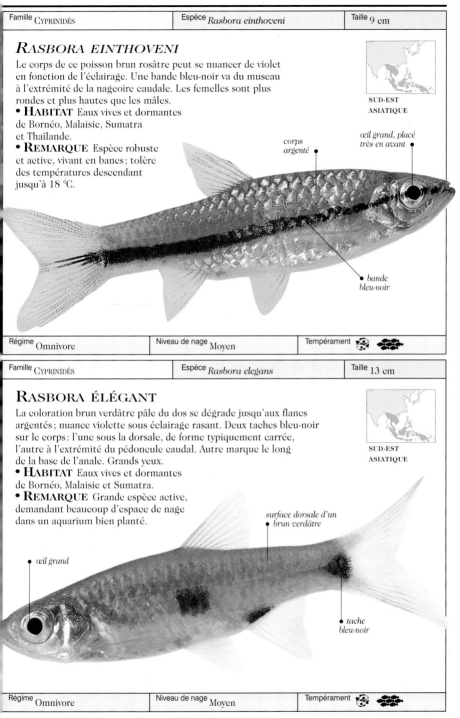

corps argenté

œil grand, placé très en avant

bande bleu-noir

Régime Omnivore	Niveau de nage Moyen	Tempérament

Famille CYPRINIDÉS	Espèce *Rasbora elegans*	Taille 13 cm

RASBORA ÉLÉGANT

La coloration brun verdâtre pâle du dos se dégrade jusqu'aux flancs argentés ; nuance violette sous éclairage rasant. Deux taches bleu-noir sur le corps : l'une sous la dorsale, de forme typiquement carrée, l'autre à l'extrémité du pédoncule caudal. Autre marque le long de la base de l'anale. Grands yeux.

• **HABITAT** Eaux vives et dormantes de Bornéo, Malaisie et Sumatra.

• **REMARQUE** Grande espèce active, demandant beaucoup d'espace de nage dans un aquarium bien planté.

SUD-EST
ASIATIQUE

surface dorsale d'un brun verdâtre

œil grand

tache bleu-noir

Régime Omnivore	Niveau de nage Moyen	Tempérament

Famille CYPRINIDÉS	Espèce *Rasbora heteromorpha*	Taille 4 cm

RASBORA-ARLEQUIN

Sa marque distinctive est, sur le flanc, une tache triangulaire bleu-noir s'effilant jusque sur le pédoncule caudal. Surface dorsale vert olive virant vers l'argenté. Le mâle adulte a le profil supérieur avant plus droit et une proéminence ventrale vers le triangle ; la femelle est nettement plus ronde.
• **HABITAT** Cours d'eau de Thaïlande, Malaisie et Sumatra.
• **REMARQUE** Après une parade nuptiale du mâle, les œufs sont déposés et fécondés sur la face inférieure d'une feuille large.

marque rouge orange sur la nageoire dorsale

SUD-EST ASIATIQUE

tache triangulaire bleu-noir

œil grand

nageoire caudale en fourche profonde

♀

corps plus rond chez la femelle

Régime Omnivore	Niveaux de nage Tous	Tempérament

Famille CYPRINIDÉS	Espèce *Rasbora kalachroma*	Taille 9 cm

RASBORA-CLOWN

Grande tache bleu-noir entre l'arrière de la nageoire dorsale et l'avant de l'anale ; une plus petite à mi-chemin de la dorsale et de l'opercule. Corps orange rosé, aux écailles s'irisant de violet. Certains spécimens peuvent porter d'autres taches ou mouchetures.
• **HABITAT** Cours d'eau de Bornéo et Sumatra.
• **REMARQUE** Ne se trouve qu'occasionnellement. L'eau qui lui convient est neutre, de dureté moyenne, sans sel.

Ce rasbora aime les plantes feuillues.

œil grand, tête petite

ÎLES DU SUD-EST ASIATIQUE

nageoires jaunâtres teintées de rouge

tache foncée

Régime Omnivore	Niveaux de nage Tous	Tempérament

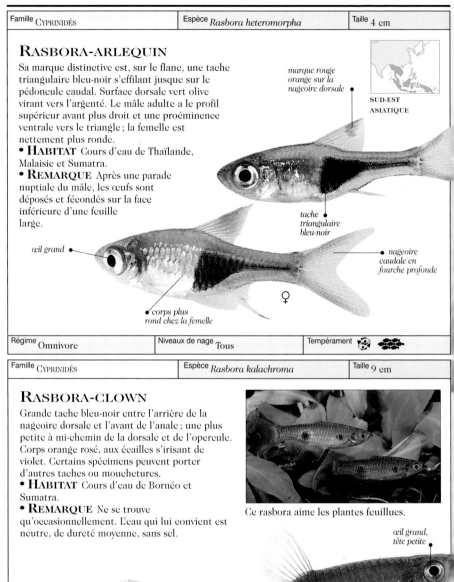

Famille CYPRINIDÉS	Espèce *Rasbora maculata*	Taille 2,5 cm

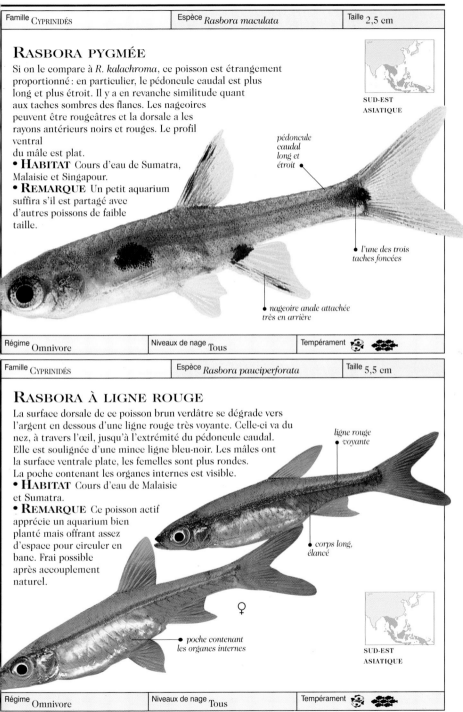

RASBORA PYGMÉE

Si on le compare à *R. kalachroma*, ce poisson est étrangement proportionné : en particulier, le pédoncule caudal est plus long et plus étroit. Il y a en revanche similitude quant aux taches sombres des flancs. Les nageoires peuvent être rougeâtres et la dorsale a les rayons antérieurs noirs et rouges. Le profil ventral du mâle est plat.

• **HABITAT** Cours d'eau de Sumatra, Malaisie et Singapour.
• **REMARQUE** Un petit aquarium suffira s'il est partagé avec d'autres poissons de faible taille.

SUD-EST
ASIATIQUE

pédoncule
caudal
long et
étroit •

• l'une des trois
taches foncées

• nageoire anale attachée
très en arrière

Régime Omnivore	Niveaux de nage Tous	Tempérament

Famille CYPRINIDÉS	Espèce *Rasbora pauciperforata*	Taille 5,5 cm

RASBORA À LIGNE ROUGE

La surface dorsale de ce poisson brun verdâtre se dégrade vers l'argent en dessous d'une ligne rouge très voyante. Celle-ci va du nez, à travers l'œil, jusqu'à l'extrémité du pédoncule caudal. Elle est soulignée d'une mince ligne bleu-noir. Les mâles ont la surface ventrale plate, les femelles sont plus rondes. La poche contenant les organes internes est visible.

• **HABITAT** Cours d'eau de Malaisie et Sumatra.
• **REMARQUE** Ce poisson actif apprécie un aquarium bien planté mais offrant assez d'espace pour circuler en banc. Frai possible après accouplement naturel.

ligne rouge
• voyante

• corps long,
élancé

♀

• poche contenant
les organes internes

SUD-EST
ASIATIQUE

Régime Omnivore	Niveaux de nage Tous	Tempérament

Famille CYPRINIDÉS	Espèce *Rasbora trilineata*	Taille 14 cm

RASBORA-CISEAUX

Nageoire caudale en fourche profonde ; chez les plus beaux spécimens, elle est marquée de noir et de blanc bien visibles. Les autres nageoires sont incolores. Corps vert grisâtre, ventre argenté brillant. Le dimorphisme sexuel se traduit par le plus grand volume du ventre chez la femelle et par les couleurs plus intenses du mâle en période de frai.
• **HABITAT** Ruisseaux de Bornéo et Sumatra ; présent en Malaisie.
• **REMARQUE** Au repos, la caudale fait des mouvements saccadés de cisaillement.

ÎLES DU SUD-EST
ASIATIQUE

mince ligne foncée le long du flanc

ventre argenté

marques noires et blanches sur la nageoire caudale

Régime Omnivore	Niveaux de nage Supérieur et moyen	Tempérament

Famille CYPRINIDÉS	Espèce *Rasbora vaterifloris*	Taille 4 cm

RASBORA PERLÉ

Corps beaucoup plus haut que chez la majorité des rasboras, s'effilant abruptement après la nageoire dorsale, jusqu'au mince pédoncule caudal. La couleur du corps peut être franchement orange, rose ou bleue, mais les nageoires sont toujours rosâtres. Forme semblable à celle du rasbora-arlequin (*voir p. 66*), mais sans marque triangulaire sur le flanc.
• **HABITAT** Torrents du Sri Lanka.
• **REMARQUE** On trouve des spécimens nuancés de gris perle.

SOUS-CONTINENT
INDIEN

museau proéminent

pédoncule caudal étroit

nageoires toujours rougeâtres

Régime Omnivore	Niveau de nage Moyen	Tempérament

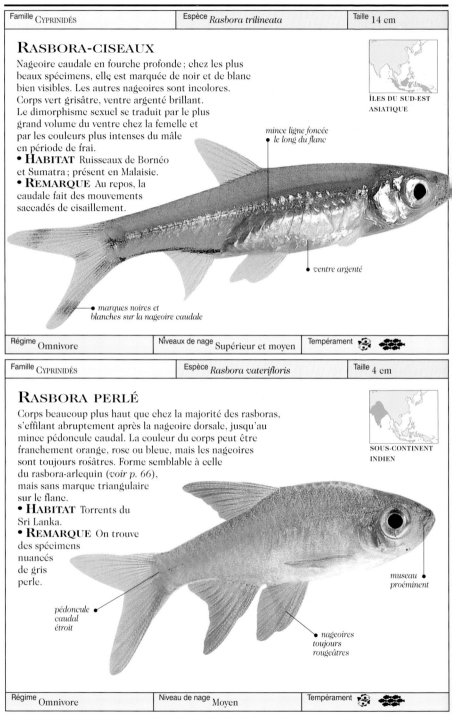

AUTRES CYPRINIDÉS

L A FAMILLE des cyprinidés comprend plus de 1 250 espèces, présentes sur tous les continents, sauf l'Amérique du Sud et l'Australie. Parmi les tropicaux, barbus, danios et rasboras en forment, nous l'avons vu, les groupes principaux ; on en trouvera ici d'autres, dont les labéos. Ces poissons provenant de climats très variés peuvent exiger une eau de qualité particulière.

| Famille CYPRINIDÉS | Espèce *Balantiocheilus melanopterus* | Taille 30 cm |

REQUIN D'ARGENT

Coloration argentée, métallique ; écailles luisantes, bien dessinées. La nageoire dorsale triangulaire est portée droite et bordée de noir, tout comme les nageoires anale, caudale et pelviennes.
• **HABITAT** Ruisseaux de Bornéo, Sumatra et Thaïlande.
• **REMARQUE** Actif. Capable de sauter hors d'un aquarium sans couvercle.

SUD-EST
ASIATIQUE

nageoires bordées
de noir

tête pointue

fourche
profonde

| Régime Omnivore | Niveaux de nage Moyen et inférieur | Tempérament |

| Famille CYPRINIDÉS | Espèce *Barilius christyi* | Taille 12,5 cm |

BOUCHE DORÉE

Corps mince et allongé, surface dorsale d'un brun verdâtre. Flanc bleu argenté, ventre argent. Environ une douzaine de lignes verticales bleues, minces et indistinctes. La nageoire dorsale, triangulaire, et l'anale sont attachées très en arrière ; les nageoires pelviennes sont placées presque à mi-corps.
• **HABITAT** Ruisseaux d'Afrique occidentale.
• **REMARQUE** Nage rapidement, en bancs ; demande un grand aquarium. Aime les nourritures vivantes, notamment les insectes flottants.
• **AUTRE NOM** Récemment reclassé dans le genre *Opsaridium*.

AFRIQUE
TROPICALE

surface dorsale
brun verdâtre

nageoire caudale en
fourche profonde

grand œil
cerclé de bleu

nageoire anale attachée
très en arrière

| Régime Omnivore | Niveaux de nage Supérieur et moyen | Tempérament |

| Famille CYPRINIDÉS | | Espèce *Crossocheilus oblongus* | Taille 16 cm |

BARBEAU À RAIE NOIRE

Corps en torpille, divisé en deux régions de coloration distincte. Dessus brun-vert, séparé par une raie jaune pâle d'une large bande sombre courant tout le long du corps. Surface ventrale d'un jaune argenté. Toutes les nageoires portent des traces de jaune, et la base de la nageoire dorsale du noir. Bouche infère, apte à brouter les roches couvertes d'algues ; néanmoins, les proies vivantes sont happées avec avidité.

• **HABITAT** Eaux vives de Sumatra, Java et Malaisie ; présent à Bornéo et en Thaïlande.

• **REMARQUE** Espèce non encore reproduite en aquarium mais, en période de frai, le mâle développe des tubercules à la tête. Peut être confondu avec le barbeau à belles nageoires (*Epalzeorhynchus kallopterus*), plus intensément coloré.

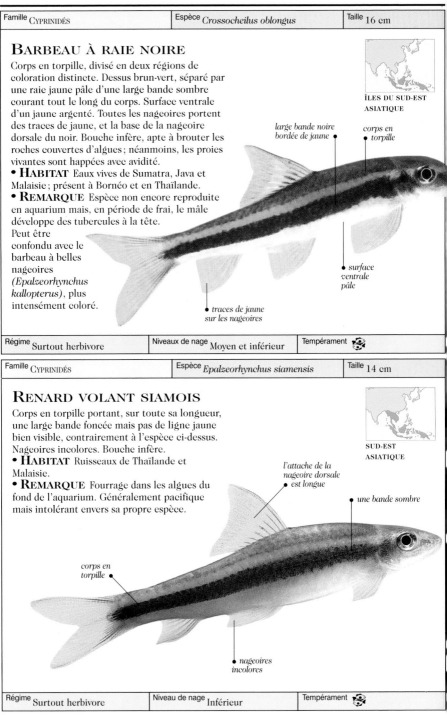

ÎLES DU SUD-EST ASIATIQUE

large bande noire bordée de jaune •

corps en • torpille

• surface ventrale pâle

• traces de jaune sur les nageoires

| Régime Surtout herbivore | Niveaux de nage Moyen et inférieur | Tempérament |

| Famille CYPRINIDÉS | | Espèce *Epalzeorhynchus siamensis* | Taille 14 cm |

RENARD VOLANT SIAMOIS

Corps en torpille portant, sur toute sa longueur, une large bande foncée mais pas de ligne jaune bien visible, contrairement à l'espèce ci-dessus. Nageoires incolores. Bouche infère.

• **HABITAT** Ruisseaux de Thaïlande et Malaisie.

• **REMARQUE** Fourrage dans les algues du fond de l'aquarium. Généralement pacifique mais intolérant envers sa propre espèce.

SUD-EST ASIATIQUE

l'attache de la nageoire dorsale • est longue

• une bande sombre

corps en torpille •

• nageoires incolores

| Régime Surtout herbivore | Niveau de nage Inférieur | Tempérament |

Famille CYPRINIDÉS	Espèce *Labeo bicolor*	Taille 15 cm

QUEUE-ROUGE

Ventre plat, bouche infère et haute nageoire
dorsale triangulaire donnent à ce
poisson sa silhouette de requin.
A l'habitude de patrouiller dans
l'aquarium. Corps noir, queue
rouge vif. Les nageoires pectorales
peuvent être jaune orange.
• **HABITAT** Ruisseaux
de Thaïlande.
• **REMARQUE**
Querelleur avec son espèce et
d'autres s'il n'y a pas de cachette.
• **AUTRE NOM** *Epalzeorhynchus bicolor.*

*nageoire caudale
rouge vif*

*nageoire dorsale
triangulaire*

ASIE DU SUD

*bouche pour
brouter les algues*

Régime Surtout herbivore	Niveaux de nage Moyen et inférieur	Tempérament

Famille CYPRINIDÉS	Espèce *Labeo erythrurus*	Taille 15 cm

LABÉO ALBINOS

Dans la nature, ce poisson est brun clair avec
une petite tache foncée à l'extrémité du
pédoncule caudal, et des nageoires
rouge vif. Cependant la
plupart des souches
commercialisées présentent
des caractéristiques d'albinisme : corps
pâle et yeux rouges, comme ici.
• **HABITAT** Ruisseaux de Thaïlande.
• **REMARQUE** Bouche infère aux lèvres
frangées. Des pots de fleurs fourniront à ce
poisson une cachette idéale.

œil rouge

ASIE DU SUD

*corps non
pigmenté*

*nageoires
rougeâtres*

Régime Surtout herbivore	Niveaux de nage Moyen et inférieur	Tempérament

Famille CYPRINIDÉS	Espèce *Labeo frenatus*	Taille 15 cm

LABÉO VERT

Corps mince de couleur verte, écailles à bord
foncé. Bande foncée du nez à l'œil ; tache
sombre à l'arrière du pédoncule caudal. La
caudale, en fourche, porte des marques rouges.
Bouche infère, deux paires de barbillons. Les
mâles sont plus élancés et ont la nageoire
anale mouchetée de noir.
• **HABITAT** Ruisseaux de
Thaïlande.
• **AUTRE NOM**
Requin arc-en-ciel.

*écailles à
bord noir*

ASIE DU SUD

*nageoire
teintée de rouge*

*tache sombre
sur le pédoncule caudal*

Régime Surtout herbivore	Niveaux de nage Moyen et inférieur	Tempérament

Famille CYPRINIDÉS	Espèce *Leptobarbus hoeveni*	Taille 50 cm

BARBUS GÉANT

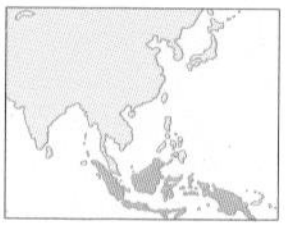

Les flancs brun argenté de cette espèce se teintent de jaune verdâtre au-dessus de la ligne latérale. Les juvéniles ont une bande noire de la tête à la queue ; elle s'efface avec l'âge. Les nageoires pelviennes et anale portent du rouge et la caudale, rouge, a les pointes noires ; dorsale pratiquement incolore.

ÎLES DU SUD-EST ASIATIQUE

• **HABITAT** Cours d'eau de Bornéo et Sumatra ; présent au Laos et en Thaïlande.
• **REMARQUE** Un aquarium spacieux est nécessaire pour ce grand poisson.

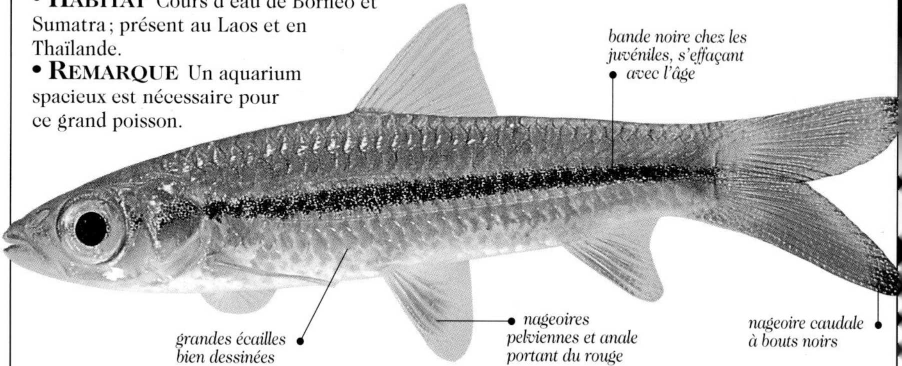

bande noire chez les juvéniles, s'effaçant avec l'âge

grandes écailles bien dessinées

nageoires pelviennes et anale portant du rouge

nageoire caudale à bouts noirs

Régime Omnivore	Niveaux de nage Moyen et inférieur	Tempérament

Famille CYPRINIDÉS	Espèce *Luciosoma setigerum*	Taille 25 cm

REQUIN-APOLLON

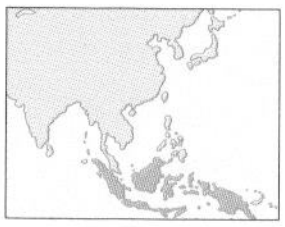

Flancs argentés, teinte verdâtre au-dessus de la ligne latérale et grandes écailles, comme chez le poisson ci-dessus. Ligne noire de la tête au pédoncule caudal, se prolongeant sur le bord supérieur de la grande nageoire caudale à fourche profonde et au bord arrière parsemé de noir. Les longues pectorales vont jusqu'aux pelviennes, qui portent des rayons allongés.

ÎLES DU SUD-EST ASIATIQUE

• **HABITAT** Cours d'eau de Bornéo, Java, Sumatra ; présent en Thaïlande.
• **REMARQUE** Un grand aquarium avec couvercle est nécessaire.

la bande noire se continue sur la nageoire caudale

nageoire pectorale allongée

rayons allongés sur la nageoire pelvienne

marque noire au bord inférieur de la nageoire caudale

Régime Omnivore	Niveau de nage Supérieur	Tempérament

| Famille CYPRINIDÉS | Espèce *Morulius chrysophekadion* | Taille 50 cm |

LABÉO NOIR

La couleur du jeune adulte représenté ici est gris-noir. À maturité, elle devient d'un noir profond et velouté. Les juvéniles ont du rouge ou de l'or au milieu des écailles, d'où un aspect moucheté. Grande dorsale triangulaire donnant une silhouette de requin.

• **HABITAT** Eaux diverses à Java, Bornéo, Sumatra, en Thaïlande et au Cambodge.

• **REMARQUE** Espèce pacifique se régalant d'algues et de verdure.

• **AUTRE NOM** Aussi classé dans le genre *Labeo*.

SUD-EST
ASIATIQUE

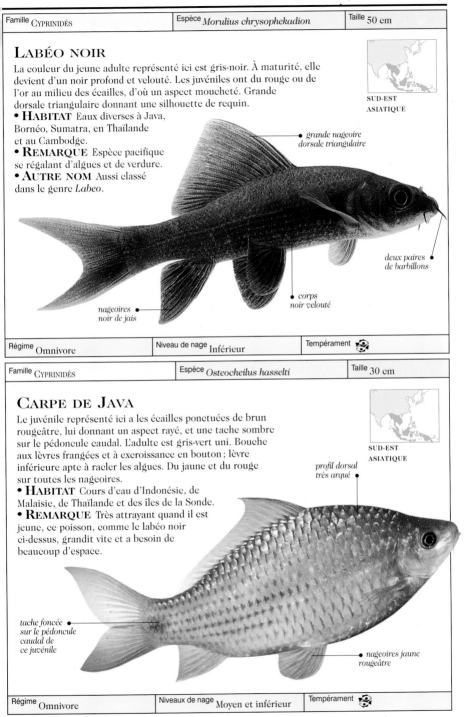

grande nageoire
dorsale triangulaire

deux paires
de barbillons

corps
noir velouté

nageoires
noir de jais

| Régime Omnivore | Niveau de nage Inférieur | Tempérament 🐟 |

| Famille CYPRINIDÉS | Espèce *Osteocheilus hasselti* | Taille 30 cm |

CARPE DE JAVA

Le juvénile représenté ici a les écailles ponctuées de brun rougeâtre, lui donnant un aspect rayé, et une tache sombre sur le pédoncule caudal. L'adulte est gris-vert uni. Bouche aux lèvres frangées et à excroissance en bouton ; lèvre inférieure apte à racler les algues. Du jaune et du rouge sur toutes les nageoires.

• **HABITAT** Cours d'eau d'Indonésie, de Malaisie, de Thaïlande et des îles de la Sonde.

• **REMARQUE** Très attrayant quand il est jeune, ce poisson, comme le labéo noir ci-dessus, grandit vite et a besoin de beaucoup d'espace.

SUD-EST
ASIATIQUE

profil dorsal
très arqué

tache foncée
sur le pédoncule
caudal de
ce juvénile

nageoires jaune
rougeâtre

| Régime Omnivore | Niveaux de nage Moyen et inférieur | Tempérament 🐟 |

PETITS TÉTRAS

S I ON LES compare à des characoïdes plus grands, tel le pacu, les petits tétras (famille des characidés) ont une taille qui montre bien la diversité de ce sous-ordre. Les tempéraments aussi varient à l'extrême, de la tranquillité du tétra-néon à la férocité du piranha. Originaires d'Amérique du Sud et d'Afrique, les characoïdes apportent tous une note décorative à l'aquarium. Il y en a quelque 1 200 espèces dans la nature. Contrairement aux cyprinoïdes, ils ont les mâchoires dentues. Beaucoup portent une petite nageoire adipeuse derrière la dorsale ; ce n'est toutefois pas un caractère exclusif (d'autres le possèdent, tels les poissons-chats du genre *Corydoras*). Beaucoup de petits tétras se reproduisent en eau douce mais leurs œufs sont souvent sensibles à la lumière.

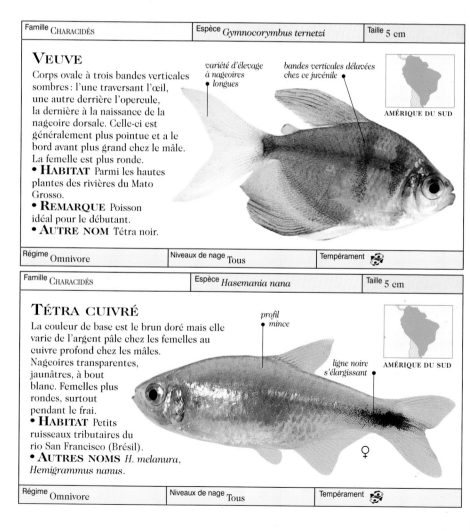

Famille CHARACIDÉS		Espèce *Gymnocorymbus ternetzi*		Taille 5 cm

VEUVE

Corps ovale à trois bandes verticales sombres : l'une traversant l'œil, une autre derrière l'opercule, la dernière à la naissance de la nageoire dorsale. Celle-ci est généralement plus pointue et a le bord avant plus grand chez le mâle. La femelle est plus ronde.
• **HABITAT** Parmi les hautes plantes des rivières du Mato Grosso.
• **REMARQUE** Poisson idéal pour le débutant.
• **AUTRE NOM** Tétra noir.

variété d'élevage à nageoires longues

bandes verticales délavées chez ce juvénile

AMÉRIQUE DU SUD

Régime Omnivore	Niveaux de nage Tous	Tempérament

Famille CHARACIDÉS		Espèce *Hasemania nana*		Taille 5 cm

TÉTRA CUIVRÉ

La couleur de base est le brun doré mais elle varie de l'argent pâle chez les femelles au cuivre profond chez les mâles. Nageoires transparentes, jaunâtres, à bout blanc. Femelles plus rondes, surtout pendant le frai.
• **HABITAT** Petits ruisseaux tributaires du rio San Francisco (Brésil).
• **AUTRES NOMS** *H. melanura*, *Hemigrammus nanus*.

profil mince

ligne noire s'élargissant

AMÉRIQUE DU SUD

♀

Régime Omnivore	Niveaux de nage Tous	Tempérament

| Famille CHARACIDÉS | Espèce *Hemigrammus caudovittatus* | Taille 7,5 cm |

TÉTRA DE BUENOS AIRES

Chez ce poisson élancé, une bande horizontale bleue, étroite, va de l'opercule au pédoncule caudal où l'occulte une marque plus foncée se prolongeant sur la nageoire caudale. Les couleurs du mâle s'avivent durant le frai.
• **HABITAT** Bassin du rio de la Plata.
• **REMARQUE** Mange les plantes à feuilles tendres.

marque noire sur le pédoncule caudal

♀

nageoires rouge orange

AMÉRIQUE DU SUD

| Régime Omnivore | Niveaux de nage Tous | Tempérament |

| Famille CHARACIDÉS | Espèce *Hemigrammus erythrozonus* | Taille 5 cm |

NÉON ROSE

Les moitiés supérieure et inférieure de ce tétra couleur pêche mais translucide sont séparées par une ligne rouge et or brillante, du nez à la base de la nageoire caudale.
• **HABITAT** Rivières et fleuves de Guyana.
• **REMARQUE** Pour se reproduire, préfère un aquarium bien planté et une eau douce, acide. Mange ses œufs.
• **AUTRE NOM** Gracilis.

zone rouge sur la nageoire dorsale

♀

ligne rouge et or

AMÉRIQUE DU SUD

| Régime Omnivore | Niveaux de nage Tous | Tempérament |

| Famille CHARACIDÉS | Espèce *Hemigrammus ocellifer* | Taille 5 cm |

FEUX-DE-POSITION

Corps haut, suivant le modèle général des tétras. Ce poisson gris argenté est identifiable à la tache rouge vif au-dessus de l'œil et au point doré derrière la nageoire adipeuse, surmontant une marque foncée à la base de la nageoire caudale.
• **HABITAT** Rivières du bassin de l'Amazone et de Guyana.

point doré sur le pédoncule caudal

♀

dessus de l'œil rouge

AMÉRIQUE DU SUD

| Régime Omnivore | Niveaux de nage Tous | Tempérament |

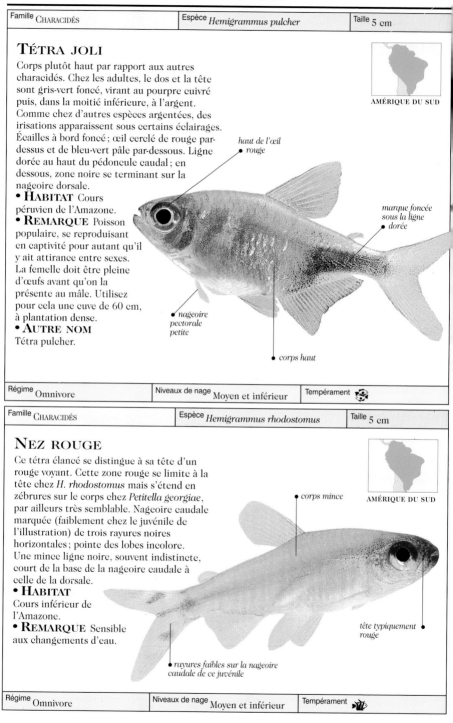

Famille CHARACIDÉS	Espèce Hemigrammus pulcher	Taille 5 cm

TÉTRA JOLI

Corps plutôt haut par rapport aux autres characidés. Chez les adultes, le dos et la tête sont gris-vert foncé, virant au pourpre cuivré puis, dans la moitié inférieure, à l'argent. Comme chez d'autres espèces argentées, des irisations apparaissent sous certains éclairages. Écailles à bord foncé ; œil cerclé de rouge par-dessus et de bleu-vert pâle par-dessous. Ligne dorée au haut du pédoncule caudal ; en dessous, zone noire se terminant sur la nageoire dorsale.
• **HABITAT** Cours péruvien de l'Amazone.
• **REMARQUE** Poisson populaire, se reproduisant en captivité pour autant qu'il y ait attirance entre sexes. La femelle doit être pleine d'œufs avant qu'on la présente au mâle. Utilisez pour cela une cuve de 60 cm, à plantation dense.
• **AUTRE NOM** Tétra pulcher.

AMÉRIQUE DU SUD

haut de l'œil rouge

marque foncée sous la ligne dorée

nageoire pectorale petite

corps haut

Régime Omnivore	Niveaux de nage Moyen et inférieur	Tempérament

Famille CHARACIDÉS	Espèce Hemigrammus rhodostomus	Taille 5 cm

NEZ ROUGE

Ce tétra élancé se distingue à sa tête d'un rouge voyant. Cette zone rouge se limite à la tête chez *H. rhodostomus* mais s'étend en zébrures sur le corps chez *Petitella georgiae*, par ailleurs très semblable. Nageoire caudale marquée (faiblement chez le juvénile de l'illustration) de trois rayures noires horizontales ; pointe des lobes incolore. Une mince ligne noire, souvent indistincte, court de la base de la nageoire caudale à celle de la dorsale.
• **HABITAT** Cours inférieur de l'Amazone.
• **REMARQUE** Sensible aux changements d'eau.

corps mince

AMÉRIQUE DU SUD

tête typiquement rouge

rayures faibles sur la nageoire caudale de ce juvénile

Régime Omnivore	Niveaux de nage Moyen et inférieur	Tempérament

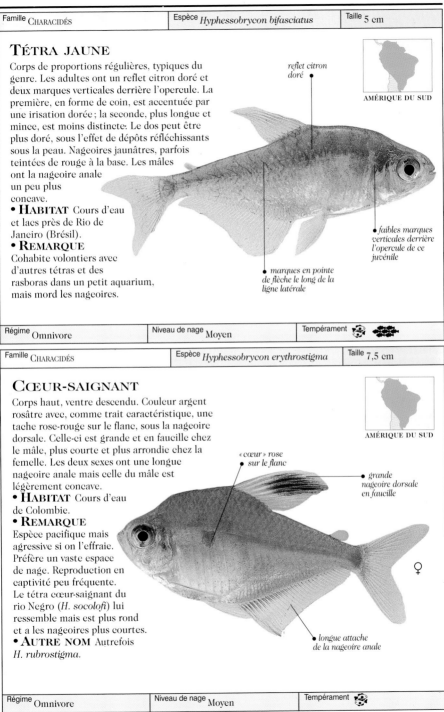

| Famille CHARACIDÉS | Espèce *Hyphessobrycon bifasciatus* | Taille 5 cm |

TÉTRA JAUNE

Corps de proportions régulières, typiques du genre. Les adultes ont un reflet citron doré et deux marques verticales derrière l'opercule. La première, en forme de coin, est accentuée par une irisation dorée ; la seconde, plus longue et mince, est moins distincte. Le dos peut être plus doré, sous l'effet de dépôts réfléchissants sous la peau. Nageoires jaunâtres, parfois teintées de rouge à la base. Les mâles ont la nageoire anale un peu plus concave.
• **HABITAT** Cours d'eau et lacs près de Rio de Janeiro (Brésil).
• **REMARQUE** Cohabite volontiers avec d'autres tétras et des rasboras dans un petit aquarium, mais mord les nageoires.

AMÉRIQUE DU SUD

reflet citron doré

faibles marques verticales derrière l'opercule de ce juvénile

marques en pointe de flèche le long de la ligne latérale

| Régime Omnivore | Niveau de nage Moyen | Tempérament |

| Famille CHARACIDÉS | Espèce *Hyphessobrycon erythrostigma* | Taille 7,5 cm |

CŒUR-SAIGNANT

Corps haut, ventre descendu. Couleur argent rosâtre avec, comme trait caractéristique, une tache rose-rouge sur le flanc, sous la nageoire dorsale. Celle-ci est grande et en faucille chez le mâle, plus courte et plus arrondie chez la femelle. Les deux sexes ont une longue nageoire anale mais celle du mâle est légèrement concave.
• **HABITAT** Cours d'eau de Colombie.
• **REMARQUE** Espèce pacifique mais agressive si on l'effraie. Préfère un vaste espace de nage. Reproduction en captivité peu fréquente. Le tétra cœur-saignant du rio Negro (*H. socolofi*) lui ressemble mais est plus rond et a les nageoires plus courtes.
• **AUTRE NOM** Autrefois *H. rubrostigma*.

AMÉRIQUE DU SUD

« cœur » rose sur le flanc

grande nageoire dorsale en faucille

♀

longue attache de la nageoire anale

| Régime Omnivore | Niveau de nage Moyen | Tempérament |

Famille CHARACIDÉS	Espèce *Hyphessobrycon flammeus*	Taille 4,5 cm

TÉTRA ROUGE DE RIO

Corps typique de tétra, au profil haut s'effilant à peine vers le pédoncule caudal. Coloration d'un brun rosâtre mêlé d'argent. Sur les spécimens parfaits, deux bandes sombres apparaissent derrière l'opercule et s'étendent jusqu'au ventre. À l'arrière, le bas du corps est plus rouge, comme les nageoires pelviennes, anale et caudale, bordées de noir : la dorsale peut être noirâtre avec des zones blanches. Bouche terminale. Nageoire adipeuse. Femelle moins rouge et augmentant de volume en période de frai.
• **HABITAT** Cours d'eau proches de Rio de Janeiro (Brésil).
• **REMARQUE** *H. griemi* est semblable mais sans rouge aux nageoires.
• **AUTRE NOM** Tétra flamme.

couleur plus pâle chez la femelle •

AMÉRIQUE DU SUD

bouche terminale •

• nageoires pelviennes et anale rouge et noir

♀

• rouge plus soutenu à l'arrière

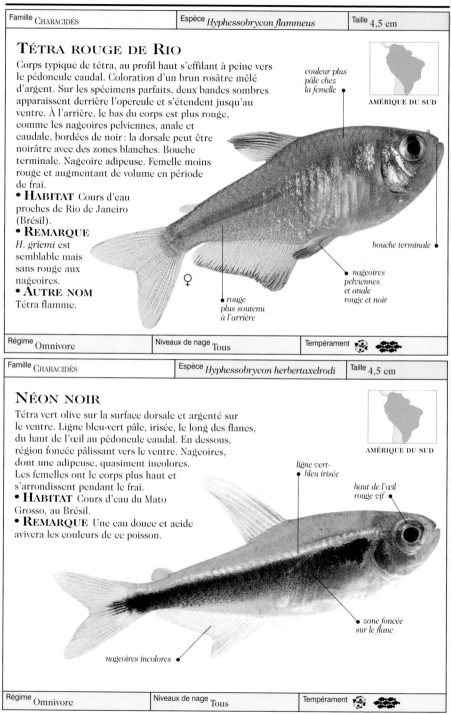

Régime Omnivore	Niveaux de nage Tous	Tempérament

Famille CHARACIDÉS	Espèce *Hyphessobrycon herbertaxelrodi*	Taille 4,5 cm

NÉON NOIR

Tétra vert olive sur la surface dorsale et argenté sur le ventre. Ligne bleu-vert pâle, irisée, le long des flancs, du haut de l'œil au pédoncule caudal. En dessous, région foncée pâlissant vers le ventre. Nageoires, dont une adipeuse, quasiment incolores. Les femelles ont le corps plus haut et s'arrondissent pendant le frai.
• **HABITAT** Cours d'eau du Mato Grosso, au Brésil.
• **REMARQUE** Une eau douce et acide avivera les couleurs de ce poisson.

AMÉRIQUE DU SUD

ligne vert-bleu irisée •

haut de l'œil rouge vif •

• zone foncée sur le flanc

nageoires incolores •

Régime Omnivore	Niveaux de nage Tous	Tempérament

| Famille CHARACIDÉS | Espèce *Hyphessobrycon heterorhabdus* | Taille 5 cm |

DRAPEAU BELGE

Couleur d'un brun grisâtre pâle sur la surface dorsale, argentée sur les flancs et le ventre. Trois lignes tout le long du corps : la supérieure est rouge, l'intermédiaire dorée (faiblement sur le spécimen illustré), l'inférieure noire et plus large. Opercules argentés. Femelles au profil beaucoup plus haut.

• **HABITAT** Bassin de la rivière Tocantins, en basse Amazonie.

• **REMARQUE** Ressemble à *Hemigrammus ulreyi*, plus rare sur le marché.

• **AUTRE NOM** Tétra étendard.

AMÉRIQUE DU SUD

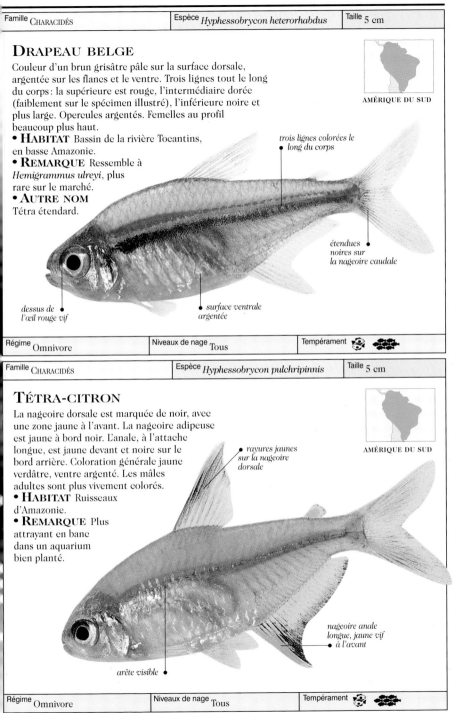

trois lignes colorées le
• long du corps

étendues •
noires sur
la nageoire caudale

dessus de •
l'œil rouge vif

• surface ventrale
argentée

| Régime Omnivore | Niveaux de nage Tous | Tempérament |

| Famille CHARACIDÉS | Espèce *Hyphessobrycon pulchripinnis* | Taille 5 cm |

TÉTRA-CITRON

La nageoire dorsale est marquée de noir, avec une zone jaune à l'avant. La nageoire adipeuse est jaune à bord noir. L'anale, à l'attache longue, est jaune devant et noire sur le bord arrière. Coloration générale jaune verdâtre, ventre argenté. Les mâles adultes sont plus vivement colorés.

• **HABITAT** Ruisseaux d'Amazonie.

• **REMARQUE** Plus attrayant en banc dans un aquarium bien planté.

• rayures jaunes
sur la nageoire
dorsale

AMÉRIQUE DU SUD

nageoire anale
longue, jaune vif
• à l'avant

arête visible •

| Régime Omnivore | Niveaux de nage Tous | Tempérament |

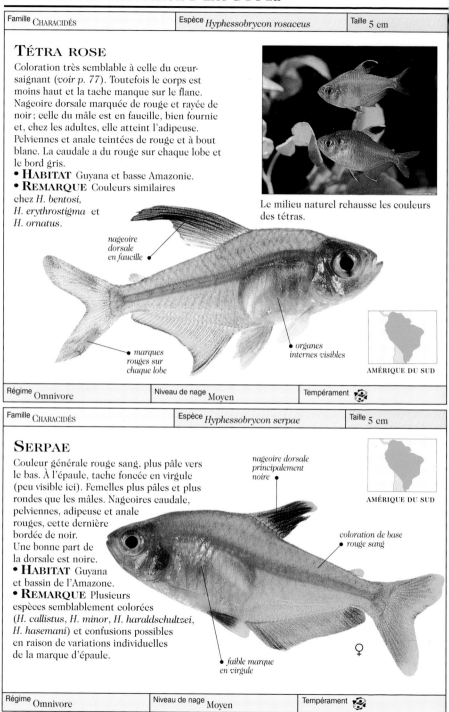

| Famille CHARACIDÉS | Espèce *Hyphessobrycon rosaceus* | Taille 5 cm |

TÉTRA ROSE

Coloration très semblable à celle du cœur-saignant (*voir p. 77*). Toutefois le corps est moins haut et la tache manque sur le flanc. Nageoire dorsale marquée de rouge et rayée de noir ; celle du mâle est en faucille, bien fournie et, chez les adultes, elle atteint l'adipeuse. Pelviennes et anale teintées de rouge et à bout blanc. La caudale a du rouge sur chaque lobe et le bord gris.
• **HABITAT** Guyana et basse Amazonie.
• **REMARQUE** Couleurs similaires chez *H. bentosi*, *H. erythrostigma* et *H. ornatus*.

Le milieu naturel rehausse les couleurs des tétras.

nageoire dorsale en faucille

marques rouges sur chaque lobe

organes internes visibles

AMÉRIQUE DU SUD

| Régime Omnivore | Niveau de nage Moyen | Tempérament |

| Famille CHARACIDÉS | Espèce *Hyphessobrycon serpae* | Taille 5 cm |

SERPAE

Couleur générale rouge sang, plus pâle vers le bas. À l'épaule, tache foncée en virgule (peu visible ici). Femelles plus pâles et plus rondes que les mâles. Nageoires caudale, pelviennes, adipeuse et anale rouges, cette dernière bordée de noir. Une bonne part de la dorsale est noire.
• **HABITAT** Guyana et bassin de l'Amazone.
• **REMARQUE** Plusieurs espèces semblablement colorées (*H. callistus*, *H. minor*, *H. haraldschultzei*, *H. hasemani*) et confusions possibles en raison de variations individuelles de la marque d'épaule.

nageoire dorsale principalement noire

AMÉRIQUE DU SUD

coloration de base rouge sang

faible marque en virgule

♀

| Régime Omnivore | Niveau de nage Moyen | Tempérament |

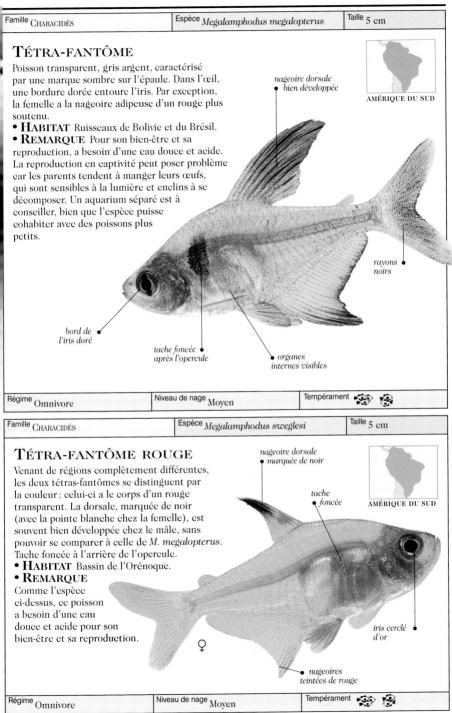

| Famille CHARACIDÉS | Espèce *Megalamphodus megalopterus* | Taille 5 cm |

TÉTRA-FANTÔME

Poisson transparent, gris argent, caractérisé par une marque sombre sur l'épaule. Dans l'œil, une bordure dorée entoure l'iris. Par exception, la femelle a la nageoire adipeuse d'un rouge plus soutenu.
• **HABITAT** Ruisseaux de Bolivie et du Brésil.
• **REMARQUE** Pour son bien-être et sa reproduction, a besoin d'une eau douce et acide. La reproduction en captivité peut poser problème car les parents tendent à manger leurs œufs, qui sont sensibles à la lumière et enclins à se décomposer. Un aquarium séparé est à conseiller, bien que l'espèce puisse cohabiter avec des poissons plus petits.

nageoire dorsale bien développée

AMÉRIQUE DU SUD

rayons noirs

bord de l'iris doré

tache foncée après l'opercule

organes internes visibles

| Régime Omnivore | Niveau de nage Moyen | Tempérament |

| Famille CHARACIDÉS | Espèce *Megalamphodus sweglesi* | Taille 5 cm |

TÉTRA-FANTÔME ROUGE

Venant de régions complètement différentes, les deux tétras-fantômes se distinguent par la couleur : celui-ci a le corps d'un rouge transparent. La dorsale, marquée de noir (avec la pointe blanche chez la femelle), est souvent bien développée chez le mâle, sans pouvoir se comparer à celle de *M. megalopterus*. Tache foncée à l'arrière de l'opercule.
• **HABITAT** Bassin de l'Orénoque.
• **REMARQUE** Comme l'espèce ci-dessus, ce poisson a besoin d'une eau douce et acide pour son bien-être et sa reproduction.

nageoire dorsale marquée de noir

tache foncée

AMÉRIQUE DU SUD

♀

iris cerclé d'or

nageoires teintées de rouge

| Régime Omnivore | Niveau de nage Moyen | Tempérament |

Famille CHARACIDÉS	Espèce *Nematobrycon palmeri*	Taille 6 cm

TÉTRA-EMPEREUR

Le dos de ce tétra pacifique est d'un vert pâle
brunâtre, virant au violet verdâtre. La moitié
inférieure, bleu-noir dégradé vers le crème
argenté, donne l'impression d'une large bande
sombre sur le flanc. Au-dessus de celle-ci, les
mâles peuvent porter une rangée d'écailles
brun-rouge ; les femelles ont plus de brun
crème.
• **HABITAT** Cours d'eau
de Colombie.
• **REMARQUE** Préfère un
aquarium peu éclairé
et bien planté.
D'élevage aisé :
un couple
peut
féconder
quelques
œufs chaque
jour.

*chez le mâle, longue
nageoire dorsale
• en faucille*

AMÉRIQUE DU SUD

*• nageoire anale
jaunâtre, à l'attache
longue*

Régime Omnivore	Niveaux de nage Tous	Tempérament

Famille CHARACIDÉS	Espèce *Paracheirodon axelrodi*	Taille 4,5 cm

TÉTRA-CARDINAL

Une bande bleu électrique, très frappante, va du
museau, à travers le haut de l'œil, jusqu'à la nageoire
adipeuse. Le bas du corps est rouge vif, avec une
petite région argentée à l'avant de la surface ventrale.
Les femelles ont le profil plus haut.
• **HABITAT** Eaux lentes du Venezuela,
du Brésil et de Colombie.
• **REMARQUE** Pour que les couleurs
soient belles (et la reproduction possible),
l'eau doit être douce et acide. Ce tétra se
distingue de *P. innesi* et *P. simulans* par
l'extension de la zone rouge.
• **AUTRE NOM** Cardinalis.

*nageoire dorsale
attachée au point
• le plus haut du dos*

AMÉRIQUE DU SUD

*moitié •
inférieure de
l'œil argentée*

*la couleur rouge
s'étend sur la
nageoire caudale*

Régime Omnivore	Niveaux de nage Tous	Tempérament

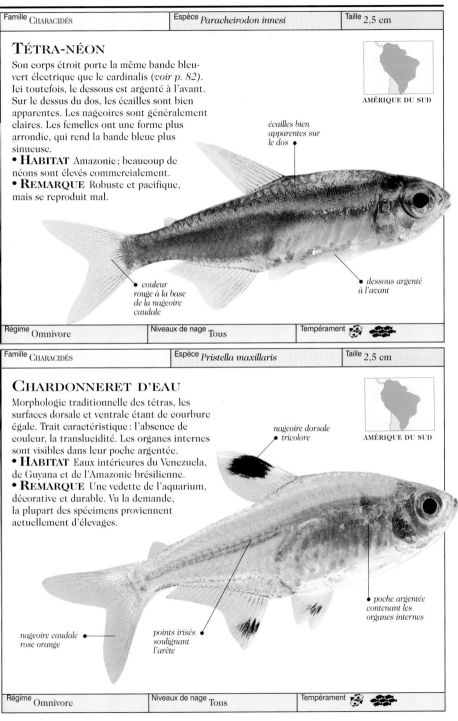

| Famille CHARACIDÉS | Espèce *Paracheirodon innesi* | Taille 2,5 cm |

TÉTRA-NÉON

Son corps étroit porte la même bande bleu-vert électrique que le cardinalis (*voir p. 82*). Ici toutefois, le dessous est argenté à l'avant. Sur le dessus du dos, les écailles sont bien apparentes. Les nageoires sont généralement claires. Les femelles ont une forme plus arrondie, qui rend la bande bleue plus sinueuse.
• **HABITAT** Amazonie ; beaucoup de néons sont élevés commercialement.
• **REMARQUE** Robuste et pacifique, mais se reproduit mal.

AMÉRIQUE DU SUD

écailles bien apparentes sur le dos •

• couleur rouge à la base de la nageoire caudale

• dessous argenté à l'avant

| Régime Omnivore | Niveaux de nage Tous | Tempérament |

| Famille CHARACIDÉS | Espèce *Pristella maxillaris* | Taille 2,5 cm |

CHARDONNERET D'EAU

Morphologie traditionnelle des tétras, les surfaces dorsale et ventrale étant de courbure égale. Trait caractéristique : l'absence de couleur, la translucidité. Les organes internes sont visibles dans leur poche argentée.
• **HABITAT** Eaux intérieures du Venezuela, de Guyana et de l'Amazonie brésilienne.
• **REMARQUE** Une vedette de l'aquarium, décorative et durable. Vu la demande, la plupart des spécimens proviennent actuellement d'élevages.

nageoire dorsale • tricolore

AMÉRIQUE DU SUD

• poche argentée contenant les organes internes

nageoire caudale • rose orange

points irisés • soulignant l'arête

| Régime Omnivore | Niveaux de nage Tous | Tempérament |

AUTRES CHARACOÏDES

MÊME si ce sont les petites espèces de characidés (*voir pp. 74-83*) que l'on destine le plus communément à l'aquarium, celles qui figurent dans ce chapitre, et dont beaucoup appartiennent à des familles apparentées, méritent elles aussi d'être retenues : les gastéropélécidés (poissons-hachettes), les anostomidés et les serrasalmidés (piranhas) sont d'un égal intérêt.

Famille ANOSTOMIDÉS	Espèce *Abramites hypselonotus*	Taille 13 cm

ABRAMITE MICROCÉPHALE

Des bandes brun-noir, larges et sineuses, traversent en oblique le corps pâle et jaunâtre. Une ligne horizontale sombre va du museau à l'arrière de l'œil. Les nageoires dorsale, pelviennes et adipeuse portent des marques brunes, et le pédoncule caudal a le bord foncé.
• **HABITAT** Cours d'eau des bassins de l'Orénoque et de l'Amazone.
• **REMARQUE** Nage et se repose en oblique, la tête en bas, d'une manière typique de la famille des anostomidés. Une alimentation très végétale est recommandée, faute de quoi il dévorerait les plantes d'aquarium. Peut être un peu intolérant envers sa propre espèce.
• **AUTRES NOMS**
Characin brème.
Autrefois
A. microcephalus.

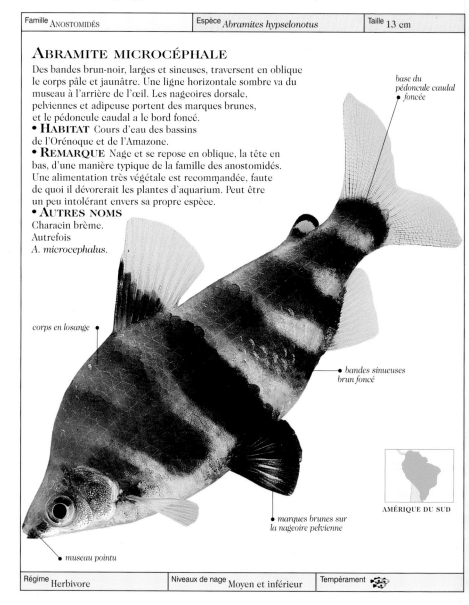

base du pédoncule caudal foncée

corps en losange

bandes sinueuses brun foncé

marques brunes sur la nageoire pelvienne

AMÉRIQUE DU SUD

museau pointu

Régime Herbivore	Niveaux de nage Moyen et inférieur	Tempérament

Famille ANOSTOMIDÉS	Espèce *Anostomus anostomus*	Taille 18 cm

ANOSTOME RAYÉ

Corps en torpille, jaune doré avec, sur toute sa longueur, trois larges bandes foncées à bord dentelé. Tête plate à museau long et effilé ; bouche supère, mâchoire inférieure saillante. Grande tache rouge sur la nageoire dorsale et deux zones rouge vif sur la caudale, à proximité du pédoncule.
• **HABITAT** Cours d'eau du bassin Orénoque-Amazone en Guyana et au Surinam.
• **REMARQUE** Cette robuste et belle espèce apprécie les racines flottantes et les plantes bien feuillues, parmi lesquelles elle peut se nourrir dans sa position caractéristique, la tête en bas. Elle demande de la verdure et beaucoup d'espace. N'est presque jamais au repos.

Il se nourrit dans les recoins et les crevasses.

mâchoire saillante

bandes horizontales foncées

AMÉRIQUE DU SUD

corps en torpille

Régime Omnivore	Niveaux de nage Tous	Tempérament

Famille ANOSTOMIDÉS	Espèce *Anostomus ternetzi*	Taille 16 cm

ANOSTOME DORÉ

Corps jaune doré, marqué de trois bandes foncées. Tête aplatie, au long museau effilé ; bouche supère, à l'extrémité rouge. Il y a du jaune sur la nageoire caudale et du rouge autour du pédoncule caudal. La petite nageoire adipeuse peut, elle aussi, se colorer de rouge.
• **HABITAT** Cours d'eau du bassin Orénoque-Amazone.
• **REMARQUE** Demande de la nourriture végétale et beaucoup d'espace.

AMÉRIQUE DU SUD

bouche supère à « bec » rouge

marques rouges au pédoncule caudal

large bande sombre le long du corps

Régime Omnivore	Niveaux de nage Tous	Tempérament

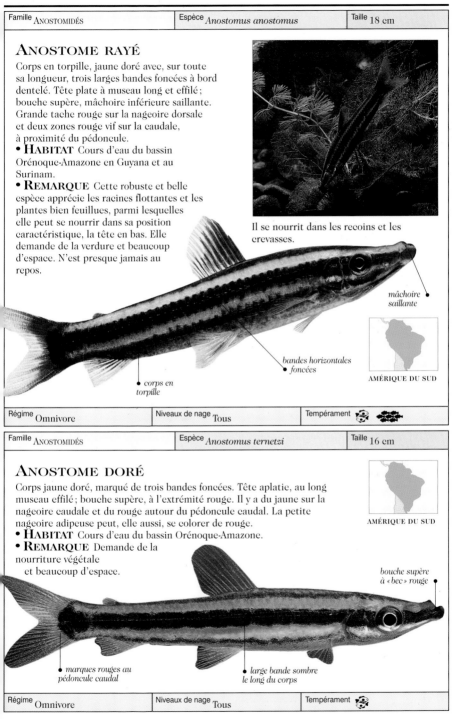

Famille CHARACIDÉS	Espèce *Aphyocharax anisitsi*	Taille 5,5 cm

CHARACIDÉ À NAGEOIRES ROUGES

Comme le nom vernaculaire l'indique, il y a normalement du rouge
sur les nageoires de ce poisson aux flancs argentés ; ce n'est guère
apparent chez le juvénile représenté ici. Le mâle s'aide, pour frayer,
de petits crochets qu'il porte à l'anale, et qui peuvent se prendre
dans les mailles d'une épuisette.

AMÉRIQUE DU SUD

• **HABITAT** Cours d'eau d'Argentine et du Paraguay.
• **REMARQUE** Ces poissons doivent vivre en bancs.
Ils fraient volontiers mais peuvent
manger leurs œufs.
• **AUTRE NOM** Autrefois
A. rubripinnis.

flancs argentés

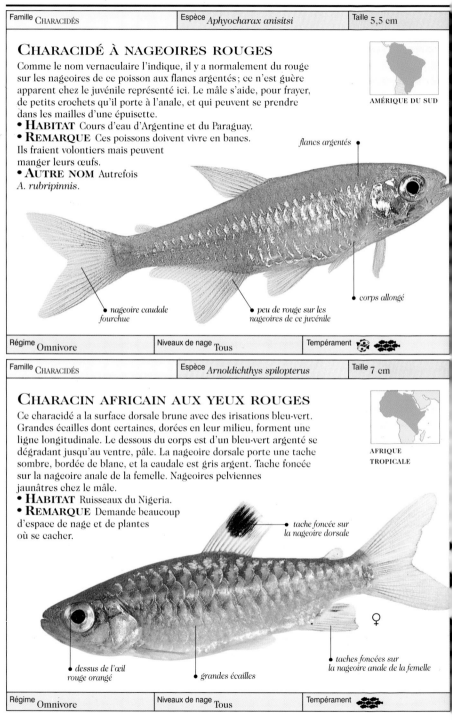

*nageoire caudale
fourchue*

*peu de rouge sur les
nageoires de ce juvénile*

corps allongé

Régime Omnivore	Niveaux de nage Tous	Tempérament

Famille CHARACIDÉS	Espèce *Arnoldichthys spilopterus*	Taille 7 cm

CHARACIN AFRICAIN AUX YEUX ROUGES

Ce characidé a la surface dorsale brune avec des irisations bleu-vert.
Grandes écailles dont certaines, dorées en leur milieu, forment une
ligne longitudinale. Le dessous du corps est d'un bleu-vert argenté se
dégradant jusqu'au ventre, pâle. La nageoire dorsale porte une tache
sombre, bordée de blanc, et la caudale est gris argent. Tache foncée
sur la nageoire anale de la femelle. Nageoires pelviennes
jaunâtres chez le mâle.

**AFRIQUE
TROPICALE**

• **HABITAT** Ruisseaux du Nigeria.
• **REMARQUE** Demande beaucoup
d'espace de nage et de plantes
où se cacher.

*tache foncée sur
la nageoire dorsale*

♀

*dessus de l'œil
rouge orangé*

grandes écailles

*taches foncées sur
la nageoire anale de la femelle*

Régime Omnivore	Niveaux de nage Tous	Tempérament

Famille CHARACIDÉS	Espèce *Astyanax fasciatus mexicanus*	Taille 9 cm

TÉTRA AVEUGLE

Étrange poisson remarquable par l'absence d'yeux. Le corps, au profil dorsal très arqué, ne présente guère de traits particuliers puisqu'il est d'un rose uni à reflets argentés. Nageoires vaguement colorées.
• **HABITAT** Eaux souterraines du Mexique.
• **REMARQUE** Les yeux sont devenus superflus puisque ce poisson nage dans des grottes où l'obscurité est totale, en se servant de sa ligne latérale. S'accommode d'un aquarium communautaire mais où des trous rocheux seront les bienvenus.
• **AUTRE NOM** A été classé *Anoptichthys jordani.*

AMÉRIQUE
CENTRALE

corps rose à reflets argentés

tête sans yeux

nageoires presque incolores

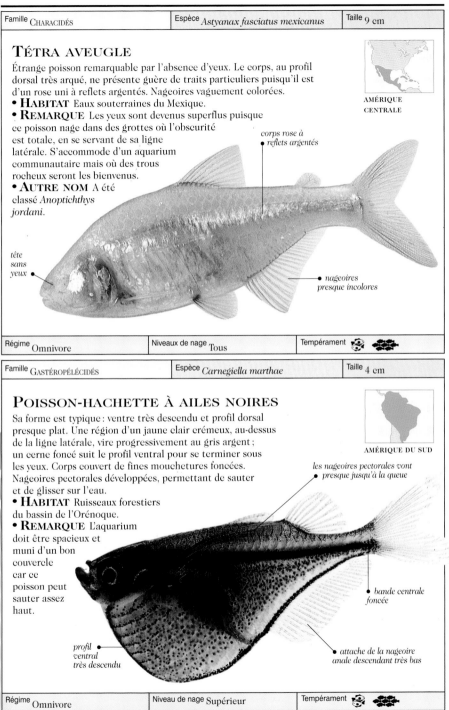

Régime Omnivore	Niveaux de nage Tous	Tempérament

Famille GASTÉROPÉLÉCIDÉS	Espèce *Carnegiella marthae*	Taille 4 cm

POISSON-HACHETTE À AILES NOIRES

Sa forme est typique : ventre très descendu et profil dorsal presque plat. Une région d'un jaune clair crémeux, au-dessus de la ligne latérale, vire progressivement au gris argent ; un cerne foncé suit le profil ventral pour se terminer sous les yeux. Corps couvert de fines mouchetures foncées. Nageoires pectorales développées, permettant de sauter et de glisser sur l'eau.
• **HABITAT** Ruisseaux forestiers du bassin de l'Orénoque.
• **REMARQUE** L'aquarium doit être spacieux et muni d'un bon couvercle car ce poisson peut sauter assez haut.

AMÉRIQUE DU SUD

les nageoires pectorales vont presque jusqu'à la queue

bande centrale foncée

profil ventral très descendu

attache de la nageoire anale descendant très bas

Régime Omnivore	Niveau de nage Supérieur	Tempérament

| Famille GASTÉROPÉLÉCIDÉS | Espèce *Carnegiella strigata strigata* | Taille 4,5 cm |

POISSON-HACHETTE MARBRÉ

Ventre très descendu, profil dorsal plat. La couleur est normalement d'un pourpre argenté, mais le spécimen représenté ici est vert. Ligne sombre de l'œil au pédoncule caudal, sous laquelle plusieurs rayures foncées et brisées traversent le bas du corps. Une autre ligne foncée forme une courbe à l'avant. Pectorales très développées, pelviennes à peine visibles.
• **HABITAT** Cours d'eau d'Amazonie et de Guyana.
• **REMARQUE** Des plantes flottantes fourniront à cette sous-espèce l'ombre qu'il lui faut. Ressemble à *C. strigata vesca.*

AMÉRIQUE DU SUD

nageoire dorsale
attachée très
• en arrière

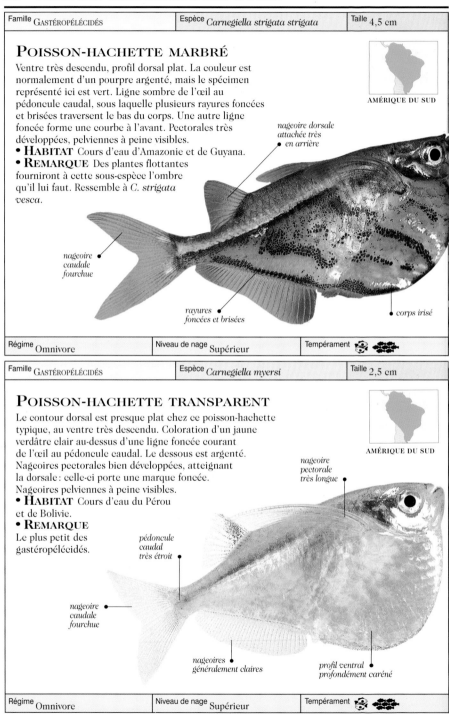

nageoire •
caudale
fourchue

rayures •
foncées et brisées

• corps irisé

| Régime Omnivore | Niveau de nage Supérieur | Tempérament |

| Famille GASTÉROPÉLÉCIDÉS | Espèce *Carnegiella myersi* | Taille 2,5 cm |

POISSON-HACHETTE TRANSPARENT

Le contour dorsal est presque plat chez ce poisson-hachette typique, au ventre très descendu. Coloration d'un jaune verdâtre clair au-dessus d'une ligne foncée courant de l'œil au pédoncule caudal. Le dessous est argenté. Nageoires pectorales bien développées, atteignant la dorsale : celle-ci porte une marque foncée. Nageoires pelviennes à peine visibles.
• **HABITAT** Cours d'eau du Pérou et de Bolivie.
• **REMARQUE** Le plus petit des gastéropélécidés.

AMÉRIQUE DU SUD

nageoire
pectorale
très longue •

pédoncule
caudal
très étroit

nageoire •
caudale
fourchue

nageoires •
généralement claires

profil ventral •
profondément caréné

| Régime Omnivore | Niveau de nage Supérieur | Tempérament |

| Famille CHALCÉIDÉS | Espèce *Chalceus macrolepidotus* | Taille 25 cm |

CHARACIDÉ BRILLANT

Les plus beaux spécimens se caractérisent par leur caudale rose vif. Surface dorsale d'un vert olive doré, flancs argentés. Écailles grandes et bien dessinées, surtout au-dessus de la ligne latérale. Tête courte, lèvre supérieure assez proéminente.

AMÉRIQUE DU SUD

• **HABITAT** Cours d'eau d'Amazonie et de Guyana.
• **REMARQUE** Grande espèce active, demandant beaucoup de place et de nourriture ; peut devenir très prédatrice à l'égard des poissons plus petits.

grandes écailles bien dessinées

nageoire caudale d'un rose ténu chez ce juvénile

corps allongé, cylindrique

| Régime Omnivore | Niveaux de nage Supérieur et moyen | Tempérament |

| Famille CURIMATIDÉS | Espèce *Chilodus punctatus* | Taille 10 cm |

TÊTE-EN-BAS

Le corps allongé et argenté du jeune adulte représenté ici est couvert d'un damier de taches foncées. Une rayure sombre va du museau, à travers l'œil, jusqu'à l'opercule. Ces taches peuvent s'agrandir pendant le frai. Tête pointue, front en pente. La nageoire dorsale en trapèze est parsemée de taches sombres, et l'angle supérieur en est foncé.

petite nageoire adipeuse

réseau de taches sur tout le corps

AMÉRIQUE DU SUD

taches foncées sur la nageoire dorsale

• **HABITAT** Cours d'eau d'Amazonie et de Guyana.
• **REMARQUE** Bien qu'omnivore, l'espèce préfère la verdure. On peut écraser de la nourriture en flocons, la mélanger à de l'eau et l'étendre sur des rocailles jusqu'à ce qu'elle sèche ; après quoi l'on déposera celles-ci dans l'aquarium pour que le poisson puisse les brouter. A besoin de racines ou de branches pour se cacher ou se reposer. Éclairage si possible atténué.

rayure foncée

| Régime Omnivore | Niveaux de nage Moyen et inférieur | Tempérament |

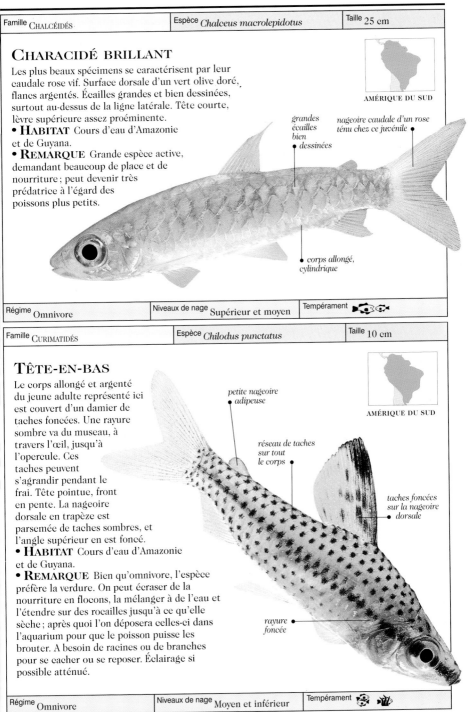

Famille SERRASALMIDÉS	Espèce *Colossoma bidens*	Taille 40 cm

PACU

Sa forme ressemble à celle du piranha (*voir p. 105*).
La région pectorale, le bord inférieur de l'opercule, enfin
les nageoires pectorales, pelviennes et anale sont rouges.
Le reste du corps est argenté, avec de faibles
pommelures au-dessus de la ligne latérale. La bouche
est pourvue de dents mais la tête est moins grande
que celle de ses cousins carnivores. Nageoires
anale et caudale bordées de noir.
• **HABITAT** La rivière Guaporé, à la
frontière de la Bolivie et du Brésil.
• **REMARQUE** Mange des
fruits et autres
végétaux. Peut être
confondu avec
C. brachipomum.

AMÉRIQUE DU SUD

*tache noire sur
le pédoncule
• caudal*

*œil grand •
et très
en avant*

Régime Herbivore	Niveaux de nage Supérieur et moyen	Tempérament

Famille LÉBIASINIDÉS	Espèce *Copeina guttata*	Taille 15 cm

COPÉINA À POINTS ROUGES

Surface dorsale brun-vert, flancs plus foncés, surface ventrale
claire et jaunâtre. Grandes écailles, dont chacune porte une
marque rouge à l'avant, donnant au poisson l'aspect moucheté
que reflète son nom de *guttata*.
• **HABITAT** Cours d'eau d'Amazonie centrale.
• **REMARQUE** Espèce d'entretien relativement aisé et
se reproduisant bien. Les œufs sont déposés dans une
cavité et surveillés par le mâle.

AMÉRIQUE DU SUD

*bouche supère,
tête petite •*

*• nageoires pelviennes et
anale à bord rouge orangé*

Régime Omnivore	Niveaux de nage Supérieur et moyen	Tempérament

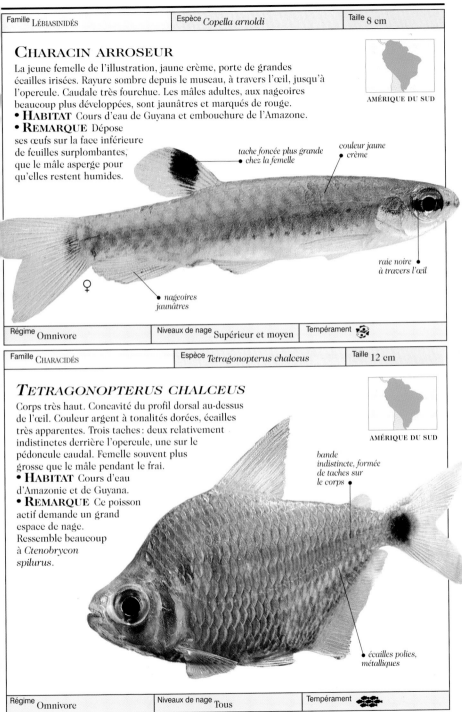

Famille LÉBIASINIDÉS	Espèce *Copella arnoldi*	Taille 8 cm

CHARACIN ARROSEUR

La jeune femelle de l'illustration, jaune crème, porte de grandes écailles irisées. Rayure sombre depuis le museau, à travers l'œil, jusqu'à l'opercule. Caudale très fourchue. Les mâles adultes, aux nageoires beaucoup plus développées, sont jaunâtres et marqués de rouge.

• **HABITAT** Cours d'eau de Guyana et embouchure de l'Amazone.

• **REMARQUE** Dépose ses œufs sur la face inférieure de feuilles surplombantes, que le mâle asperge pour qu'elles restent humides.

AMÉRIQUE DU SUD

tache foncée plus grande chez la femelle

couleur jaune crème

raie noire à travers l'œil

♀

nageoires jaunâtres

Régime Omnivore	Niveaux de nage Supérieur et moyen	Tempérament

Famille CHARACIDÉS	Espèce *Tetragonopterus chalceus*	Taille 12 cm

TETRAGONOPTERUS CHALCEUS

Corps très haut. Concavité du profil dorsal au-dessus de l'œil. Couleur argent à tonalités dorées, écailles très apparentes. Trois taches : deux relativement indistinctes derrière l'opercule, une sur le pédoncule caudal. Femelle souvent plus grosse que le mâle pendant le frai.

• **HABITAT** Cours d'eau d'Amazonie et de Guyana.

• **REMARQUE** Ce poisson actif demande un grand espace de nage. Ressemble beaucoup à *Ctenobrycon spilurus*.

AMÉRIQUE DU SUD

bande indistincte, formée de taches sur le corps

écailles polies, métalliques

Régime Omnivore	Niveaux de nage Tous	Tempérament

Famille CITHARINIDÉS	Espèce *Distichodus affinis*	Taille 17 cm

DISTICHODUS AFFINIS

Poisson massif, gris argent foncé, à ventre rosâtre.
Grandes écailles, très nettement délimitées. Nageoires
pelviennes, anale et caudale gris foncé, vaste zone noire
sur la dorsale. La nageoire caudale, en
fourche profonde, a les lobes arrondis.
• **HABITAT** Cours d'eau d'Afrique
tropicale et équatoriale.
• **REMARQUE** Espèce pacifique,
grégaire, friande de végétaux, y compris
des plantes d'aquarium.

*une partie de
la nageoire
dorsale
est noire*

AFRIQUE
TROPICALE

*nageoire
caudale en
fourche
profonde
et à lobes
arrondis*

*bas de
la tête
argenté*

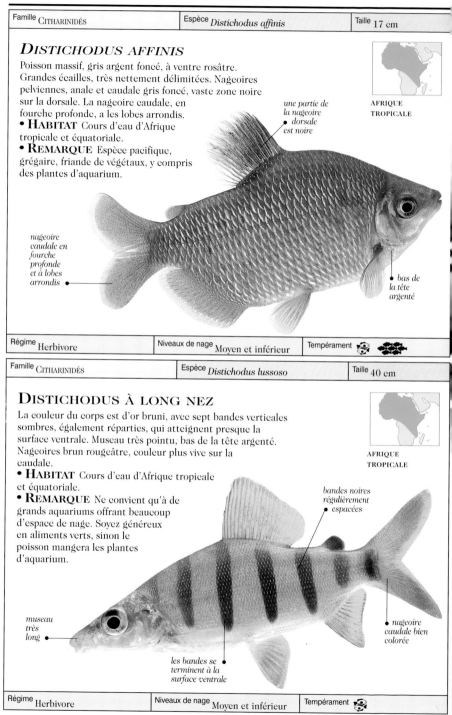

Régime Herbivore	Niveaux de nage Moyen et inférieur	Tempérament

Famille CITHARINIDÉS	Espèce *Distichodus lussoso*	Taille 40 cm

DISTICHODUS À LONG NEZ

La couleur du corps est d'or bruni, avec sept bandes verticales
sombres, également réparties, qui atteignent presque la
surface ventrale. Museau très pointu, bas de la tête argenté.
Nageoires brun rougeâtre, couleur plus vive sur la
caudale.
• **HABITAT** Cours d'eau d'Afrique tropicale
et équatoriale.
• **REMARQUE** Ne convient qu'à de
grands aquariums offrant beaucoup
d'espace de nage. Soyez généreux
en aliments verts, sinon le
poisson mangera les plantes
d'aquarium.

AFRIQUE
TROPICALE

*bandes noires
régulièrement
espacées*

*museau
très
long*

*les bandes se
terminent à la
surface ventrale*

*nageoire
caudale bien
colorée*

Régime Herbivore	Niveaux de nage Moyen et inférieur	Tempérament

Famille CITHARINIDÉS	Espèce *Distichodus noboli*	Taille 17 cm

DISTICHODUS À NAGEOIRES ROUGES

Corps gris argent, décoré de grandes écailles d'argent brillant, bien dessinées et parcourues d'irisations argentées. Le bas de la tête, relativement petite, est argenté. Nageoires dorsale, anale et caudale grises, mais une partie de la dorsale porte du noir et du rouge à l'avant. Petite nageoire adipeuse.
• **HABITAT** Cours d'eau d'Afrique tropicale et équatoriale.
• **REMARQUE** C'est l'un des plus petits du genre *Distichodus*, qui comprend environ 30 espèces. Ressemble à *D. notospilus*.

partie noire et rouge de la nageoire caudale

AFRIQUE TROPICALE

çà et là, irisations argentées

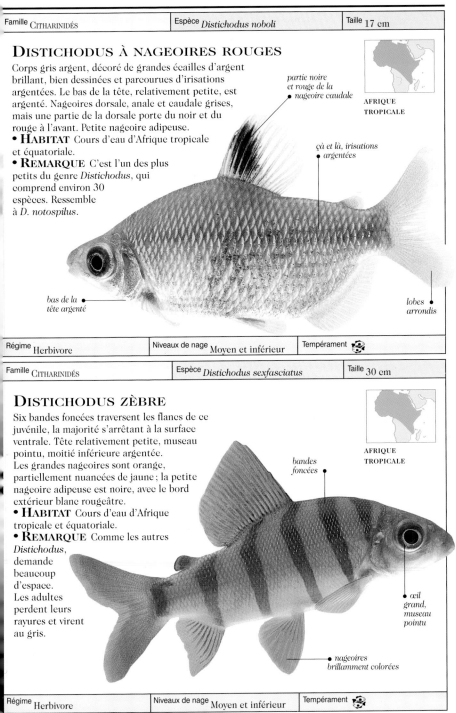

bas de la tête argenté

lobes arrondis

Régime Herbivore	Niveaux de nage Moyen et inférieur	Tempérament

Famille CITHARINIDÉS	Espèce *Distichodus sexfasciatus*	Taille 30 cm

DISTICHODUS ZÈBRE

Six bandes foncées traversent les flancs de ce juvénile, la majorité s'arrêtant à la surface ventrale. Tête relativement petite, museau pointu, moitié inférieure argentée.
Les grandes nageoires sont orange, partiellement nuancées de jaune ; la petite nageoire adipeuse est noire, avec le bord extérieur blanc rougeâtre.
• **HABITAT** Cours d'eau d'Afrique tropicale et équatoriale.
• **REMARQUE** Comme les autres *Distichodus*, demande beaucoup d'espace. Les adultes perdent leurs rayures et virent au gris.

bandes foncées

AFRIQUE TROPICALE

œil grand, museau pointu

nageoires brillamment colorées

Régime Herbivore	Niveaux de nage Moyen et inférieur	Tempérament

Famille GASTÉROPÉLÉCIDÉS	Espèce *Gasteropelecus sternicla*	Taille 6 cm

POISSON-HACHETTE ARGENTÉ

Le profil en hachette est très prononcé et caréné. Corps argenté, porteur d'une mince ligne foncée sur les deux tiers arrière du flanc. Grandes nageoires pectorales en aile, contrastant avec les pelviennes rudimentaires. Grands yeux placés très à l'avant d'une tête petite, à bouche supère.

• **HABITAT** Surface de l'eau, généralement parmi les plantes, dans le bassin de l'Amazone et jusqu'en Guyana.

• **REMARQUE** Le corps en hauteur abrite des muscles puissants, qui permettent au poisson d'utiliser les nageoires pectorales comme ailes ; il s'arc-boute pour prendre de la vitesse et, parfois, quitter l'eau.

nageoire pectorale en forme d'aile

AMÉRIQUE DU SUD

nageoire caudale profondément fourchue

longue attache de la nageoire anale

profil en carène

Régime Insectivore	Niveau de nage Supérieur	Tempérament

Famille ALESTIDÉS	Espèce *Lepidarchus adonis*	Taille 3 cm

CHARACIDÉ ADONIS

Ce poisson jaune argenté est translucide et peut donc prendre les couleurs de l'arrière-plan. Le mâle a des taches foncées à l'arrière des nageoires dorsale et anale. Chez les deux sexes, l'anale, la dorsale et la caudale sont légèrement marquées de rayures foncées.

• **HABITAT** Ruisseaux du Ghana et du Liberia.

• **REMARQUE** Excellent poisson d'aquarium, de reproduction aisée dans une eau douce ne manquant pas de plantes. Pond un nombre restreint d'œufs sensibles à la lumière. Les premières proies seront petites : nauplies d'artémias, par exemple. Gardez cette espèce seule ou avec des poissons paisibles, tels que les poissons-crayons.

AFRIQUE TROPICALE

corps allongé

œil grand

poche contenant les organes internes

rayure foncée sur la nageoire anale

Régime Omnivore	Niveaux de nage Tous	Tempérament

| Famille ANOSTOMIDÉS | Espèce *Leporinus desmotes* | Taille 22 cm |

LEPORINUS DESMOTES

Des bandes noir de suie encerclent le corps, du museau à l'extrémité du pédoncule caudal. La couleur de fond, d'un blanc jaunâtre, occupe peu de place entre les trois bandes centrales. Bouche terminale, dite de lièvre, d'où le nom de *Leporinus*.
• **HABITAT** Ruisseaux lents du bassin amazonien, de la Guyana au rio de la Plata.
• **REMARQUE** Genre omnivore mais demandant beaucoup de végétaux : les plantations courent des risques.

AMÉRIQUE DU SUD

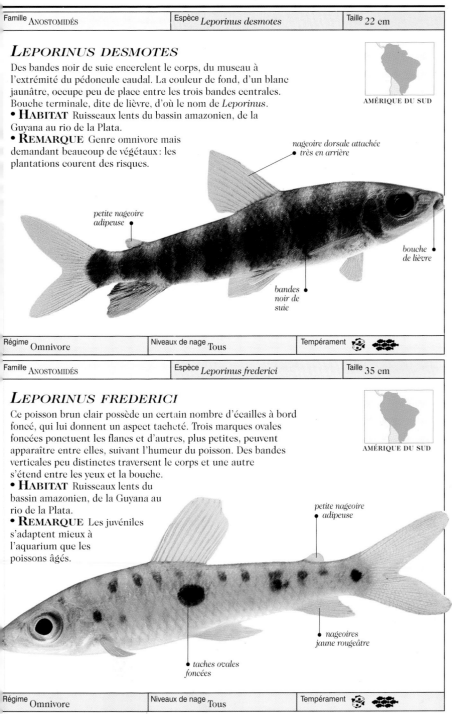

nageoire dorsale attachée
• *très en arrière*

*petite nageoire
adipeuse* •

bouche •
de lièvre

bandes •
*noir de
suie*

| Régime Omnivore | Niveaux de nage Tous | Tempérament |

| Famille ANOSTOMIDÉS | Espèce *Leporinus frederici* | Taille 35 cm |

LEPORINUS FREDERICI

Ce poisson brun clair possède un certain nombre d'écailles à bord foncé, qui lui donnent un aspect tacheté. Trois marques ovales foncées ponctuent les flancs et d'autres, plus petites, peuvent apparaître entre elles, suivant l'humeur du poisson. Des bandes verticales peu distinctes traversent le corps et une autre s'étend entre les yeux et la bouche.
• **HABITAT** Ruisseaux lents du bassin amazonien, de la Guyana au rio de la Plata.
• **REMARQUE** Les juvéniles s'adaptent mieux à l'aquarium que les poissons âgés.

AMÉRIQUE DU SUD

*petite nageoire
• adipeuse*

• *nageoires
jaune rougeâtre*

• *taches ovales
foncées*

| Régime Omnivore | Niveaux de nage Tous | Tempérament |

Famille ANOSTOMIDÉS	Espèce *Leporinus octofasciatum*	Taille 15 cm

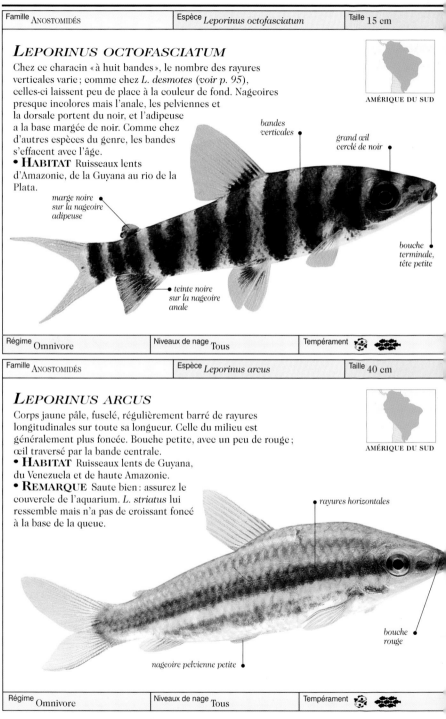

LEPORINUS OCTOFASCIATUM

Chez ce characin «à huit bandes», le nombre des rayures verticales varie ; comme chez *L. desmotes* (*voir p. 95*), celles-ci laissent peu de place à la couleur de fond. Nageoires presque incolores mais l'anale, les pelviennes et la dorsale portent du noir, et l'adipeuse a la base margée de noir. Comme chez d'autres espèces du genre, les bandes s'effacent avec l'âge.
• **HABITAT** Ruisseaux lents d'Amazonie, de la Guyana au rio de la Plata.

AMÉRIQUE DU SUD

bandes verticales

grand œil cerclé de noir

marge noire sur la nageoire adipeuse

bouche terminale, tête petite

teinte noire sur la nageoire anale

Régime Omnivore	Niveaux de nage Tous	Tempérament

Famille ANOSTOMIDÉS	Espèce *Leporinus arcus*	Taille 40 cm

LEPORINUS ARCUS

Corps jaune pâle, fuselé, régulièrement barré de rayures longitudinales sur toute sa longueur. Celle du milieu est généralement plus foncée. Bouche petite, avec un peu de rouge ; œil traversé par la bande centrale.
• **HABITAT** Ruisseaux lents de Guyana, du Venezuela et de haute Amazonie.
• **REMARQUE** Saute bien : assurez le couvercle de l'aquarium. *L. striatus* lui ressemble mais n'a pas de croissant foncé à la base de la queue.

AMÉRIQUE DU SUD

rayures horizontales

bouche rouge

nageoire pelvienne petite

Régime Omnivore	Niveaux de nage Tous	Tempérament

Famille SERRASALMIDÉS	Espèce *Metynnis hypsauchen*	Taille 14 cm

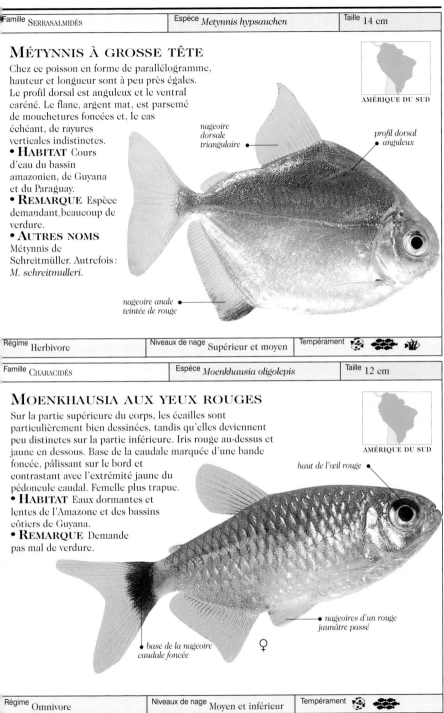

MÉTYNNIS À GROSSE TÊTE

Chez ce poisson en forme de parallélogramme,
hauteur et longueur sont à peu près égales.
Le profil dorsal est anguleux et le ventral
caréné. Le flanc, argent mat, est parsemé
de mouchetures foncées et, le cas
échéant, de rayures
verticales indistinctes.
• **HABITAT** Cours
d'eau du bassin
amazonien, de Guyana
et du Paraguay.
• **REMARQUE** Espèce
demandant beaucoup de
verdure.
• **AUTRES NOMS**
Métynnis de
Schreitmüller. Autrefois :
M. schreitmulleri.

AMÉRIQUE DU SUD

nageoire
dorsale
triangulaire

profil dorsal
anguleux

nageoire anale
teintée de rouge

Régime Herbivore	Niveaux de nage Supérieur et moyen	Tempérament

Famille CHARACIDÉS	Espèce *Moenkhausia oligolepis*	Taille 12 cm

MOENKHAUSIA AUX YEUX ROUGES

Sur la partie supérieure du corps, les écailles sont
particulièrement bien dessinées, tandis qu'elles deviennent
peu distinctes sur la partie inférieure. Iris rouge au-dessus et
jaune en dessous. Base de la caudale marquée d'une bande
foncée, pâlissant sur le bord et
contrastant avec l'extrémité jaune du
pédoncule caudal. Femelle plus trapue.
• **HABITAT** Eaux dormantes et
lentes de l'Amazone et des bassins
côtiers de Guyana.
• **REMARQUE** Demande
pas mal de verdure.

AMÉRIQUE DU SUD

haut de l'œil rouge

nageoires d'un rouge
jaunâtre passé

base de la nageoire
caudale foncée

♀

Régime Omnivore	Niveaux de nage Moyen et inférieur	Tempérament

Famille CHARACIDÉS	Espèce *Moenkhausia pittieri*	Taille 6 cm

TÉTRA-DIAMANT

Surface dorsale gris-bleu verdâtre, dessous blanc et argent.
La grande attraction, chez ce poisson, ce sont les irisations ;
elles s'apprécient le mieux sous lumière rasante. Le juvénile
représenté ici a une ligne foncée le long des flancs, jusqu'au
pédoncule caudal. Les nageoires de l'adulte sont bleuâtres
et bordées de blanc ; la nageoire dorsale
des mâles est en faucille prononcée.
Longues nageoires pelviennes, caudale
très fourchue. Haut de l'œil rouge.
• **HABITAT** Lac de Valencia
(Venezuela).
• **REMARQUE** Appréciera de
vivre en banc
dans un
aquarium bien
planté. Nageur
actif, ayant besoin
d'espace. Peut être
lent à atteindre
l'âge adulte.

AMÉRIQUE DU SUD

nageoire dorsale en
faucille

haut
de l'œil
rouge vif

ligne foncée
chez le juvénile

flancs
irisés

Régime Omnivore	Niveau de nage Moyen	Tempérament

Famille SERRASALMIDÉS	Espèce *Mylossoma pluriventre*	Taille 20 cm

DOLLAR D'ARGENT

Corps en hauteur, région ventrale en carène.
Couleur argentée, les écailles petites y
ajoutant un effet de métal poli. Petite tache
noire à l'arrière de l'opercule. Chez les
juvéniles, il peut y avoir des bandes verticales
foncées et une seconde tache à mi-longueur
des flancs. La nageoire
anale large et la
caudale évasée sont
bordées d'orange.
• **HABITAT** Eaux
libres d'Amazonie
méridionale, du
Paraguay et du rio de la
Plata.
• **REMARQUE** Le
régime végétarien de ce
poisson met en danger les
plantes d'aquarium,
surtout à feuilles tendres.
• **AUTRE NOM**
Précédemment :
M. argenteum.

petite nageoire dorsale
à bout noir

AMÉRIQUE DU SUD

nageoire
caudale
à bord droit

écailles
petites et lisses

Régime Herbivore	Niveau de nage Moyen	Tempérament

| Famille CITHARINIDÉS | Espèce *Nannaethiops unitaeniatus* | Taille 6 cm |

TÉTRA AFRICAIN À UNE RAIE

Une rayure foncée, surmontée d'une ligne dorée métallique, va du museau à l'extrémité de la nageoire caudale de ce poisson allongé. Le dos est d'un brun jaunâtre à verdâtre et le ventre mêle or et argent. En période de frai, le mâle colore de rouge sa dorsale rectangulaire et le haut de sa caudale.

• **HABITAT** Cours d'eau d'Afrique équatoriale.

• **REMARQUE** Espèce pacifique, voire timide, préférant un aquarium spacieux, peuplé de petits poissons et de plantes buissonnantes.

AFRIQUE ÉQUATORIALE

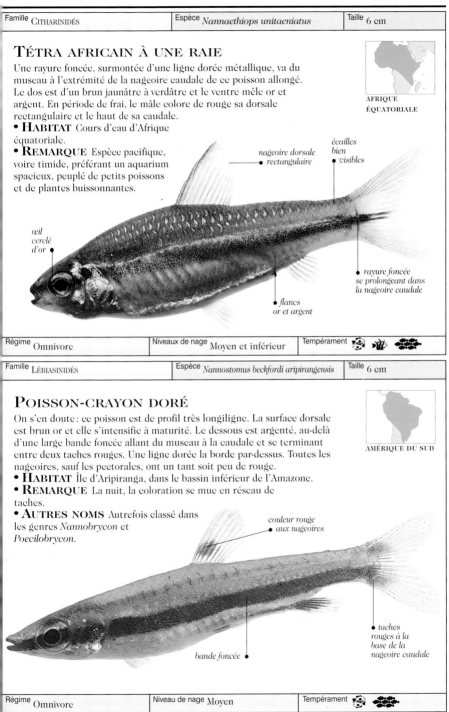

nageoire dorsale rectangulaire

écailles bien visibles

œil cerclé d'or

rayure foncée se prolongeant dans la nageoire caudale

flancs or et argent

| Régime Omnivore | Niveaux de nage Moyen et inférieur | Tempérament |

| Famille LÉBIASINIDÉS | Espèce *Nannostomus beckfordi aripirangensis* | Taille 6 cm |

POISSON-CRAYON DORÉ

On s'en doute : ce poisson est de profil très longiligne. La surface dorsale est brun or et elle s'intensifie à maturité. Le dessous est argenté, au-delà d'une large bande foncée allant du museau à la caudale et se terminant entre deux taches rouges. Une ligne dorée la borde par-dessus. Toutes les nageoires, sauf les pectorales, ont un tant soit peu de rouge.

• **HABITAT** Île d'Aripiranga, dans le bassin inférieur de l'Amazone.

• **REMARQUE** La nuit, la coloration se mue en réseau de taches.

• **AUTRES NOMS** Autrefois classé dans les genres *Nannobrycon* et *Poecilobrycon*.

AMÉRIQUE DU SUD

couleur rouge aux nageoires

taches rouges à la base de la nageoire caudale

bande foncée

| Régime Omnivore | Niveau de nage Moyen | Tempérament |

Famille LÉBIASINIDÉS	Espèce *Nannostomus beckfordi*	Taille 6 cm

POISSON-CRAYON

La surface dorsale s'enrichit de reflets brun doré ; le ventre est rouge et argent. Entre les deux, une large bande va du museau à la nageoire caudale, où elle se termine entre deux taches rouges. Au-dessus de cette bande, il y a des nuances d'or, de rouge et de violet. Toutes les nageoires, sauf les pectorales, portent du rouge. La moitié arrière du mâle qui fraie peut devenir d'un rouge intense.

• **HABITAT**
Cours d'eau de Guyana et d'Amazonie.
• **REMARQUE**
Il existe plusieurs formes différant par la couleur.

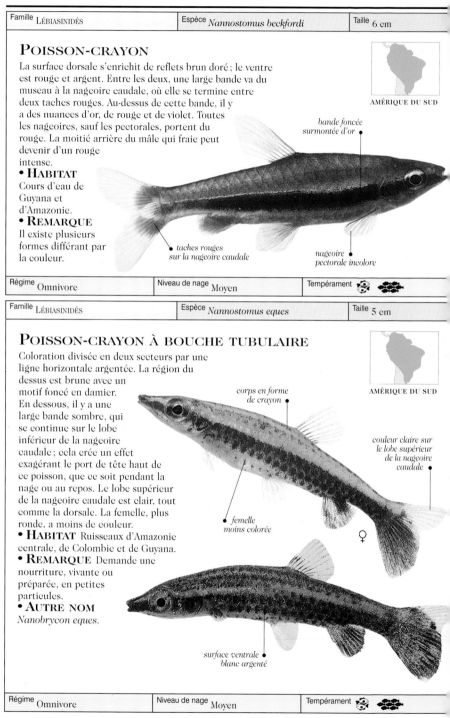

AMÉRIQUE DU SUD

bande foncée surmontée d'or

taches rouges sur la nageoire caudale

nageoire pectorale incolore

Régime Omnivore	Niveau de nage Moyen	Tempérament

Famille LÉBIASINIDÉS	Espèce *Nannostomus eques*	Taille 5 cm

POISSON-CRAYON À BOUCHE TUBULAIRE

Coloration divisée en deux secteurs par une ligne horizontale argentée. La région du dessus est brune avec un motif foncé en damier. En dessous, il y a une large bande sombre, qui se continue sur le lobe inférieur de la nageoire caudale ; cela crée un effet exagérant le port de tête haut de ce poisson, que ce soit pendant la nage ou au repos. Le lobe supérieur de la nageoire caudale est clair, tout comme la dorsale. La femelle, plus ronde, a moins de couleur.

• **HABITAT** Ruisseaux d'Amazonie centrale, de Colombie et de Guyana.
• **REMARQUE** Demande une nourriture, vivante ou préparée, en petites particules.
• **AUTRE NOM**
Nanobrycon eques.

AMÉRIQUE DU SUD

corps en forme de crayon

couleur claire sur le lobe supérieur de la nageoire caudale

femelle moins colorée

♀

surface ventrale blanc argenté

Régime Omnivore	Niveau de nage Moyen	Tempérament

Famille LÉBIASINIDÉS	Espèce *Nannostomus trifasciatus*	Taille 5 cm

POISSON-CRAYON À TROIS BANDES

Trois bandes foncées courent le long du corps, de couleur brun or pâle. Les bandes centrale et supérieure sont séparées par un reflet doré, et chacune se termine par une tache rouge vif sur la base de la nageoire caudale. En dessous de la bande centrale, la coloration est blanc argent. Les nageoires dorsale, anale et pelviennes, claires par ailleurs, ont des marques rouge vif.

• **HABITAT** Cours d'eau d'Amazonie, en particulier le rio Negro.

• **REMARQUE** Pendant le frai, comme chez la plupart des espèces du genre, les mâles déploient un décor somptueux pour attirer les femelles et défier ou impressionner les autres mâles.

AMÉRIQUE DU SUD

tête aplatie, museau pointu •

tache rouge sur • la nageoire dorsale

• bandes foncées

• deux taches rouges sur la nageoire caudale

Régime Omnivore	Niveau de nage Moyen	Tempérament

Famille LÉBIASINIDÉS	Espèce *Nannostomus unifasciatus unifasciatus*	Taille 7 cm

POISSON-CRAYON À UNE BANDE

La surface dorsale est d'un brun verdâtre pâle, tandis que la ventrale et la mâchoire inférieure sont blanc argent. Une bande horizontale foncée va du museau, à travers l'œil, jusqu'à la base de la nageoire caudale, où elle se termine par une tache sombre. Tête petite et aplatie, museau pointu. La partie inférieure de la caudale est souvent foncée, avec quelques zones rouges. Toutes les autres nageoires sont claires.

• **HABITAT** Cours d'eau d'Amazonie et de Guyana.

• **REMARQUE** Malheureusement, cette espèce n'est pas toujours disponible.

AMÉRIQUE DU SUD

nageoires incolores •

surface dorsale d'un • brun verdâtre pâle

♀

• bande foncée

Régime Omnivore	Niveau de nage Moyen	Tempérament

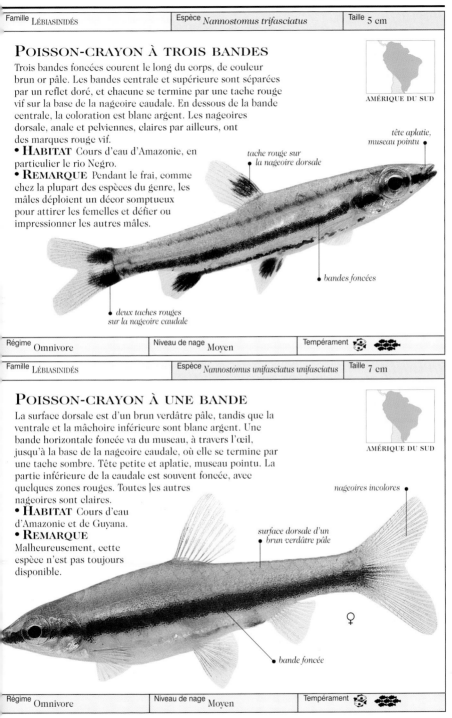

Famille CHARACIDÉS	Espèce *Poptella orbicularis*	Taille 12 cm

CHARACIN DISQUE

La couleur principale de ce poisson en forme de disque est l'argent mais, suivant l'éclairage, on aperçoit divers reflets, parfois de vert, bien que les tonalités les plus courantes soient le rose et le violet. Grandes écailles. Deux rayures verticales foncées, indistinctes, près de l'épaule. Ligne horizontale foncée, depuis la rayure postérieure jusqu'au pédoncule caudal. Toutes les nageoires sont incolores.

- **HABITAT** Commun dans tous les cours d'eau, de la Guyana au rio Paraguay.
- **REMARQUE** Espèce active, vivant en bancs, heureuse de trouver un aquarium spacieux. Tend à manger les feuilles tendres ; il faut donc inclure de la verdure dans son alimentation.
- **AUTRE NOM** Autrefois classé dans le genre *Ephippicharax*.

AMÉRIQUE DU SUD

reflets violets et verts •

• corps trapu

nageoires incolores •

Régime Omnivore	Niveau de nage Moyen	Tempérament

Famille CHARACIDÉS	Espèce *Prionobrama filigera*	Taille 6 cm

CHARACIN VERRE À QUEUE ROUGE

Le profil fuselé de ce poisson le rend très proche du characidé à nageoires rouges (*voir p. 86*). La coloration est d'un gris-bleu translucide. Chez le mâle, les nageoires pelviennes et anale à longue base ont les rayons antérieurs allongés et blancs ; de plus, l'anale peut présenter une ligne noire derrière le blanc. La nageoire caudale est d'un rouge profond ; chez la femelle la base en est rougeâtre.

- **HABITAT** Région du rio Madeira (Brésil) et bassin amazonien.
- **REMARQUE** Poisson actif, parcourant en bancs le dessous des plantes flottantes et les courants créés par l'aération. Se reproduit volontiers si l'eau est douce.

AMÉRIQUE DU SUD

profil • fuselé

• corps semi-transparent

♀

• nageoire caudale rougeâtre chez la femelle

• rayon antérieur de la nageoire anale allongé

Régime Omnivore	Niveaux de nage Supérieur et moyen	Tempérament

Famille CHARACIDÉS	Espèce *Pseudocoryopoma doriae*	Taille 8 cm

CERF-VOLANT

Nageoires dorsale et anale sont larges et déploient des rayons filamenteux teintés de noir, surtout chez le mâle. Coloration argent, avec une ligne plus foncée allant de mi-corps à la base de la caudale. Celle-ci, très fourchue, a les pointes marquées de noir.
• **HABITAT** Cours d'eau d'Argentine, du Paraguay, de l'Uruguay et du Brésil méridional.
• **REMARQUE** Demande de l'espace et des plantes. Avant de frayer, le mâle danse, tête en bas, autour de la femelle.

rayons teintés de noir sur la • *nageoire dorsale*

AMÉRIQUE DU SUD

♀

pointes • *de la nageoire caudale noires*

• *ventre descendu*

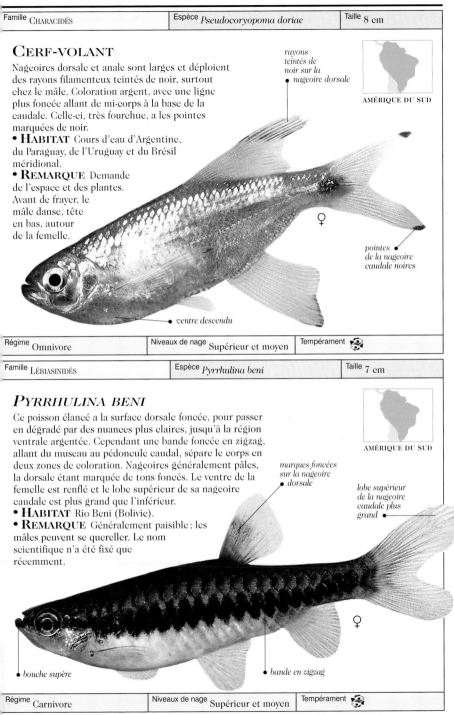

Régime Omnivore	Niveaux de nage Supérieur et moyen	Tempérament

Famille LÉBIASINIDÉS	Espèce *Pyrrhulina beni*	Taille 7 cm

PYRRHULINA BENI

Ce poisson élancé a la surface dorsale foncée, pour passer en dégradé par des nuances plus claires, jusqu'à la région ventrale argentée. Cependant une bande foncée en zigzag, allant du museau au pédoncule caudal, sépare le corps en deux zones de coloration. Nageoires généralement pâles, la dorsale étant marquée de tons foncés. Le ventre de la femelle est renflé et le lobe supérieur de sa nageoire caudale est plus grand que l'inférieur.
• **HABITAT** Rio Beni (Bolivie).
• **REMARQUE** Généralement paisible; les mâles peuvent se quereller. Le nom scientifique n'a été fixé que récemment.

AMÉRIQUE DU SUD

marques foncées sur la nageoire • *dorsale*

lobe supérieur de la nageoire caudale plus grand •

♀

• *bouche supère*

• *bande en zigzag*

Régime Carnivore	Niveaux de nage Supérieur et moyen	Tempérament

Famille LÉBIASINIDÉS	Espèce *Pyrrhulina filamentosa*	Taille 6 cm

PYRRHULINA FILAMENTOSA

L'avant de la surface ventrale est nettement arrondi. Coloration d'un brun rougeâtre, le dos étant foncé et le ventre argenté. Une ligne sombre va du museau au pédoncule caudal, accompagnée en dessous par trois rangées de points rouge vif. Nageoires jaunâtres, les pelviennes, anale et caudale pouvant présenter un bord foncé. Femelles plus rondes et un peu moins colorées.
• **HABITAT** Cours d'eau de la Guyana, du Surinam, du Venezuela et du bassin amazonien.
• **REMARQUE** Ce poisson a besoin de plantes flottantes sous lesquelles il puisse se reposer.

AMÉRIQUE DU SUD

nageoire caudale fourchue •

trois rangées de • points rouges

♀

• nageoires inférieures à bord foncé

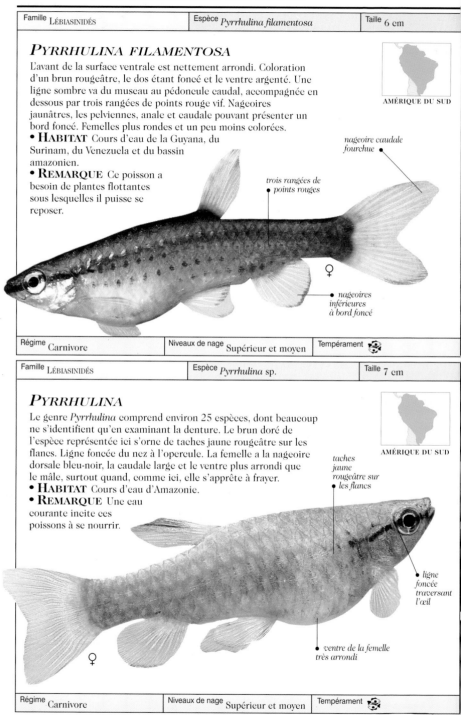

Régime Carnivore	Niveaux de nage Supérieur et moyen	Tempérament

Famille LÉBIASINIDÉS	Espèce *Pyrrhulina* sp.	Taille 7 cm

PYRRHULINA

Le genre *Pyrrhulina* comprend environ 25 espèces, dont beaucoup ne s'identifient qu'en examinant la denture. Le brun doré de l'espèce représentée ici s'orne de taches jaune rougeâtre sur les flancs. Ligne foncée du nez à l'opercule. La femelle a la nageoire dorsale bleu-noir, la caudale large et le ventre plus arrondi que le mâle, surtout quand, comme ici, elle s'apprête à frayer.
• **HABITAT** Cours d'eau d'Amazonie.
• **REMARQUE** Une eau courante incite ces poissons à se nourrir.

AMÉRIQUE DU SUD

taches jaune rougeâtre sur • les flancs

• ligne foncée traversant l'œil

♀

• ventre de la femelle très arrondi

Régime Carnivore	Niveaux de nage Supérieur et moyen	Tempérament

Famille SERRASALMIDÉS	Espèce *Serrasalmus nattereri*	Taille 30 cm

PIRANHA ROUGE

Corps ovale bâti en hauteur et en force. Coloration principalement gris acier, dégradée sur les flancs vers le gris argent, puis virant à un rouge orangé vif sur la poitrine et le ventre. Les juvéniles ont sur les flancs de vagues taches foncées, qui s'effacent avec l'âge, mais le rouge et le gris acier leur font défaut. L'adulte a le nez camus et la mâchoire inférieure prognathe. Les deux mâchoires portent des dents acérées.

AMÉRIQUE DU SUD

• **HABITAT** Fleuves et rivières, de la Guyana au rio de la Plata.

• **REMARQUE** Vu leur taille potentielle, les piranhas ont besoin de beaucoup d'espace et de nourriture. Ces poissons notoirement carnassiers sont à traiter avec précaution. Un banc d'adultes prospérera dans un aquarium spécifique bien filtré et bien aéré. Bien nourris, ils peuvent se reproduire.

• **AUTRES NOMS** Piranha commun, piranha de Natterer. Classé aussi dans le genre *Taddyella* et *Rooseveltiella*.

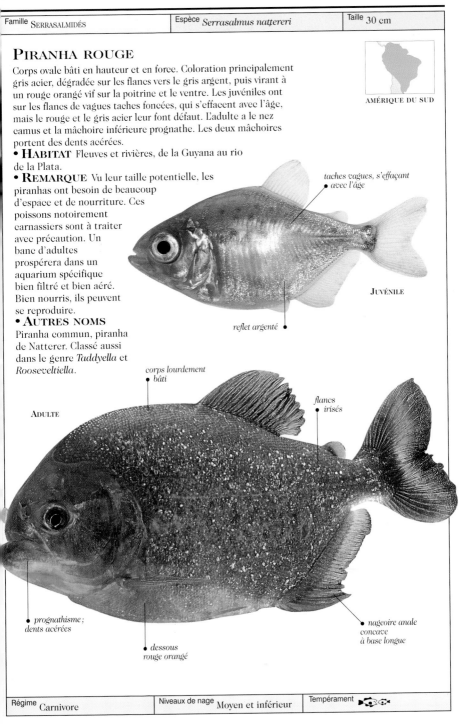

taches vagues, s'effaçant avec l'âge

JUVÉNILE

reflet argenté

corps lourdement bâti

flancs irisés

ADULTE

prognathisme ; dents acérées

dessous rouge orangé

nageoire anale concave à base longue

Régime Carnivore	Niveaux de nage Moyen et inférieur	Tempérament

Famille CHARACIDÉS	Espèce *Thayeria boehlkei*	Taille 7,5 cm

POISSON-PINGOUIN

Son nom est dû à sa coloration principalement noir et blanc.
Les traces de vert olive, sur la surface dorsale, se dégradent
jusqu'au ventre argenté. Une bande centrale foncée, aux
bords irréguliers, longe le corps à partir de l'arrière de
l'opercule et se termine sur le lobe inférieur de la nageoire
caudale, où elle se borde de blanc. Même décor
chez les femelles, plus rondes en période de frai.
• **HABITAT** Ruisseaux du Brésil.
• **REMARQUE** Nage la tête
en haut.

AMÉRIQUE DU SUD

*bande foncée
irrégulière*

*traces de
vert olive sur
la surface dorsale*

*mince
ligne dorée
derrière l'opercule*

*nageoire
caudale
fourchue*

*la bande se prolonge
sur la caudale*

Régime Omnivore	Niveaux de nage Supérieur et moyen	Tempérament

Famille GASTÉROPÉLÉCIDÉS	Espèce *Thoracocharax stellatus*	Taille 7 cm

POISSON-HACHETTE ARGENTÉ

Poisson-hachette au ventre descendu et au dos presque plat.
Couleur pâle, d'un vert jaunâtre virant au gris-bleu argenté.
Une rayure peu marquée, d'un gris-bleu plus foncé, naît
derrière l'opercule pour se terminer en tache à l'arrière
du pédoncule caudal. Écailles plus grandes que chez
les autres poissons-hachettes. La nageoire dorsale,
très en arrière, porte une marque noire.
• **HABITAT** Eaux dormantes du
Brésil et de l'Argentine.
• **REMARQUE** Aquarium
spacieux avec couvercle :
ce poisson
saute.

AMÉRIQUE DU SUD

*nageoires pectorales très
développées*

*tache sur
le pédoncule
caudal*

*grandes
écailles*

*nageoires pelviennes
minuscules*

Régime Omnivore	Niveau de nage Supérieur	Tempérament

CICHLIDÉS
CICHLIDÉS NAINS

L A FAMILLE des cichlidés comprend un grand nombre de poissons, généralement trapus, largement distribués en Amérique centrale et du Sud, en Afrique et, dans une moindre mesure, en Asie méridionale. Ils vivent généralement dans des eaux dormantes ou lentes, cachés parmi les pierres ou la végétation. Les mâles défendent vigoureusement leur territoire : il vaut mieux se contenter d'un couple dans un aquarium moyen. Certains cichlidés creusent le substrat pour y déposer leurs œufs : en aquarium, cela risque d'endommager les plantes enracinées. Les cichlidés nains comptent notamment les espèces d'*Apistogramma* et de *Pelvicachromis,* qui tendent à frayer dans le secret, déposant souvent leurs œufs dans des trous de rocher ou, en captivité, sous un pot de fleurs retourné.

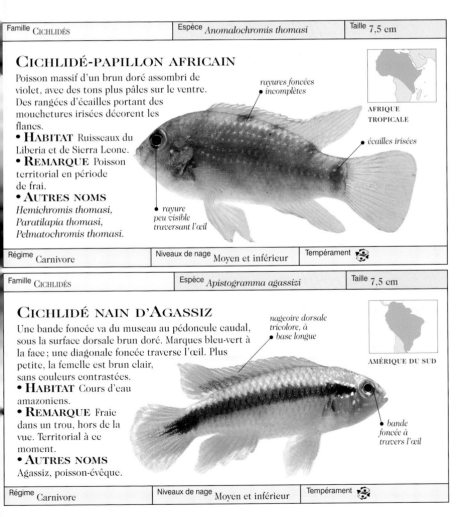

Famille CICHLIDÉS	Espèce *Anomalochromis thomasi*	Taille 7,5 cm

CICHLIDÉ-PAPILLON AFRICAIN

Poisson massif d'un brun doré assombri de violet, avec des tons plus pâles sur le ventre. Des rangées d'écailles portant des mouchetures irisées décorent les flancs.
• **HABITAT** Ruisseaux du Liberia et de Sierra Leone.
• **REMARQUE** Poisson territorial en période de frai.
• **AUTRES NOMS** *Hemichromis thomasi, Paratilapia thomasi, Pelmatochromis thomasi.*

rayures foncées incomplètes

AFRIQUE TROPICALE

écailles irisées

rayure peu visible traversant l'œil

Régime Carnivore	Niveaux de nage Moyen et inférieur	Tempérament

Famille CICHLIDÉS	Espèce *Apistogramma agassizi*	Taille 7,5 cm

CICHLIDÉ NAIN D'AGASSIZ

Une bande foncée va du museau au pédoncule caudal, sous la surface dorsale brun doré. Marques bleu-vert à la face ; une diagonale foncée traverse l'œil. Plus petite, la femelle est brun clair, sans couleurs contrastées.
• **HABITAT** Cours d'eau amazoniens.
• **REMARQUE** Fraie dans un trou, hors de la vue. Territorial à ce moment.
• **AUTRES NOMS** Agassiz, poisson-évêque.

nageoire dorsale tricolore, à base longue

AMÉRIQUE DU SUD

bande foncée à travers l'œil

Régime Carnivore	Niveaux de nage Moyen et inférieur	Tempérament

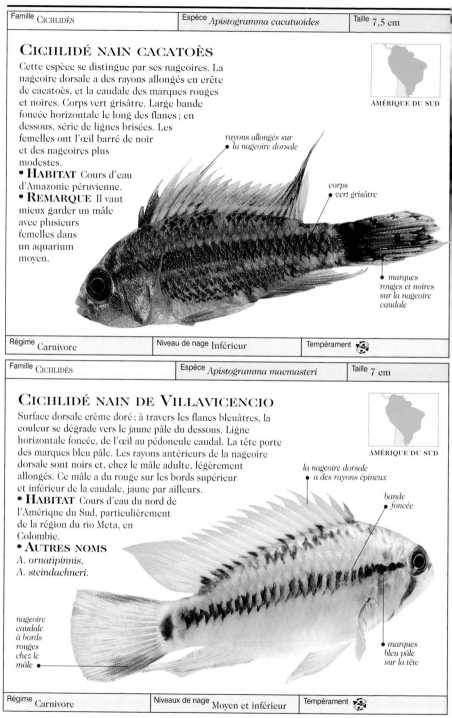

Famille CICHLIDÉS	Espèce *Apistogramma cacatuoides*	Taille 7,5 cm

CICHLIDÉ NAIN CACATOÈS

Cette espèce se distingue par ses nageoires. La nageoire dorsale a des rayons allongés en crête de cacatoès, et la caudale des marques rouges et noires. Corps vert grisâtre. Large bande foncée horizontale le long des flancs ; en dessous, série de lignes brisées. Les femelles ont l'œil barré de noir et des nageoires plus modestes.
• **HABITAT** Cours d'eau d'Amazonie péruvienne.
• **REMARQUE** Il vaut mieux garder un mâle avec plusieurs femelles dans un aquarium moyen.

AMÉRIQUE DU SUD

rayons allongés sur
• la nageoire dorsale

corps
• vert grisâtre

• marques
rouges et noires
sur la nageoire
caudale

Régime Carnivore	Niveau de nage Inférieur	Tempérament

Famille CICHLIDÉS	Espèce *Apistogramma macmasteri*	Taille 7 cm

CICHLIDÉ NAIN DE VILLAVICENCIO

Surface dorsale crème doré ; à travers les flancs bleuâtres, la couleur se dégrade vers le jaune pâle du dessous. Ligne horizontale foncée, de l'œil au pédoncule caudal. La tête porte des marques bleu pâle. Les rayons antérieurs de la nageoire dorsale sont noirs et, chez le mâle adulte, légèrement allongés. Ce mâle a du rouge sur les bords supérieur et inférieur de la caudale, jaune par ailleurs.
• **HABITAT** Cours d'eau du nord de l'Amérique du Sud, particulièrement de la région du rio Meta, en Colombie.
• **AUTRES NOMS**
A. ornatipinnis,
A. steindachneri.

AMÉRIQUE DU SUD

la nageoire dorsale
• a des rayons épineux

bande
• foncée

nageoire
caudale
à bords
rouges
chez le
mâle •

• marques
bleu pâle
sur la tête

Régime Carnivore	Niveaux de nage Moyen et inférieur	Tempérament

Famille CICHLIDÉS	Espèce *Apistogramma nijsseni*	Taille 5 cm

CICHLIDÉ NAIN DE NIJSSEN

Coloration jaune verdâtre, les flancs étant bleuâtres.
Suivant l'humeur et l'état du poisson, apparaissent sur le
corps des bandes sombres verticales tandis qu'une autre,
diagonale, va de l'œil à l'opercule. Chez les meilleurs
spécimens, la nageoire dorsale est bleue à bord rouge et
jaune, et la caudale, arrondie, est bordée de rouge. Les
femelles sont moins colorées.
• **HABITAT** Cours d'eau du centre et du
nord de l'Amérique du Sud.
• **REMARQUE** Comme
les autres poissons de
ce genre, devient
territorial
quand il
fraie.

AMÉRIQUE DU SUD

*nageoire dorsale à
base longue*

*nageoire
caudale
arrondie*

*flancs
bleuâtres*

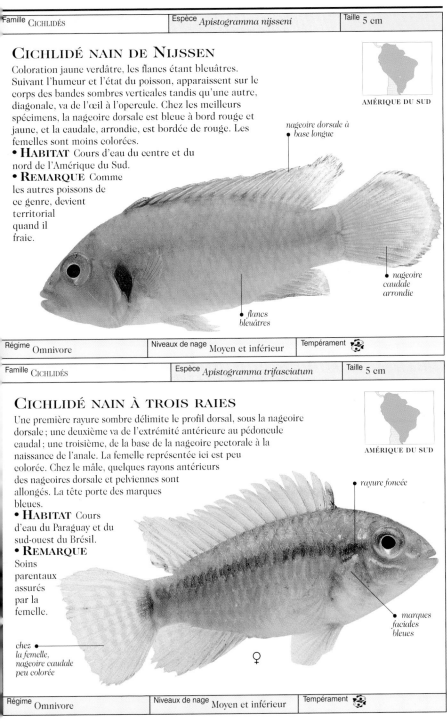

Régime Omnivore	Niveaux de nage Moyen et inférieur	Tempérament

Famille CICHLIDÉS	Espèce *Apistogramma trifasciatum*	Taille 5 cm

CICHLIDÉ NAIN À TROIS RAIES

Une première rayure sombre délimite le profil dorsal, sous la nageoire
dorsale ; une deuxième va de l'extrémité antérieure au pédoncule
caudal ; une troisième, de la base de la nageoire pectorale à la
naissance de l'anale. La femelle représentée ici est peu
colorée. Chez le mâle, quelques rayons antérieurs
des nageoires dorsale et pelviennes sont
allongés. La tête porte des marques
bleues.
• **HABITAT** Cours
d'eau du Paraguay et du
sud-ouest du Brésil.
• **REMARQUE**
Soins
parentaux
assurés
par la
femelle.

AMÉRIQUE DU SUD

rayure foncée

*marques
faciales
bleues*

*chez
la femelle,
nageoire caudale
peu colorée*

♀

Régime Omnivore	Niveaux de nage Moyen et inférieur	Tempérament

Famille CICHLIDÉS	Espèce *Crenicara filamentosa*	Taille 7,5 cm

CICHLIDÉ QUADRILLÉ

Les flancs présentent un damier de marques foncées. De part et d'autre de celles-ci courent des bandes d'un bleu verdâtre, mieux visibles sous éclairage rasant. Nageoires mouchetées de rouge, bordées de bleu clair et terminées par des filaments allongés. Trait rouge sous l'œil ; bande foncée du museau à l'arrière de l'opercule.

• **HABITAT** Rivières du bassin de l'Orénoque.

• **REMARQUE** Demande une eau douce et acide. Hante les rocailles et le pied des plantes. Nourriture vivante.

AMÉRIQUE DU SUD

filaments allongés

marque rouge sous l'œil

taches régulièrement espacées

nageoire caudale en lyre

Régime Carnivore	Niveau de nage Inférieur	Tempérament

Famille CICHLIDÉS	Espèce *Nannacara anomala*	Taille 7,5 cm

CICHLIDÉ NAIN AUX YEUX DORÉS

Poisson trapu, habituellement brun doré, avec sur les flancs des écailles irisées d'un bleu verdâtre. Des marques plus foncées peuvent apparaître, en fonction de son humeur. Tête ronde, grand œil doré, marques faciales d'un bleu verdâtre. La femelle est d'un jaune plus uni.

• **HABITAT** Cours d'eau de Guyana.

• **REMARQUE** La femelle se couvre souvent d'un réseau de taches quand elle fraie.

AMÉRIQUE DU SUD

nageoire dorsale rayée

surface dorsale bombée

écailles bleu-vert irisées

couleur jaune uni chez la femelle

♀

Régime Carnivore	Niveau de nage Inférieur	Tempérament

Espèce *Nanochromis nudiceps*	Taille 7,5 cm

...CHROMIS NUDICEPS

...ris-brun, au dégradé subtil. Zone bleuâtre derrière
...e. Zones de pourpre pâle sur le ventre. Alternance de lignes
...les claires et foncées sur le haut de la nageoire caudale.
...TAT Bassin du Congo (Zaïre), en Afrique centrale.
...RQUE Reproduction semblable à celle de *Pelvicachromis*
...voir p. 112), dans des trous rocheux ou sous un pot de
...es œufs éclosent au bout d'environ trois jours.
...E NOM On a supposé que *N. parilius* était
...é le nom de cette espèce populaire et que
...nudiceps se voyait rarement dans
...erce.

AFRIQUE ÉQUATORIALE

œil placé haut sur la tête plate •

...unes et brunes ...eoire

région d'un bleu irisé sous l'œil

nuances pourpres sur le ventre

♀

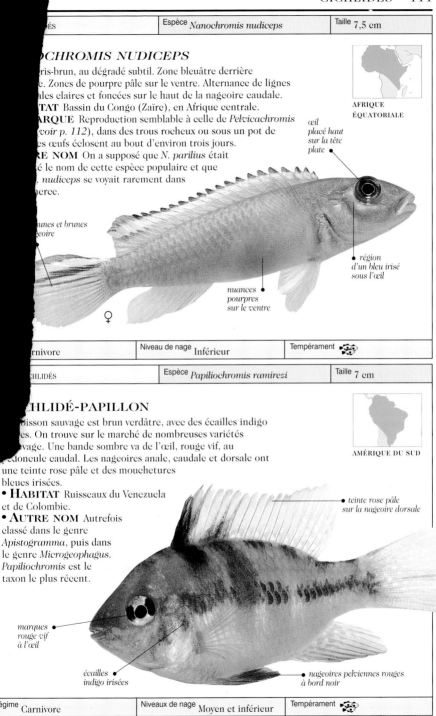

...rnivore	Niveau de nage Inférieur	Tempérament

Espèce *Papiliochromis ramirezi*	Taille 7 cm

...HLIDÉ-PAPILLON

...oisson sauvage est brun verdâtre, avec des écailles indigo
...es. On trouve sur le marché de nombreuses variétés
...vage. Une bande sombre va de l'œil, rouge vif, au
...doncule caudal. Les nageoires anale, caudale et dorsale ont
une teinte rose pâle et des mouchetures
bleues irisées.
• **HABITAT** Ruisseaux du Venezuela
et de Colombie.
• **AUTRE NOM** Autrefois
classé dans le genre
Apistogramma, puis dans
le genre *Microgeophagus*.
Papiliochromis est le
taxon le plus récent.

AMÉRIQUE DU SUD

teinte rose pâle sur la nageoire dorsale

marques rouge vif à l'œil

écailles indigo irisées

nageoires pelviennes rouges à bord noir

Régime Carnivore	Niveaux de nage Moyen et inférieur	Tempérament

Famille CICHLIDÉS	Espèce *Pelvicachromis pulcher*	Taille 10 c.

CICHLIDÉ POURPRE

Les profils dorsal et ventral sont symétriques chez le mâle ; la femelle a le ventre un peu plus prononcé. Les couleurs se répartissent en deux régions, séparées par une bande foncée qui va du nez aux rayons centraux de la nageoire caudale. Le dessous est mauve argenté chez le mâle, tandis que le ventre de la femelle se pare de riches nuances pourpres et prune. Elle présente des zones dorées au-dessus et au-dessous de l'œil, et les deux sexes ont le front traversé de rayures claires. La nageoire dorsale du mâle, se terminant en pointe, a des nuances foncées et le bord extérieur rouge et or. Celle de la femelle est arrondie et porte à l'arrière des taches foncées. Pelviennes mêlées de rouge et de bleu, sauf chez la femelle en période de frai, qui les a d'un noir de suie.

• **HABITAT** Delta du Niger (Afrique occidentale).

• **REMARQUE** Prolifique mais secret. Le pH de l'eau influe sur le sex-ratio dans une portée.

AFRIQU
TROPIC

bande foncée
du nez à la nage
• caudale

dessus de l
dorsale ver
• le mâle

♀

taches
foncées sur le lobe
supérieur de la
nageoire chez
la femelle

nageoire •
dorsale
pointue chez
le mâle

• nageoires pelviennes
bleu et rouge

rayons foncés au
centre de la caudale

Régime Omnivore	Niveaux de nage Moyen et inférieur	Tempérament 🐟

CICHLIDÉS
GRANDS CICHLIDÉS

NOUS AVONS choisi quelques membres plus grands et plus massifs de la famille des cichlidés en raison de leurs mœurs intéressantes et de leur aspect majestueux et vigoureux. Certaines espèces, comme les scalaires et les discus d'Amérique du Sud, sont spectaculaires et font l'ornement d'aquariums de bonnes dimensions. Tous les cichlidés de classification sûre poussent les soins parentaux très loin et, de ce fait, ils sont souvent territoriaux en période de frai. Les sites de ponte sont soigneusement choisis, nettoyés et surveillés. Beaucoup de grandes espèces ont un solide appétit ; aussi importe-t-il de prévoir un bon système de filtration, et de fréquents changements partiels d'eau. La qualité de l'eau importe moins, sauf pour le discus.

Famille CICHLIDÉS	Espèce *Acequidens maronii*	Taille 10 cm

ACARA MARONI

Une rayure foncée, courbe, traverse l'œil de ce poisson trapu, en reliant l'avant de la nageoire dorsale au bord inférieur de l'opercule. La couleur de fond est généralement d'un beige crémeux, mais elle peut virer au brun moucheté quand le poisson est dérangé. Tache foncée sur le flanc, au-dessous de la dorsale. Chez les juvéniles, elle a plus ou moins la forme d'un trou de serrure.

• **HABITAT** Cours d'eau de Guyana.
• **REMARQUE** Poisson très pacifique, à l'inverse de beaucoup de cichlidés. Après le frai, qui a lieu en eau libre, sur une surface rocheuse plane, les jeunes peuvent rester des mois avec leurs parents.

Nageoires dorsale et anale pointues chez le mâle.

rayure foncée traversant l'œil

nageoire caudale claire

marque « en trou de serrure »

AMÉRIQUE DU SUD

Régime Omnivore	Niveau de nage Inférieur	Tempérament

| Famille CICHLIDÉS | Espèce *Aequidens pulcher* | Taille 16 cm |

ACARA BLEU

Corps trapu, gris clair, traversé verticalement de plusieurs rayures sombres, que croise souvent une bande horizontale reliant l'arrière de l'œil au pédoncule caudal. Irisations dues à ce que le centre de chaque écaille est d'un bleu métallique. Marques bleues sur la tête, en particulier au-dessous de l'œil et sur l'opercule. Les mâles ont les nageoires dorsale et anale pointues et, chez certains spécimens, elles dépassent la caudale.
• **HABITAT** Nord du Venezuela ; présent à Trinidad.
• **REMARQUE** Territorial et agressif pendant le frai.

bord de la nageoire dorsale faiblement • vermillon

AMÉRIQUE DU SUD

nageoire anale • pointue chez le mâle

| Régime Omnivore | Niveaux de nage Moyen et inférieur | Tempérament |

| Famille CICHLIDÉS | Espèce *Aequidens rivulatus* | Taille 23 cm |

ACARA À BANDES BLANCHES

La forme représentée ici porte une tache foncée à mi-flanc et des mouchetures sur les côtés. Espèce plus allongée que l'acara bleu et nettement verte, les nageoires impaires ayant le bord coloré. La tête du mâle peut, avec l'âge, devenir plus grosse.
• **HABITAT** Cours d'eau d'Équateur et du Pérou.
• **REMARQUE** Très agressif. La forme sauvage n'a pas de couleur aux nageoires anale et dorsale.

bord de la nageoire dorsale orange

AMÉRIQUE DU SUD

œil foncé, bord intérieur de l'iris orange doré

nageoire caudale • arrondie

tache foncée

| Régime Omnivore | Niveaux de nage Moyen et inférieur | Tempérament |

Famille CICHLIDÉS	Espèce *Astronotus ocellatus*	Taille 28 cm

OSCAR

Il s'agit ici d'une variété d'élevage, sélectionnée pour accroître la répartition du pigment rouge. L'espèce sauvage a des taches foncées irrégulières et des marques de couleur rouille. La tête de ce spécimen est grise, avec peu de rouge, et il a la bouche charnue et lippue. Les nageoires sont fonctionnelles plutôt que décoratives : dorsale et anale plus larges à l'arrière, caudale arrondie en pagaie.

• **HABITAT** Fleuves et rivières d'Amazonie et de Guyana.

• **REMARQUE** Un favori des aquariophiles, malgré sa croissance rapide et son bel appétit. Changer l'eau souvent et à fond. Prolifique, peut produire environ 3 000 alevins. S'apprivoise vite si on le nourrit à la main.

• **AUTRE NOM** Cichlidé de velours.

Juvéniles à décor marbré.

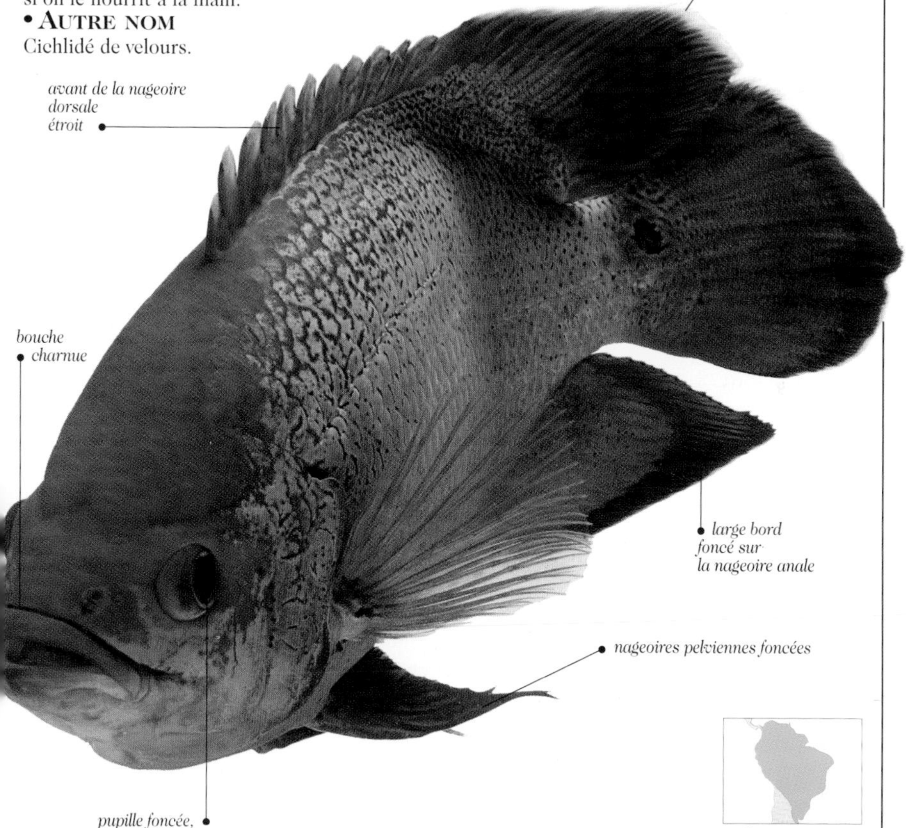

bord blanc de la nageoire dorsale

avant de la nageoire dorsale étroit

bouche charnue

large bord foncé sur la nageoire anale

nageoires pelviennes foncées

pupille foncée, bordée de rouge

AMÉRIQUE DU SUD

Régime Carnivore	Niveaux de nage Moyen et inférieur	Tempérament

Famille CICHLIDÉS	Espèce *Cichlasoma citrinellum*	Taille 30 cm

DIABLE ROUGE

Corps lourdement bâti, de couleur or et jaune citron. Les mâles adultes développent souvent sur le front une grosseur, dite « gibbosité frontale ». Les juvéniles sont bruns, pommelés de noir.
• **HABITAT** Tous cours d'eau, du Mexique méridional au Nicaragua.
• **REMARQUE** Avant le frai, ces poissons se livrent à des manifestations territoriales, comme de se prendre par les mâchoires.

nageoire dorsale pointue chez le mâle

AMÉRIQUE CENTRALE

nageoires de même couleur que le corps

œil très foncé, tête grande

Régime Carnivore	Niveaux de nage Moyen et inférieur	Tempérament

Famille CICHLIDÉS	Espèce *Cichlasoma dovii*	Taille 40 cm

CICHLASOMA DOVII

Des points foncés, régulièrement espacés, couvrent le corps brun argenté de ce poisson en lui donnant un aspect tigré. Une bande horizontale foncée, formée de taches rapprochées, va de l'opercule à la queue. Les mâles ont la nageoire dorsale plus pointue.
• **HABITAT** Cours d'eau du Nicaragua.
• **REMARQUE** Le bel appétit de ce très grand poisson oblige à une bonne filtration et à un changement d'eau important toutes les semaines.
• **AUTRE NOM** Aussi classé, avec d'autres espèces apparentées, dans le genre *Heros.*

AMÉRIQUE CENTRALE

nageoire dorsale pointue chez le mâle

bouche très large

tache foncée à la base de la nageoire caudale

Régime Carnivore	Niveaux de nage Moyen et inférieur	Tempérament

Famille CICHLIDÉS	Espèce *Cichlasoma maculicauda*	Taille 30 cm

CICHLASOMA MACULICAUDA

Des mouchetures foncées parsèment le corps bleu argenté, particulièrement à mi-longueur et sur le pédoncule caudal. Le devant de la tête et la base des pectorales sont marqués de carmin, tandis que des mouchetures de cette couleur apparaissent au-dessus de l'opercule. Nageoires dorsale et anale pointues chez le mâle.
• **HABITAT** Tous cours d'eau, du Mexique méridional à Panama.

les mouchetures forment une bande verticale

AMÉRIQUE CENTRALE

présence de rouge sur la nageoire caudale

coloration carmin

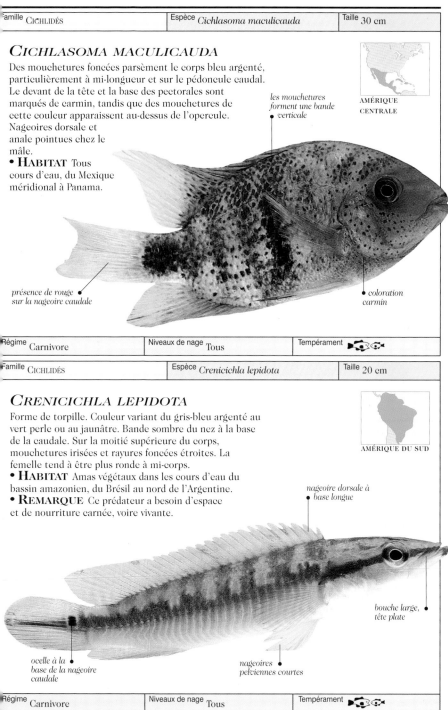

Régime Carnivore	Niveaux de nage Tous	Tempérament

Famille CICHLIDÉS	Espèce *Crenicichla lepidota*	Taille 20 cm

CRENICICHLA LEPIDOTA

Forme de torpille. Couleur variant du gris-bleu argenté au vert perle ou au jaunâtre. Bande sombre du nez à la base de la caudale. Sur la moitié supérieure du corps, mouchetures irisées et rayures foncées étroites. La femelle tend à être plus ronde à mi-corps.
• **HABITAT** Amas végétaux dans les cours d'eau du bassin amazonien, du Brésil au nord de l'Argentine.
• **REMARQUE** Ce prédateur a besoin d'espace et de nourriture carnée, voire vivante.

AMÉRIQUE DU SUD

nageoire dorsale à base longue

bouche large, tête plate

ocelle à la base de la nageoire caudale

nageoires pelviennes courtes

Régime Carnivore	Niveaux de nage Tous	Tempérament

Famille CICHLIDÉS	Espèce *Etroplus maculatus*	Taille 8 cm

CHROMIDE ORANGE

Poisson jaune doré, couvert de petits points rouges pouvant envahir les
nageoires. Tache noire au milieu du flanc. Les nageoires anale et
pelviennes peuvent être plus foncées que sur l'illustration. Pas de
dimorphisme sexuel.

**INDE
ET ASIE DU SUD**

• **HABITAT** Fleuves côtiers saumâtres du sud de l'Inde et du Sri Lanka.
• **REMARQUE** Œufs déposés sur des surfaces
dures tels des pots de fleurs.
Placer dans un aquarium
spécifique ou avec des
poissons de taille
semblable.

*corps ovale, comprimé
latéralement*

• **AUTRE
NOM**
Cichlidé
des
Indes.

*tache
noire sur
le flanc*

*nageoires
généralement
jaunes*

Régime Carnivore	Niveaux de nage Moyen et inférieur	Tempérament

Famille CICHLIDÉS	Espèce *Geophagus daemon*	Taille 15 cm

GEOPHAGUS DAEMON

Espèce plus élancée que les autres du genre, d'où en anglais
« slender geophagus ». Corps gris-bleu ; dessus des flancs teinté de
jaune et nettement marqué de taches foncées en losange.

AMÉRIQUE DU SUD

• **HABITAT** Cours d'eau de basse Amazonie et
rio Negro.
• **REMARQUE** *Geophagus* signifie
« mangeur de terre » : il a l'habitude
de fourrager sur
le fond, à la
recherche
de vers et
de larves.

*deux segments
rouges sur l'œil*

*rayons allongés sur
les nageoires pelviennes*

*nageoire anale
pointue
chez le mâle*

Régime Omnivore	Niveau de nage Inférieur	Tempérament

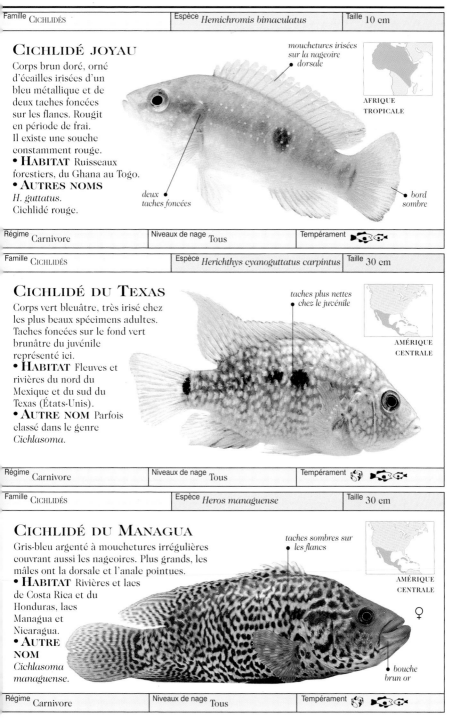

| Famille CICHLIDÉS | Espèce *Hemichromis bimaculatus* | Taille 10 cm |

CICHLIDÉ JOYAU

Corps brun doré, orné
d'écailles irisées d'un
bleu métallique et de
deux taches foncées
sur les flancs. Rougit
en période de frai.
Il existe une souche
constamment rouge.
• **HABITAT** Ruisseaux
forestiers, du Ghana au Togo.
• **AUTRES NOMS**
H. guttatus.
Cichlidé rouge.

*mouchetures irisées
sur la nageoire
dorsale*

AFRIQUE
TROPICALE

*deux
taches foncées*

*bord
sombre*

| Régime Carnivore | Niveaux de nage Tous | Tempérament |

| Famille CICHLIDÉS | Espèce *Herichthys cyanoguttatus carpintus* | Taille 30 cm |

CICHLIDÉ DU TEXAS

Corps vert bleuâtre, très irisé chez
les plus beaux spécimens adultes.
Taches foncées sur le fond vert
brunâtre du juvénile
représenté ici.
• **HABITAT** Fleuves et
rivières du nord du
Mexique et du sud du
Texas (États-Unis).
• **AUTRE NOM** Parfois
classé dans le genre
Cichlasoma.

*taches plus nettes
chez le juvénile*

AMÉRIQUE
CENTRALE

| Régime Carnivore | Niveaux de nage Tous | Tempérament |

| Famille CICHLIDÉS | Espèce *Heros managuense* | Taille 30 cm |

CICHLIDÉ DU MANAGUA

Gris-bleu argenté à mouchetures irrégulières
couvrant aussi les nageoires. Plus grands, les
mâles ont la dorsale et l'anale pointues.
• **HABITAT** Rivières et lacs
de Costa Rica et du
Honduras, lacs
Managua et
Nicaragua.
• **AUTRE
NOM**
*Cichlasoma
managuense.*

*taches sombres sur
les flancs*

AMÉRIQUE
CENTRALE

♀

*bouche
brun or*

| Régime Carnivore | Niveaux de nage Tous | Tempérament |

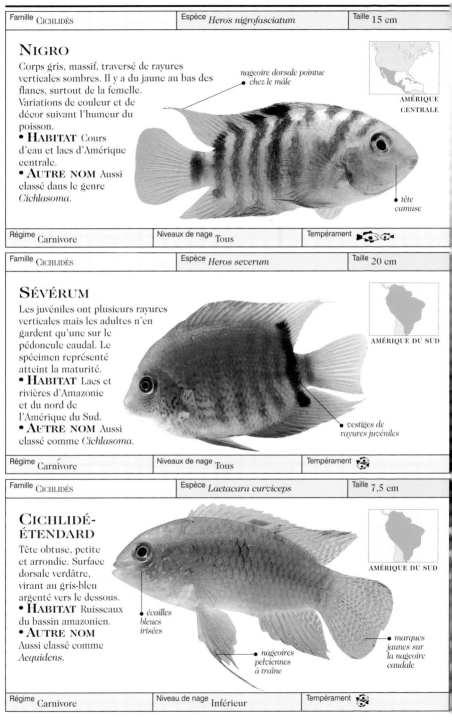

Famille CICHLIDÉS	Espèce *Heros nigrofasciatum*	Taille 15 cm

NIGRO

Corps gris, massif, traversé de rayures
verticales sombres. Il y a du jaune au bas des
flancs, surtout de la femelle.
Variations de couleur et de
décor suivant l'humeur du
poisson.
• **HABITAT** Cours
d'eau et lacs d'Amérique
centrale.
• **AUTRE NOM** Aussi
classé dans le genre
Cichlasoma.

nageoire dorsale pointue chez le mâle

AMÉRIQUE CENTRALE

tête camuse

Régime Carnivore	Niveaux de nage Tous	Tempérament

Famille CICHLIDÉS	Espèce *Heros severum*	Taille 20 cm

SÉVÉRUM

Les juvéniles ont plusieurs rayures
verticales mais les adultes n'en
gardent qu'une sur le
pédoncule caudal. Le
spécimen représenté
atteint la maturité.
• **HABITAT** Lacs et
rivières d'Amazonie
et du nord de
l'Amérique du Sud.
• **AUTRE NOM** Aussi
classé comme *Cichlasoma*.

AMÉRIQUE DU SUD

vestiges de rayures juvéniles

Régime Carnivore	Niveaux de nage Tous	Tempérament

Famille CICHLIDÉS	Espèce *Laetacara curviceps*	Taille 7,5 cm

CICHLIDÉ-ÉTENDARD

Tête obtuse, petite
et arrondie. Surface
dorsale verdâtre,
virant au gris-bleu
argenté vers le dessous.
• **HABITAT** Ruisseaux
du bassin amazonien.
• **AUTRE NOM**
Aussi classé comme
Aequidens.

écailles bleues irisées

AMÉRIQUE DU SUD

nageoires pelviennes à traîne

marques jaunes sur la nageoire caudale

Régime Carnivore	Niveau de nage Inférieur	Tempérament

Famille CICHLIDÉS	Espèce *Mesonauta festiva*	Taille 15 cm

CICHLIDÉ-DRAPEAU

Une raie sombre part du museau, traverse l'œil et, chez les beaux spécimens, atteint l'arrière de la nageoire dorsale. Dos d'un brun verdâtre ; gris argenté en dessous. Corps parcouru de bandes verticales indistinctes, qui varient suivant l'humeur du poisson. Tache foncée sur le pédoncule caudal.

• **HABITAT** Eaux à végétation dense, du bassin amazonien à l'ouest de la Guyana.

• **AUTRE NOM** *Cichlasoma festivum.*

tache foncée sur le pédoncule caudal

AMÉRIQUE DU SUD

nageoire anale pointue

œil cerclé d'or

nageoires pelviennes filamenteuses

Régime Carnivore	Niveaux de nage Tous	Tempérament

Famille CICHLIDÉS	Espèce *Parapetenia festae*	Taille 30 cm

FESTAE

Des bandes sombres mais irisées, d'un vert bleuâtre, traversent les flancs, entre les opercules et le pédoncule caudal. Couleur de fond jaune-vert doré, avec des éclats rouges, plus apparents chez les poissons âgés. Nageoires dorsale et anale en pointe plus nette chez le mâle.

• **HABITAT** Cours d'eau d'Amazonie.

• **AUTRES NOMS** Aussi classé dans les genres *Cichlasoma* et *Heros.*

AMÉRIQUE DU SUD

nageoire caudale rouge

tête en coin

ocelle

couleur de fond jaune doré

Régime Carnivore	Niveaux de nage Tous	Tempérament

SCALAIRES

LE CORPS du scalaire ne ressemble à celui d'aucun autre cichlidé : il est en forme de disque et comprimé latéralement, avec de longues nageoires en voile qui augmentent considérablement sa hauteur. Il y a deux espèces sauvages, *Pterophyllum altum* (*ci-dessous*) et *P. scalare* (*page de droite*), à partir desquelles des variétés d'élevage ont été développées (*voir pp. 124-125*). Leur succès est dû à leur silhouette élégante, à leur nage gracieuse et aux soins parentaux qu'ils prodiguent : les parents surveillent l'un et l'autre la ponte et font circuler l'eau par dessus les œufs, déposés sur des feuilles et des tiges.

Famille CICHLIDÉS	Espèce *Pterophyllum altum*	Taille 12,5 cm

SCALAIRE ALTUM

La coloration naturelle de ce scalaire sauvage est argent brunâtre, avec des rayures verticales sombres qui se prolongent sur les nageoires dorsale et anale. Il peut y avoir, entre ces rayures, des mouchetures foncées. Le trait distinctif de l'espèce est la dépression que forme le front au-dessus du museau. Les nageoires dorsale et anale sont longues et portent, chez l'adulte, des filaments étendus. Les rayons des pelviennes vont loin au-dessous de l'anale. Rayons allongés également au haut et au bas de la caudale.
• **HABITAT** Roselières du bassin de l'Orénoque.
• **REMARQUE** La forme de ce poisson lui permet de se mouvoir aisément entre les tiges des roseaux, tandis que son décor le camoufle parfaitement quand il se repose. Il ne sera à l'aise que dans un aquarium haut. Moins souvent importé que *P. scalare* (*page de droite*), qui est élevé massivement.

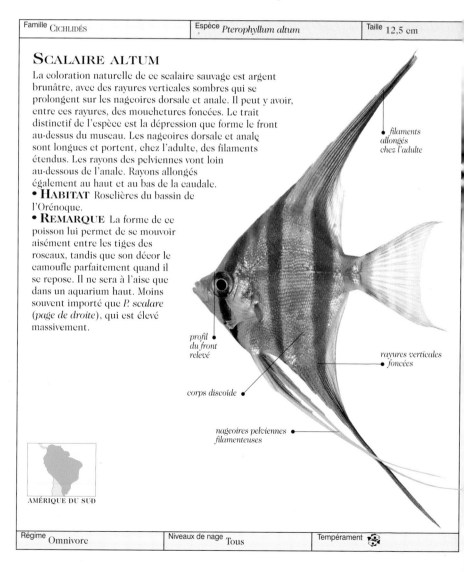

filaments allongés chez l'adulte

profil du front relevé

rayures verticales foncées

corps discoïde

nageoires pelviennes filamenteuses

AMÉRIQUE DU SUD

Régime Omnivore	Niveaux de nage Tous	Tempérament

Famille CICHLIDÉS	Espèce *Pterophyllum scalare*	Taille 12,5 cm

SCALAIRE

L'espèce sauvage est argentée, avec des rayures verticales sombres qui se prolongent sur les nageoires dorsale et anale. Comme chez *Pterophyllum altum* (*page de gauche*), des mouchetures foncées peuvent apparaître entre ces rayures. La structure des nageoires est semblable, elle aussi : dorsale et anale longues avec, chez l'adulte, des filaments aux extrémités. L'illustration ci-contre montre un juvénile sauvage. L'élevage sélectif a produit des souches aux couleurs et dessins différents, comme celles que nous montrons ci-dessous et sur les pages suivantes. Pas de dimorphisme sexuel bien clair.

• **HABITAT** Roselières de l'Amazone et du rio Negro.

• **REMARQUE** Fraie volontiers et pratique les soins parentaux. Pour une bonne croissance, un aquarium haut est nécessaire.

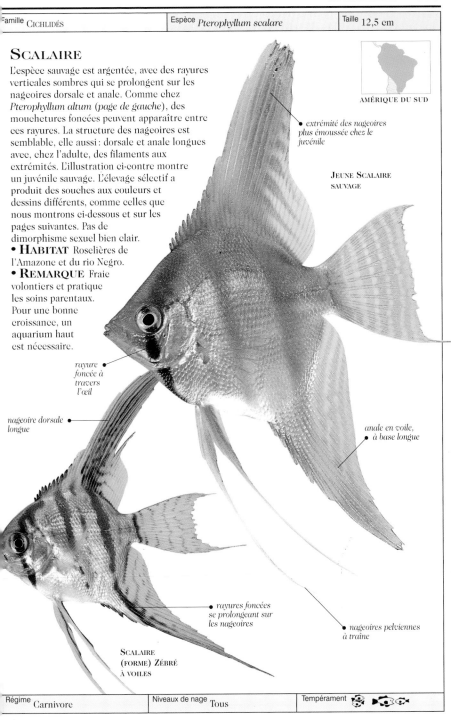

AMÉRIQUE DU SUD

extrémité des nageoires plus émoussée chez le juvénile

JEUNE SCALAIRE SAUVAGE

rayure foncée à travers l'œil

nageoire dorsale longue

anale en voile, à base longue

rayures foncées se prolongeant sur les nageoires

nageoires pelviennes à traîne

SCALAIRE (FORME) ZÉBRÉ À VOILES

Régime Carnivore	Niveaux de nage Tous	Tempérament

Famille CICHLIDÉS	Espèce *Pterophyllum scalare*	Taille 11 cm

VARIÉTÉS DE SCALAIRES

Ces scalaires proviennent de souches
d'élevage développées à partir de l'espèce
sauvage *Pterophyllum scalare*. Diverses
colorations et plusieurs types de nageoires
ont ainsi été obtenus.

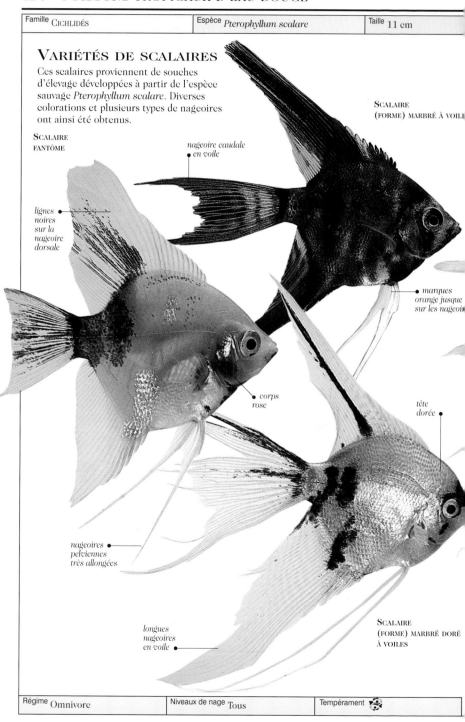

SCALAIRE
(FORME) MARBRÉ À VOILE

SCALAIRE
FANTÔME

nageoire caudale
• en voile

lignes •
noires
sur la
nageoire
dorsale

• marques
orange jusque
sur les nageoir

• corps
rose

tête
dorée •

nageoires •
pelviennes
très allongées

longues
nageoires
en voile •

SCALAIRE
(FORME) MARBRÉ DORÉ
À VOILES

Régime Omnivore	Niveaux de nage Tous	Tempérament

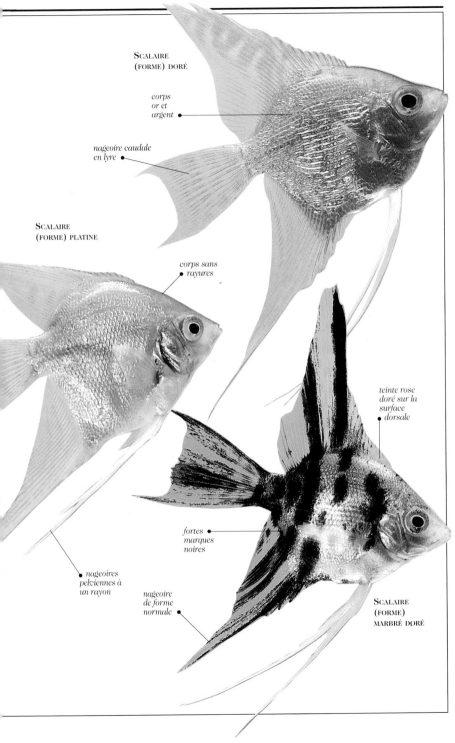

SCALAIRE
(FORME) DORÉ

corps
or et
argent

nageoire caudale
en lyre

SCALAIRE
(FORME) PLATINE

corps sans
rayures

teinte rose
doré sur la
surface
dorsale

fortes
marques
noires

nageoires
pelviennes à
un rayon

nageoire
de forme
normale

SCALAIRE
(FORME)
MARBRÉ DORÉ

DISCUS

C OMME les scalaires (*voir p. 122*), les discus ont une morphologie différente de celle des autres membres de la famille des cichlidés. Les discus sont réservés à l'aquariophile spécialisé parce qu'ils requièrent une qualité d'eau tout à fait particulière : douce, légèrement acide et filtrée à travers de la tourbe. Plusieurs variétés d'élevage, aux couleurs diverses, sont disponibles.

Famille CICHLIDÉS	Espèce *Symphysodon aequifasciata*	Taille 20 cm

DISCUS BLEU

Le discus est rond et comprimé latéralement, donc, comme le nom l'indique, discoïde. Les nageoires dorsale et anale ont la base très longue et atteignent presque la caudale. On remarquera que l'oviducte de la femelle est arrondi. On a développé beaucoup de souches d'élevage à partir du genre sauvage *Symphysodon* (*voir, jusqu'à la p. 128, quelques variétés*). Chez le discus bleu (*ci-dessous*), les rayures verticales sombres (plus visibles chez l'adulte) sont recouvertes de tigrures ondulantes bleues qui se prolongent sur les nageoires-dorsale et anale.

• **HABITAT** Cours d'eau et lacs d'Amazonie.

• **REMARQUE** Ce poisson superbe demande une eau de haute qualité et un aquarium séparé. Il vaut mieux laisser le frai avec les parents pendant quelques semaines, car il se nourrit de leurs sécrétions cutanées.

Les alevins se nourrissent de sécrétions cutanées.

les ondulations bleues s'étendent jusque sur la nageoire dorsale

front s'élevant abruptement

marge foncée à l'intérieur de la nageoire anale

AMÉRIQUE DU SUD

Régime Carnivore	Niveaux de nage Moyen et inférieur	Tempérament

Famille CICHLIDÉS	Espèce *Symphysodon* var.	Taille 20 cm

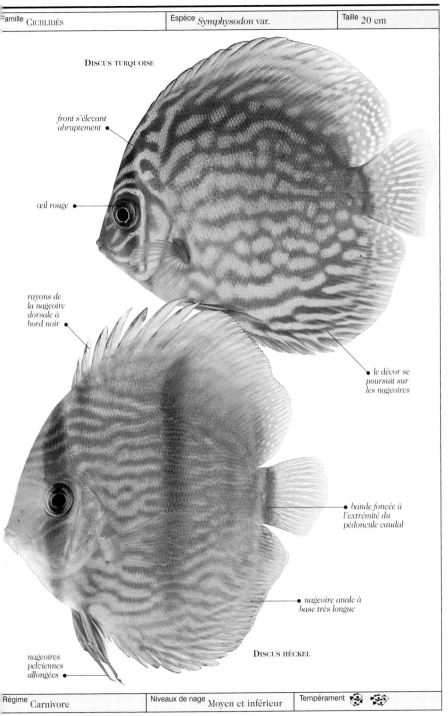

DISCUS TURQUOISE

front s'élevant abruptement •

œil rouge •

rayons de la nageoire dorsale à bord noir •

• *le décor se poursuit sur les nageoires*

• *bande foncée à l'extrémité du pédoncule caudal*

• *nageoire anale à base très longue*

nageoires pelviennes allongées •

DISCUS HÉCKEL

Régime Carnivore	Niveaux de nage Moyen et inférieur	Tempérament

| Famille CICHLIDÉS | Espèce *Symphysodon aequifasciata* | Taille 20 cm |

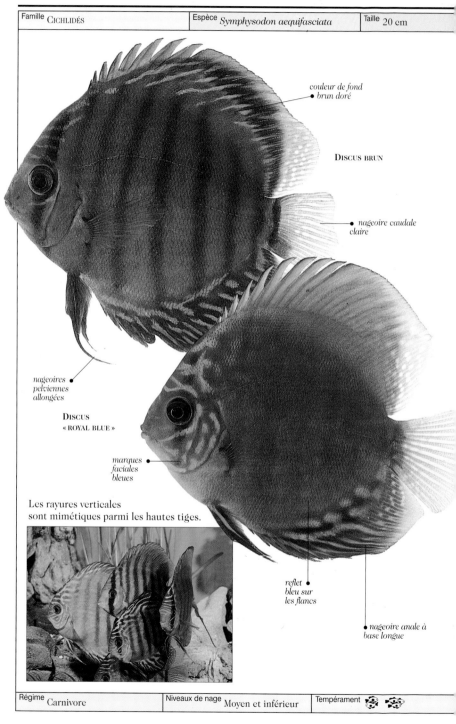

couleur de fond
brun doré

DISCUS BRUN

nageoire caudale
claire

nageoires
pelviennes
allongées

DISCUS
« ROYAL BLUE »

marques
faciales
bleues

Les rayures verticales
sont mimétiques parmi les hautes tiges.

reflet
bleu sur
les flancs

nageoire anale à
base longue

| Régime Carnivore | Niveaux de nage Moyen et inférieur | Tempérament |

Famille CICHLIDÉS	Espèce *Thorichthys meeki*	Taille 15 cm

GORGE-DE-FEU

L'espèce se reconnaît au rouge vif de la gorge et de la poitrine, particulièrement brillant chez le mâle représenté ici. Le reste est gris-brun. Écailles bien dessinées. Tache foncée sur l'opercule, d'autres longeant les flancs ; elles peuvent se muer en bandes verticales si le poisson est effrayé. Nageoires dorsale et anale à base longue, et très pointues chez le mâle.

• **HABITAT** Cours d'eau du Guatemala et du Yucatán (Mexique).
• **REMARQUE** Peut être agressif. Il vaut mieux le placer dans un aquarium bien planté, avec d'autres grands poissons.
• **AUTRES NOMS** Meeki. Autrefois *Cichlasoma meeki*.

AMÉRIQUE CENTRALE

taches foncées sur les flancs

front s'élevant abruptement

région rouge vif

lignes foncées

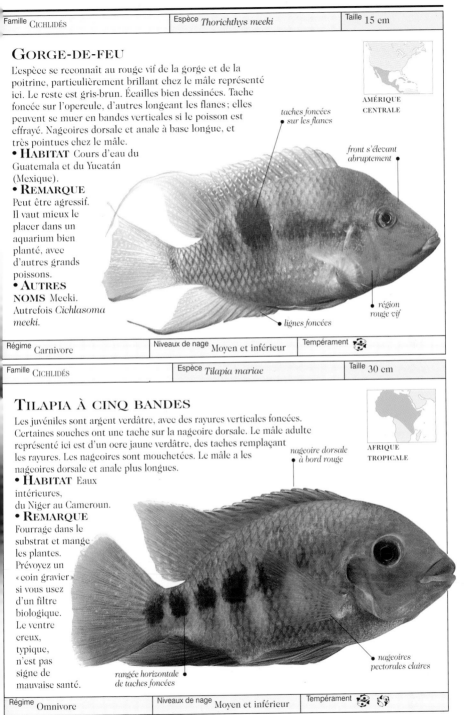

Régime Carnivore	Niveaux de nage Moyen et inférieur	Tempérament

Famille CICHLIDÉS	Espèce *Tilapia mariae*	Taille 30 cm

TILAPIA À CINQ BANDES

Les juvéniles sont argent verdâtre, avec des rayures verticales foncées. Certaines souches ont une tache sur la nageoire dorsale. Le mâle adulte représenté ici est d'un ocre jaune verdâtre, des taches remplaçant les rayures. Les nageoires sont mouchetées. Le mâle a les nageoires dorsale et anale plus longues.

• **HABITAT** Eaux intérieures, du Niger au Cameroun.
• **REMARQUE** Fourrage dans le substrat et mange les plantes. Prévoyez un « coin gravier » si vous usez d'un filtre biologique. Le ventre creux, typique, n'est pas signe de mauvaise santé.

nageoire dorsale à bord rouge

AFRIQUE TROPICALE

nageoires pectorales claires

rangée horizontale de taches foncées

Régime Omnivore	Niveaux de nage Moyen et inférieur	Tempérament

CICHLIDÉS
CICHLIDÉS DES GRANDS LACS AFRICAINS

LES POISSONS des lacs de la vallée du Rift, en Afrique, sont populaires pour deux raisons : ils brillent par leurs couleurs et, en tant que cichlidés, ils ont des mœurs reproductrices intéressantes. La plupart étant endémiques d'un seul lac, on trouve des spécimens de couleur différente selon le lieu.

Famille CICHLIDÉS	Espèce *Aulonacara nyassae*	Taille 15 cm

CICHLIDÉ-PAON AFRICAIN

Il y a chez ce poisson beaucoup de variantes de couleur, classées par autant de noms scientifiques, non encore validés toutefois. La base est un bleu électrique couvert d'un réseau de rayures verticales foncées. Les femelles et les jeunes mâles ont des tonalités plus discrètes.

• **HABITAT**
Endémique des zones rocheuses du lac Malawi (ex-Nyassa).

• **REMARQUE**
Pacifique dans un grand aquarium. Eau alcaline ; on vend des mélanges spéciaux de sels « Malawi ».

• **AUTRE NOM**
Cichlidé-empereur.

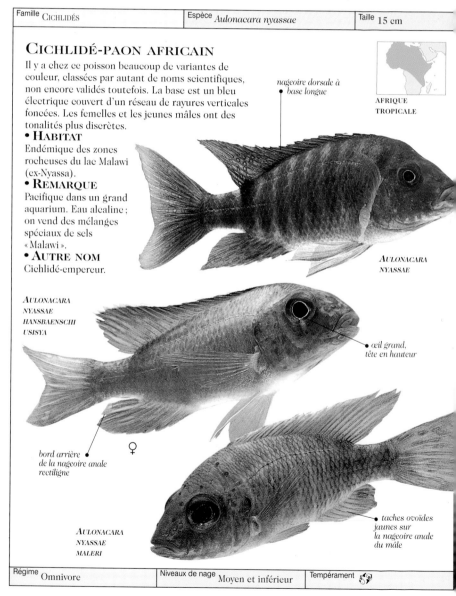

nageoire dorsale à base longue

AFRIQUE TROPICALE

AULONACARA NYASSAE

AULONACARA NYASSAE HANSBAENSCHI USISYA

œil grand, tête en hauteur

bord arrière de la nageoire anale rectiligne

♀

AULONACARA NYASSAE MALERI

taches ovoïdes jaunes sur la nageoire anale du mâle

Régime Omnivore	Niveaux de nage Moyen et inférieur	Tempérament

Famille CICHLIDÉS	Espèce Cyprichromis leptosoma	Taille 13 cm

CYPRICHROMIS LEPTOSOMA

Corps allongé. Le dessous de la tête est jaune pâle, et une petite « selle » jaune couvre le dessus du pédoncule caudal. Nageoires dorsale et anale bleu-noir, avec bord intérieur plus clair.
• **HABITAT** Endémique du lac Tanganyika, où il vit en bancs à faible profondeur.
• **REMARQUE** Les mâles se rejettent mais un grand aquarium peut abriter de nombreux spécimens.

écailles bien dessinées

AFRIQUE
TROPICALE

tête pointue,
œil grand,
bouche
terminale

nageoire caudale
jaune citron
à bords pâles

nageoire anale
bleu-noir

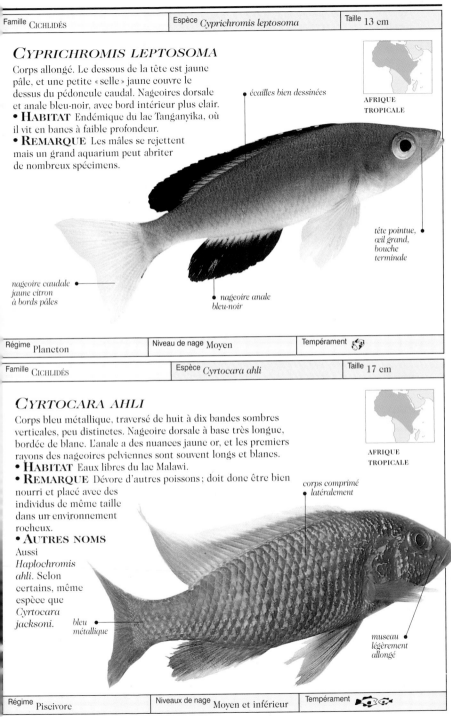

Régime Plancton	Niveau de nage Moyen	Tempérament

Famille CICHLIDÉS	Espèce Cyrtocara ahli	Taille 17 cm

CYRTOCARA AHLI

Corps bleu métallique, traversé de huit à dix bandes sombres verticales, peu distinctes. Nageoire dorsale à base très longue, bordée de blanc. L'anale a des nuances jaune or, et les premiers rayons des nageoires pelviennes sont souvent longs et blancs.
• **HABITAT** Eaux libres du lac Malawi.
• **REMARQUE** Dévore d'autres poissons ; doit donc être bien nourri et placé avec des individus de même taille dans un environnement rocheux.
• **AUTRES NOMS** Aussi *Haplochromis ahli*. Selon certains, même espèce que *Cyrtocara jacksoni*.

AFRIQUE
TROPICALE

corps comprimé
latéralement

bleu
métallique

museau
légèrement
allongé

Régime Piscivore	Niveaux de nage Moyen et inférieur	Tempérament

Famille CICHLIDÉS	Espèce *Cyrtocara polystigma*	Taille 25 cm

HAPLO TACHETÉ

Depuis longtemps, l'une des vedettes des poissons du lac Malawi, et apparemment le premier à avoir été élevé en captivité. Coloration pâle, couverte de grandes taches brunes et de mouchetures d'un brun rougeâtre. Les meilleurs mâles sont plus intensément colorés.
• **HABITAT** Rives rocheuses du lac Malawi.
• **REMARQUE** Reproduction par incubation buccale, la femelle gardant ses œufs dans la gorge. Poisson demandant un grand aquarium meublé de rocailles.
• **AUTRE NOM** Aussi classé dans le genre *Haplochromis*.

AFRIQUE TROPICALE

grandes taches brunes

front long et en pente, œil cerclé d'or

mouchetures également sur les nageoires

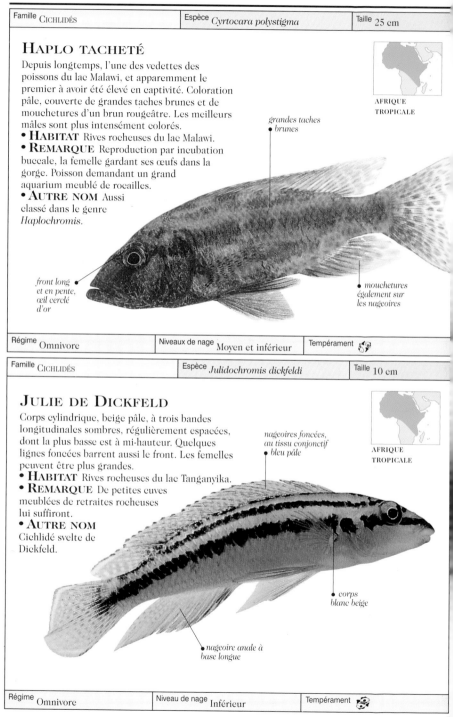

Régime Omnivore	Niveaux de nage Moyen et inférieur	Tempérament

Famille CICHLIDÉS	Espèce *Julidochromis dickfeldi*	Taille 10 cm

JULIE DE DICKFELD

Corps cylindrique, beige pâle, à trois bandes longitudinales sombres, régulièrement espacées, dont la plus basse est à mi-hauteur. Quelques lignes foncées barrent aussi le front. Les femelles peuvent être plus grandes.
• **HABITAT** Rives rocheuses du lac Tanganyika.
• **REMARQUE** De petites cuves meublées de retraites rocheuses lui suffiront.
• **AUTRE NOM** Cichlidé svelte de Dickfeld.

nageoires foncées, au tissu conjonctif bleu pâle

AFRIQUE TROPICALE

corps blanc beige

nageoire anale à base longue

Régime Omnivore	Niveau de nage Inférieur	Tempérament

| Famille CICHLIDÉS | Espèce *Julidochromis marlieri* | Taille 13 cm |

JULIE DE MARLIER

Corps cylindrique brun doré, avec trois bandes foncées tout le long. Celles-ci sont croisées à intervalles réguliers par des rayures verticales sombres, mais peu distinctes, atteignant à peu près la surface ventrale. Une autre rayure foncée va de la commissure de la bouche à la base de la pectorale.
• **HABITAT** Rives rocheuses du lac Tanganyika.
• **REMARQUE** L'espèce la plus colorée du genre avec *J. ornatus*.
• **AUTRE NOM** Cichlidé svelte à damier.

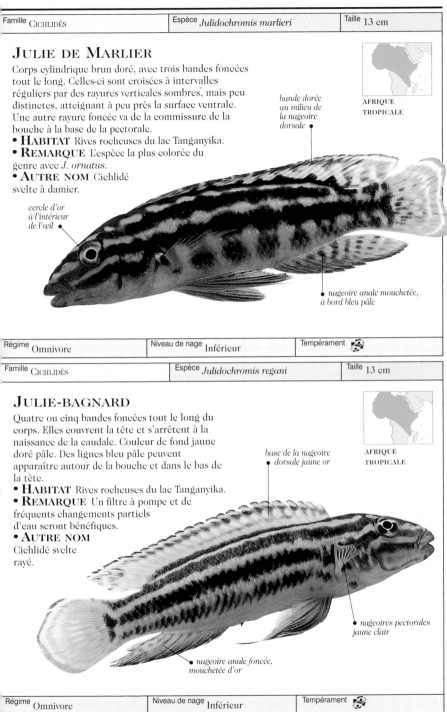

bande dorée au milieu de la nageoire dorsale •

AFRIQUE TROPICALE

cercle d'or à l'intérieur de l'œil •

• nageoire anale mouchetée, à bord bleu pâle

| Régime Omnivore | Niveau de nage Inférieur | Tempérament |

| Famille CICHLIDÉS | Espèce *Julidochromis regani* | Taille 13 cm |

JULIE-BAGNARD

Quatre ou cinq bandes foncées tout le long du corps. Elles couvrent la tête et s'arrêtent à la naissance de la caudale. Couleur de fond jaune doré pâle. Des lignes bleu pâle peuvent apparaître autour de la bouche et dans le bas de la tête.
• **HABITAT** Rives rocheuses du lac Tanganyika.
• **REMARQUE** Un filtre à pompe et de fréquents changements partiels d'eau seront bénéfiques.
• **AUTRE NOM** Cichlidé svelte rayé.

base de la nageoire • dorsale jaune or

AFRIQUE TROPICALE

• nageoires pectorales jaune clair

• nageoire anale foncée, mouchetée d'or

| Régime Omnivore | Niveau de nage Inférieur | Tempérament |

Famille CICHLIDÉS	Espèce *Labeotropheus fuelleborni*	Taille 16 cm

LABEOTROPHEUS FUELLEBORNI

Espèce à plusieurs livrées, surtout chez les femelles, qui peuvent présenter des taches orange et noires. Les deux formes représentées ici ont le corps allongé et latéralement comprimé mais le mâle à dorsale rouge (« red top ») est gris-bleu avec des rayures verticales sombres, la femelle « marmelade » brun doré clair avec de petites taches éparses. Les mâles ont aussi des taches ovoïdes sur la nageoire anale. Un trait distinctif du genre est la lèvre supérieure retombante, apte à racler les algues sur les rochers.

• **HABITAT** Rives rocheuses du lac Malawi.

• **REMARQUE** Assez intolérant envers ses congénères et les poissons de même couleur.

nageoire dorsale mouchetée à base longue

FORME MARMELADE

AFRIQUE TROPICALE

♀

lèvre supérieure retombante

FORME « RED TOP »

Régime Herbivore	Niveaux de nage Moyen et inférieur	Tempérament

Famille CICHLIDÉS	Espèce *Lethrinops furcifer*	Taille 19 cm

LETHRINOPS FURCIFER

Des taches sombres indistinctes, ou des bandes verticales mal définies, marquent ce poisson vert argenté. Les nageoires pectorales, pelviennes et caudale peuvent se teinter de rose. La nageoire dorsale est pointue chez le mâle, et l'anale atteint souvent l'arrière de la caudale, qui porte des taches ovoïdes rouges ou jaunes. Grande tête triangulaire, bouche terminale, yeux placés très haut.

• **HABITAT** Rives rocheuses du lac Malawi.

• **REMARQUE** Semblable par sa morphologie au genre sud-américain *Geophagus*. Comme lui, filtre le substrat pour se nourrir.

yeux placés haut, pupilles foncées

AFRIQUE TROPICALE

museau en pente raide, bouche terminale

nageoire caudale faiblement colorée

chez le mâle, taches ovoïdes

Régime Omnivore	Niveau de nage Inférieur	Tempérament

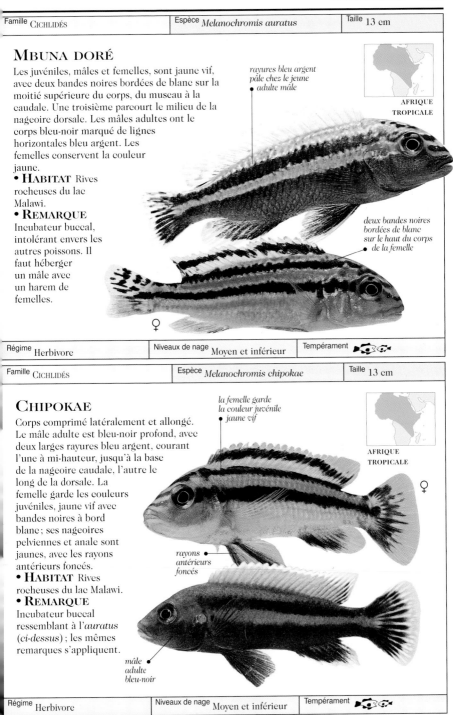

| Famille CICHLIDÉS | Espèce *Melanochromis auratus* | Taille 13 cm |

MBUNA DORÉ

Les juvéniles, mâles et femelles, sont jaune vif, avec deux bandes noires bordées de blanc sur la moitié supérieure du corps, du museau à la caudale. Une troisième parcourt le milieu de la nageoire dorsale. Les mâles adultes ont le corps bleu-noir marqué de lignes horizontales bleu argent. Les femelles conservent la couleur jaune.
• **HABITAT** Rives rocheuses du lac Malawi.
• **REMARQUE** Incubateur buccal, intolérant envers les autres poissons. Il faut héberger un mâle avec un harem de femelles.

rayures bleu argent pâle chez le jeune • adulte mâle

AFRIQUE TROPICALE

deux bandes noires bordées de blanc sur le haut du corps • de la femelle

♀

| Régime Herbivore | Niveaux de nage Moyen et inférieur | Tempérament |

| Famille CICHLIDÉS | Espèce *Melanochromis chipokae* | Taille 13 cm |

CHIPOKAE

Corps comprimé latéralement et allongé. Le mâle adulte est bleu-noir profond, avec deux larges rayures bleu argent, courant l'une à mi-hauteur, jusqu'à la base de la nageoire caudale, l'autre le long de la dorsale. La femelle garde les couleurs juvéniles, jaune vif avec bandes noires à bord blanc ; ses nageoires pelviennes et anale sont jaunes, avec les rayons antérieurs foncés.
• **HABITAT** Rives rocheuses du lac Malawi.
• **REMARQUE** Incubateur buccal ressemblant à l'*auratus* (*ci-dessus*) ; les mêmes remarques s'appliquent.

la femelle garde la couleur juvénile • jaune vif

AFRIQUE TROPICALE

♀

rayons • antérieurs foncés

mâle • adulte bleu-noir

| Régime Herbivore | Niveaux de nage Moyen et inférieur | Tempérament |

Famille CICHLIDÉS	Espèce Melanochromis johanni	Taille 13 cm

CICHLIDÉ COBALT

Le mâle adulte est panaché de bleu, de noir et de brun, avec une raie bleu pâle longitudinale, commençant au front pour passer par-dessus l'œil et la ligne latérale. Une seconde est visible vers le bas du corps. Dorsale attachée long, bleu foncé avec une nuance claire à la base. Les femelles, tel le spécimen représenté ici, sont d'un jaune brunâtre avec de vagues rayures brun foncé.
• **HABITAT** Rives rocheuses du lac Malawi.
• **REMARQUE** Dans ce genre, les couleurs varient selon l'espèce et l'individu.
• **AUTRE NOM** *Pseudotropheus daviesi.*

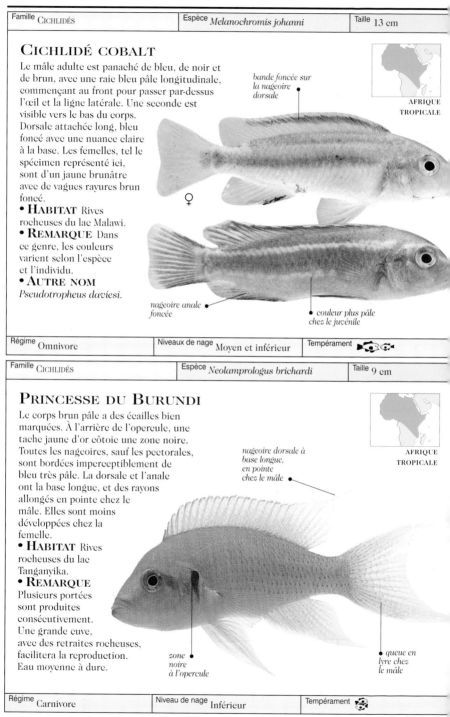

bande foncée sur la nageoire dorsale

AFRIQUE TROPICALE

♀

nageoire anale foncée

couleur plus pâle chez le juvénile

Régime Omnivore	Niveaux de nage Moyen et inférieur	Tempérament

Famille CICHLIDÉS	Espèce Neolamprologus brichardi	Taille 9 cm

PRINCESSE DU BURUNDI

Le corps brun pâle a des écailles bien marquées. À l'arrière de l'opercule, une tache jaune d'or côtoie une zone noire. Toutes les nageoires, sauf les pectorales, sont bordées imperceptiblement de bleu très pâle. La dorsale et l'anale ont la base longue, et des rayons allongés en pointe chez le mâle. Elles sont moins développées chez la femelle.
• **HABITAT** Rives rocheuses du lac Tanganyika.
• **REMARQUE** Plusieurs portées sont produites consécutivement. Une grande cuve, avec des retraites rocheuses, facilitera la reproduction. Eau moyenne à dure.

nageoire dorsale à base longue, en pointe chez le mâle

AFRIQUE TROPICALE

zone noire à l'opercule

queue en lyre chez le mâle

Régime Carnivore	Niveau de nage Inférieur	Tempérament

Famille CICHLIDÉS	Espèce *Neolamprologus leleupi*	Taille 9 cm

CICHLIDÉ CITRON

Forme semblable à celle des espèces du genre *Julidochromis* qui vivent dans le même lac. Corps et nageoires portent la même livrée jaune vif, avec des nuances plus foncées aux bords arrière. La nageoire dorsale est à base longue, les pelviennes et l'anale sont relativement allongées. Caudale large.
• **HABITAT** Hauts-fonds rocheux du lac Tanganyika.
• **REMARQUE** Plusieurs souches diversement colorées, souvent dans des teintes proches de l'orange, tels *N. leleupi leleupi* et *N. leleupi longior*. Reproduction difficile.

AFRIQUE
TROPICALE

nageoire caudale large •

• nageoires
pelviennes allongées

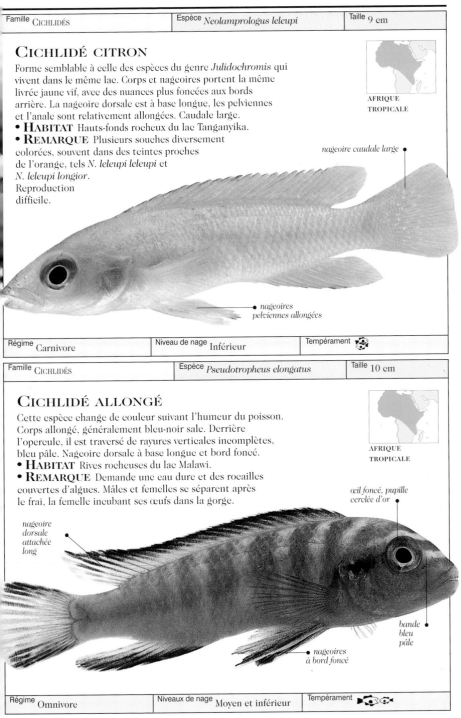

Régime Carnivore	Niveau de nage Inférieur	Tempérament

Famille CICHLIDÉS	Espèce *Pseudotropheus elongatus*	Taille 10 cm

CICHLIDÉ ALLONGÉ

Cette espèce change de couleur suivant l'humeur du poisson. Corps allongé, généralement bleu-noir sale. Derrière l'opercule, il est traversé de rayures verticales incomplètes, bleu pâle. Nageoire dorsale à base longue et bord foncé.
• **HABITAT** Rives rocheuses du lac Malawi.
• **REMARQUE** Demande une eau dure et des rocailles couvertes d'algues. Mâles et femelles se séparent après le frai, la femelle incubant ses œufs dans la gorge.

AFRIQUE
TROPICALE

œil foncé, pupille
cerclée d'or •

nageoire
dorsale
attachée
long

bande
bleu
pâle

• nageoires
à bord foncé

Régime Omnivore	Niveaux de nage Moyen et inférieur	Tempérament

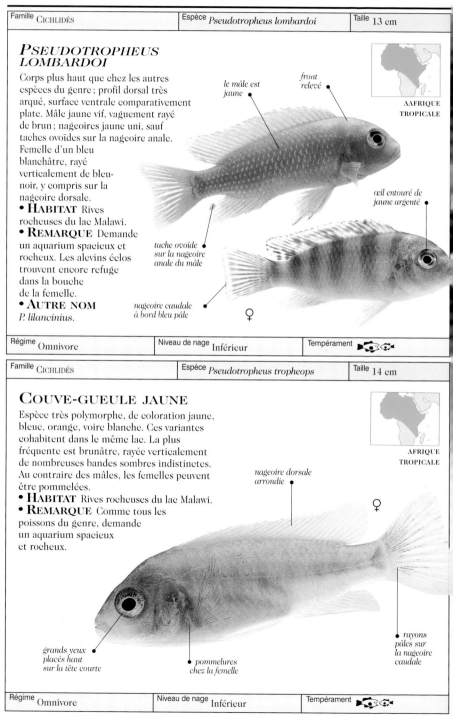

| Famille CICHLIDÉS | Espèce *Pseudotropheus lombardoi* | Taille 13 cm |

PSEUDOTROPHEUS LOMBARDOI

Corps plus haut que chez les autres espèces du genre ; profil dorsal très arqué, surface ventrale comparativement plate. Mâle jaune vif, vaguement rayé de brun ; nageoires jaune uni, sauf taches ovoïdes sur la nageoire anale. Femelle d'un bleu blanchâtre, rayé verticalement de bleu-noir, y compris sur la nageoire dorsale.
• **HABITAT** Rives rocheuses du lac Malawi.
• **REMARQUE** Demande un aquarium spacieux et rocheux. Les alevins éclos trouvent encore refuge dans la bouche de la femelle.
• **AUTRE NOM** *P. lilancinius.*

le mâle est jaune

front relevé

AAFRIQUE TROPICALE

œil entouré de jaune argenté

tache ovoïde sur la nageoire anale du mâle

nageoire caudale à bord bleu pâle

♀

| Régime Omnivore | Niveau de nage Inférieur | Tempérament |

| Famille CICHLIDÉS | Espèce *Pseudotropheus tropheops* | Taille 14 cm |

COUVE-GUEULE JAUNE

Espèce très polymorphe, de coloration jaune, bleue, orange, voire blanche. Ces variantes cohabitent dans le même lac. La plus fréquente est brunâtre, rayée verticalement de nombreuses bandes sombres indistinctes. Au contraire des mâles, les femelles peuvent être pommelées.
• **HABITAT** Rives rocheuses du lac Malawi.
• **REMARQUE** Comme tous les poissons du genre, demande un aquarium spacieux et rocheux.

nageoire dorsale arrondie

♀

AFRIQUE TROPICALE

rayons pâles sur la nageoire caudale

grands yeux placés haut sur la tête courte

pommelures chez la femelle

| Régime Omnivore | Niveau de nage Inférieur | Tempérament |

Famille CICHLIDÉS	Espèce *Pseudotropheus zebra*	Taille 15 cm

CICHLIDÉ-ZÈBRE DU MALAWI

Mâle bleu pâle, zébré de bleu foncé s'effaçant vers l'arrière. Entre les rayures, écailles bien apparentes à bord bleu foncé. Nageoires pelviennes à bord antérieur bleu. Femelles soit identiques, soit unies, mouchetées ou pommelées.
• **HABITAT** Rives rocheuses du lac Malawi.
• **REMARQUE** Nombreuses livrées différentes disponibles.
• **AUTRES NOMS** Cichlidé zébré du Malawi, mbuna zébré.

zébrures bleu foncé chez • le mâle

AFRIQUE TROPICALE

nageoires • pelviennes allongées

Régime Omnivore	Niveaux de nage Moyen et inférieur	Tempérament

Famille CICHLIDÉS	Espèce *Tropheus moorii*	Taille 13 cm

TROPHEUS MOORII

Poisson généralement brun-noir, zébré verticalement de jaune, de blanc ou de fauve. Juvéniles noirs, mouchetés de blanc. Bouche infère, apte à racler les algues et les larves sur les rochers.
• **HABITAT** Rochers couverts d'algues du lac Tanganyika.
• **REMARQUE** Beaucoup de livrées différentes disponibles.

nageoire dorsale à base • longue

zébrures verticales • régulières

AFRIQUE TROPICALE

Régime Omnivore	Niveaux de nage Moyen et inférieur	Tempérament

Famille CICHLIDÉS	Espèce *Tyrannochromis macrostoma*	Taille 30 cm

TYRANNOCHROMIS MACROSTOMA

Corps massif, gris-bleu argenté et irisé, à rayures verticales sombres. Une bande horizontale beaucoup plus marquée va de l'opercule à la nageoire caudale.
• **HABITAT** Eaux libres du lac Malawi.
• **REMARQUE** Prédateur ayant besoin d'espace.
• **AUTRE NOM** Aussi classé dans le genre *Haplochromis*.

profil dorsal émaillé de • taches foncées

AFRIQUE TROPICALE

bouche • très grande

Régime Piscivore	Niveau de nage Moyen	Tempérament

ANABANTOÏDES

L ES ANABANTOÏDES habitent souvent des eaux peu oxygénées, en Afrique et dans le Sud-Est asiatique. Pour survivre, ils disposent d'un organe respiratoire auxiliaire, le labyrinthe, masse tissulaire disposée près des branchies. L'air pris en surface est stocké dans cet organe, qui en extrait l'oxygène. Cela permet à certains anabantoïdes de se mouvoir à terre pour gagner une eau voisine.

En Thaïlande, un jeu « sportif » consiste à faire lutter entre eux des mâles d'un anabantoïde célèbre, le combattant *(Betta splendens)*.

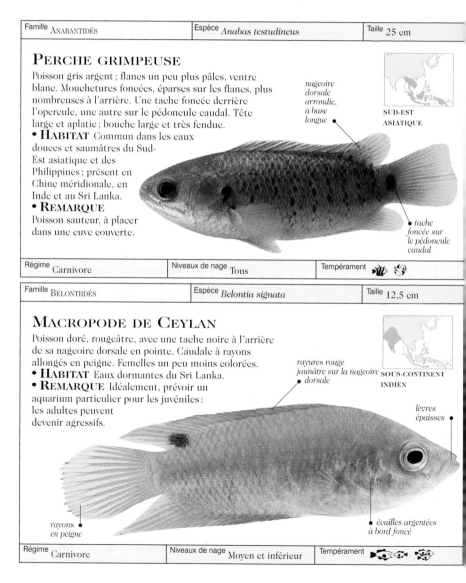

Famille ANABANTIDÉS	Espèce *Anabas testudineus*	Taille 25 cm

PERCHE GRIMPEUSE

Poisson gris argent ; flancs un peu plus pâles, ventre blanc. Mouchetures foncées, éparses sur les flancs, plus nombreuses à l'arrière. Une tache foncée derrière l'opercule, une autre sur le pédoncule caudal. Tête large et aplatie ; bouche large et très fendue.

• **HABITAT** Commun dans les eaux douces et saumâtres du Sud-Est asiatique et des Philippines ; présent en Chine méridionale, en Inde et au Sri Lanka.

• **REMARQUE** Poisson sauteur, à placer dans une cuve couverte.

nageoire dorsale arrondie, à base longue

SUD-EST ASIATIQUE

tache foncée sur le pédoncule caudal

Régime Carnivore	Niveaux de nage Tous	Tempérament

Famille BÉLONTIIDÉS	Espèce *Belontia signata*	Taille 12,5 cm

MACROPODE DE CEYLAN

Poisson doré, rougeâtre, avec une tache noire à l'arrière de sa nageoire dorsale en pointe. Caudale à rayons allongés en peigne. Femelles un peu moins colorées.

• **HABITAT** Eaux dormantes du Sri Lanka.

• **REMARQUE** Idéalement, prévoir un aquarium particulier pour les juvéniles : les adultes peuvent devenir agressifs.

rayures rouge jaunâtre sur la nageoire dorsale

SOUS-CONTINENT INDIEN

lèvres épaisses

rayons en peigne

écailles argentées à bord foncé

Régime Carnivore	Niveaux de nage Moyen et inférieur	Tempérament

Famille BÉLONTIIDÉS	Espèce Betta bellica	Taille 11 cm

COMBATTANT RAYÉ

Couleur d'un brun rougeâtre, avec écailles irisées, vertes ou pourpres. Ces écailles créent un reflet métallique, surtout sous éclairage rasant. Tête pâle à décor marbré ; œil placé en avant.
• **HABITAT** Ruisseaux et eaux dormantes du Sud-Est asiatique.
• **REMARQUE** Les mâles tendent à se quereller.

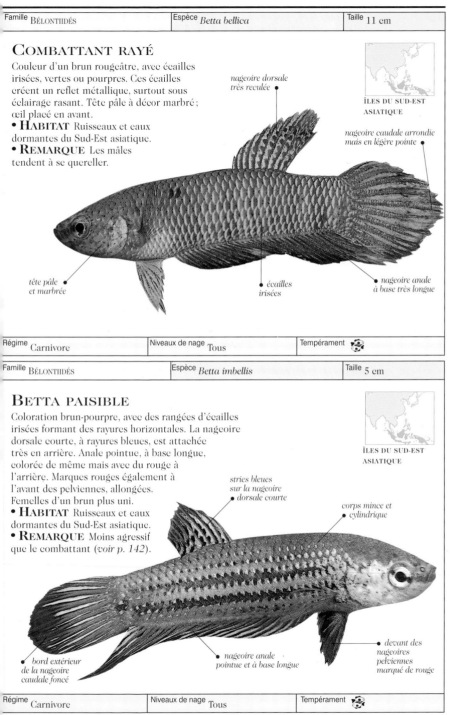

nageoire dorsale très reculée

ÎLES DU SUD-EST ASIATIQUE

nageoire caudale arrondie mais en légère pointe

tête pâle et marbrée

écailles irisées

nageoire anale à base très longue

Régime Carnivore	Niveaux de nage Tous	Tempérament

Famille BÉLONTIIDÉS	Espèce Betta imbellis	Taille 5 cm

BETTA PAISIBLE

Coloration brun-pourpre, avec des rangées d'écailles irisées formant des rayures horizontales. La nageoire dorsale courte, à rayures bleues, est attachée très en arrière. Anale pointue, à base longue, colorée de même mais avec du rouge à l'arrière. Marques rouges également à l'avant des pelviennes, allongées. Femelles d'un brun plus uni.
• **HABITAT** Ruisseaux et eaux dormantes du Sud-Est asiatique.
• **REMARQUE** Moins agressif que le combattant (*voir p. 142*).

ÎLES DU SUD-EST ASIATIQUE

stries bleues sur la nageoire dorsale courte

corps mince et cylindrique

bord extérieur de la nageoire caudale foncé

nageoire anale pointue et à base longue

devant des nageoires pelviennes marqué de rouge

Régime Carnivore	Niveaux de nage Tous	Tempérament

Famille BÉLONTIIDÉS	Espèce *Betta splendens*	Taille 6 cm

COMBATTANT

Chez un mâle parfait, les longues nageoires flottantes, dressées en posture d'agression, doivent former un cercle complet. La femelle a les nageoires beaucoup plus courtes. La forme des nageoires et les couleurs varient grandement car beaucoup de spécimens d'aquarium proviennent d'un élevage sélectif prolongé. Mâles et femelles sauvages sont bruns, marqués de rouge et de vert, et à nageoires assez courtes.
• **HABITAT** Eaux lentes de Thaïlande.
• **REMARQUE** Ne placer qu'un mâle par cuve.

nageoire dorsale à base courte

ASIE DU SUD

nageoires plus courtes chez la femelle

nageoire anale à rayons longs

♀

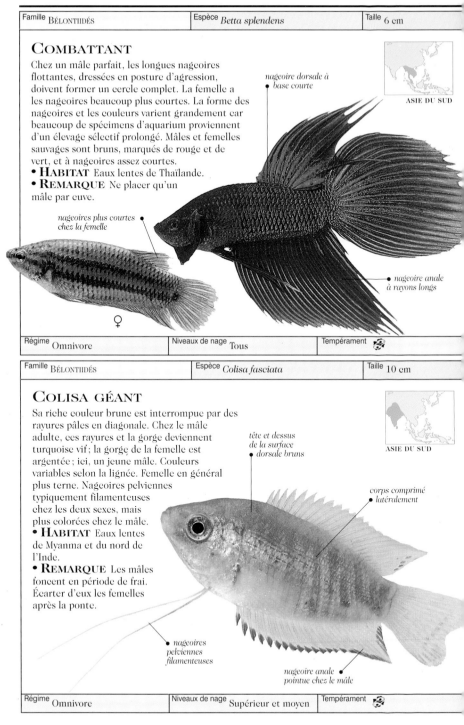

Régime Omnivore	Niveaux de nage Tous	Tempérament

Famille BÉLONTIIDÉS	Espèce *Colisa fasciata*	Taille 10 cm

COLISA GÉANT

Sa riche couleur brune est interrompue par des rayures pâles en diagonale. Chez le mâle adulte, ces rayures et la gorge deviennent turquoise vif ; la gorge de la femelle est argentée ; ici, un jeune mâle. Couleurs variables selon la lignée. Femelle en général plus terne. Nageoires pelviennes typiquement filamenteuses chez les deux sexes, mais plus colorées chez le mâle.
• **HABITAT** Eaux lentes de Myanma et du nord de l'Inde.
• **REMARQUE** Les mâles foncent en période de frai. Écarter d'eux les femelles après la ponte.

tête et dessus de la surface dorsale bruns

ASIE DU SUD

corps comprimé latéralement

nageoires pelviennes filamenteuses

nageoire anale pointue chez le mâle

Régime Omnivore	Niveaux de nage Supérieur et moyen	Tempérament

Famille BÉLONTIIDÉS	Espèce *Colisa labiosa*	Taille 8 cm

GOURAMI À GROSSES LÈVRES

Bien que semblable au colisa géant (*voir p. 142*), cette espèce a des rayures plus étroites et moins nombreuses. Chez l'adulte, marque foncée au milieu de chaque rayure, donnant l'impression d'une bande sombre le long des flancs. Bouche supère aux lèvres bien fournies.

• **HABITAT** Eaux de barrage de Myanma ; présent dans le nord de l'Inde.

• **REMARQUE** Pendant le frai, le mâle devient chocolat. Poisson convenant à un aquarium communautaire. Très prolifique : environ 600 œufs déposés dans un nid flottant de bulles.

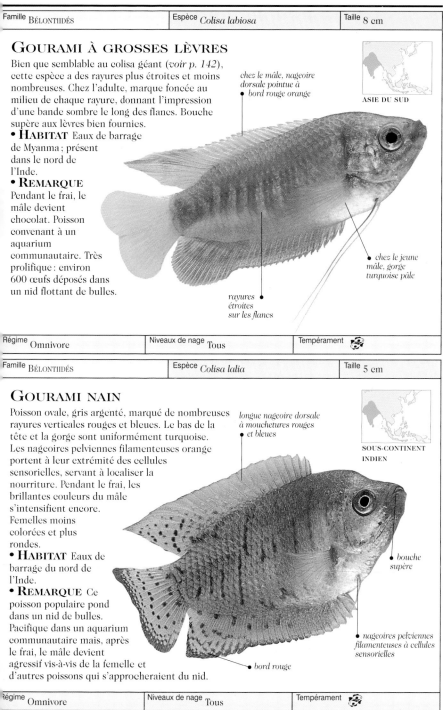

chez le mâle, nageoire dorsale pointue à bord rouge orange

ASIE DU SUD

chez le jeune mâle, gorge turquoise pâle

rayures étroites sur les flancs

Régime Omnivore	Niveaux de nage Tous	Tempérament

Famille BÉLONTIIDÉS	Espèce *Colisa lalia*	Taille 5 cm

GOURAMI NAIN

Poisson ovale, gris argenté, marqué de nombreuses rayures verticales rouges et bleues. Le bas de la tête et la gorge sont uniformément turquoise. Les nageoires pelviennes filamenteuses orange portent à leur extrémité des cellules sensorielles, servant à localiser la nourriture. Pendant le frai, les brillantes couleurs du mâle s'intensifient encore. Femelles moins colorées et plus rondes.

• **HABITAT** Eaux de barrage du nord de l'Inde.

• **REMARQUE** Ce poisson populaire pond dans un nid de bulles. Pacifique dans un aquarium communautaire mais, après le frai, le mâle devient agressif vis-à-vis de la femelle et d'autres poissons qui s'approcheraient du nid.

longue nageoire dorsale à mouchetures rouges et bleues

SOUS-CONTINENT INDIEN

bouche supère

nageoires pelviennes filamenteuses à cellules sensorielles

bord rouge

Régime Omnivore	Niveaux de nage Tous	Tempérament

Famille ANABANTIDÉS	Espèce *Ctenopoma acutirostre*	Taille 15 cm

CTÉNOPOMA-LÉOPARD

Corps ovale, brun verdâtre, couvert de mouchetures «léopard», avec une tache mieux marquée à la base de la nageoire caudale. La bouche peut s'allonger en un tube aspirant les proies. Tête très pointue; profils supérieur concave et inférieur convexe. Nageoires dorsale et anale épineuses, atteignant presque la caudale. Pédoncule caudal pratiquement absent.
- **HABITAT** Ruisseaux lents du Zaïre.
- **REMARQUE** Ne pas le faire cohabiter avec des espèces plus petites. Demande un grand aquarium bien planté et de la nourriture vivante.

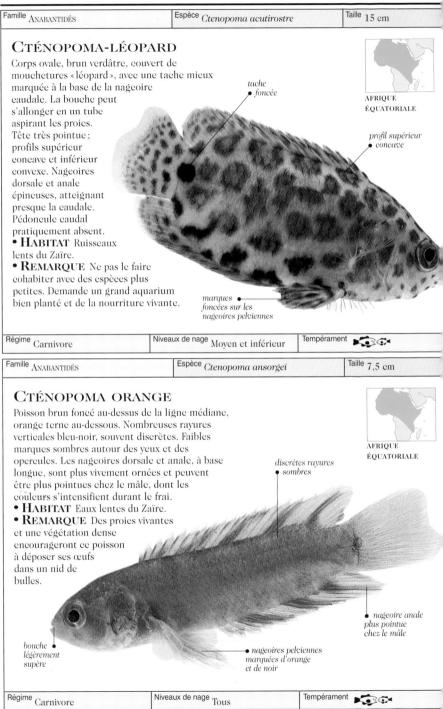

AFRIQUE ÉQUATORIALE

tache foncée

profil supérieur concave

marques foncées sur les nageoires pelviennes

Régime Carnivore	Niveaux de nage Moyen et inférieur	Tempérament

Famille ANABANTIDÉS	Espèce *Ctenopoma ansorgei*	Taille 7,5 cm

CTÉNOPOMA ORANGE

Poisson brun foncé au-dessus de la ligne médiane, orange terne au-dessous. Nombreuses rayures verticales bleu-noir, souvent discrètes. Faibles marques sombres autour des yeux et des opercules. Les nageoires dorsale et anale, à base longue, sont plus vivement ornées et peuvent être plus pointues chez le mâle, dont les couleurs s'intensifient durant le frai.
- **HABITAT** Eaux lentes du Zaïre.
- **REMARQUE** Des proies vivantes et une végétation dense encourageront ce poisson à déposer ses œufs dans un nid de bulles.

AFRIQUE ÉQUATORIALE

discrètes rayures sombres

nageoire anale plus pointue chez le mâle

bouche légèrement supère

nageoires pelviennes marquées d'orange et de noir

Régime Carnivore	Niveaux de nage Tous	Tempérament

Famille ANABANTIDÉS	Espèce *Ctenopoma fasciolatum*	Taille 9 cm

CTÉNOPOMA RAYÉ

La forme générale et la configuration des nageoires ressemblent à celles du poisson de paradis *Macropodus opercularis*. Couleur variable mais habituellement brune. Certaines écailles d'un bleu métallique pâle, produisent un effet irisé. Parfois, elles se rejoignent pour donner l'impression de bandes verticales. D'autres irisations apparaissent sous l'œil rougeâtre, cerclé d'or, et sur l'opercule. Les nageoires reproduisent la coloration et les marques du corps. Les nageoires anale et dorsale du mâle, plus pointues, s'étendent vers la caudale. Couleurs plus vives chez le mâle pendant le frai.
• **HABITAT** Ruisseaux du Zaïre.
• **REMARQUE** Nid de bulles surveillé par le mâle.

tête pointue

nageoires colorées et marquées comme le corps

AFRIQUE ÉQUATORIALE

nageoire anale du mâle pointue

nageoires pelviennes allongées

Régime Carnivore	Niveaux de nage Tous	Tempérament

Famille ANABANTIDÉS	Espèce *Ctenopoma oxyrhynchus*	Taille 10 cm

CTÉNOPOMA À ŒIL DE PAON

Un réseau irrégulier de marques foncées couvre le corps, pâle. Surface ventrale d'un blanc argenté. Une bande sombre va de la mâchoire inférieure à l'œil, où elle se divise en V pour traverser la tête, pointue, et rejoindre les marques de part et d'autre du corps. Les mâles peuvent avoir les nageoires dorsale et anale plus foncées.
• **HABITAT** Ruisseaux du Zaïre.
• **REMARQUE** Ne pas mêler à des poissons plus petits.

taches irrégulières sur tout le corps

AFRIQUE ÉQUATORIALE

bord de la nageoire caudale clair

tête pointue

marques rougeâtres sur les nageoires pelviennes aux bords antérieurs blancs

Régime Carnivore	Niveaux de nage Tous	Tempérament

Famille HÉLOSTOMATIDÉS	Espèce *Helostoma temmincki*	Taille 20 cm

GOURAMI EMBRASSEUR

La coloration naturelle de ce poisson ovale est d'un vert
argenté, avec des rangées de petits points sombres. Parmi
les variétés d'élevage, l'une des plus courantes est rose
pâle, comme ici. Tête pointue ; grosses lèvres pouvant se
retrousser comme pour donner un baiser. Nageoires
dorsale et anale à base longue, symétriques, épineuses
aux deux tiers.

• **HABITAT** Cours d'eau de Thaïlande ;
présent à Bornéo, Java et Sumatra.

• **REMARQUE** Le « baiser » se voit
chez l'adulte quand il broute
les algues ou quand deux
individus se contestent
un territoire.

• **AUTRE
NOM**
Kissing.

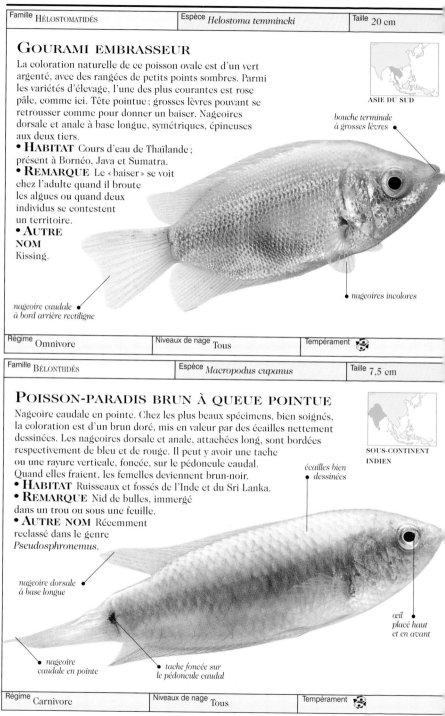

ASIE DU SUD

bouche terminale
à grosses lèvres •

• nageoires incolores

nageoire caudale •
à bord arrière rectiligne

Régime Omnivore	Niveaux de nage Tous	Tempérament

Famille BÉLONTIIDÉS	Espèce *Macropodus cupanus*	Taille 7,5 cm

POISSON-PARADIS BRUN À QUEUE POINTUE

Nageoire caudale en pointe. Chez les plus beaux spécimens, bien soignés,
la coloration est d'un brun doré, mis en valeur par des écailles nettement
dessinées. Les nageoires dorsale et anale, attachées long, sont bordées
respectivement de bleu et de rouge. Il peut y avoir une tache
ou une rayure verticale, foncée, sur le pédoncule caudal.
Quand elles fraient, les femelles deviennent brun-noir.

• **HABITAT** Ruisseaux et fossés de l'Inde et du Sri Lanka.

• **REMARQUE** Nid de bulles, immergé
dans un trou ou sous une feuille.

• **AUTRE NOM** Récemment
reclassé dans le genre
Pseudosphronemus.

SOUS-CONTINENT
INDIEN

écailles bien
• dessinées

nageoire dorsale •
à base longue

œil
placé haut
et en avant

• nageoire
caudale en pointe

• tache foncée sur
le pédoncule caudal

Régime Carnivore	Niveaux de nage Tous	Tempérament

Famille OSPHRONÉMIDÉS	Espèce *Osphronemus goramy*	Taille 60 cm

GOURAMI GÉANT

Le jeune spécimen sauvage ci-dessous a le corps d'un gris à la fois bronzé et argenté, traversé de rayures verticales sombres. Celui de la variété dorée (*en bas*) est également un juvénile. Tête pointue, yeux très en avant. L'adulte est gris, avec des écailles bien apparentes et une zone gris clair au-dessus de l'œil, relativement petit. Sa grande bouche supère a des lèvres charnues. Nageoires pelviennes filamenteuses.
• **HABITAT** Fleuves, rivières et lacs des grandes îles de la Sonde.
• **REMARQUE** Comme l'oscar (*p. 115*), ce poisson intéressant quand il est jeune, devient vite trop grand. Le mettre en compagnie de grands poissons et lui donner beaucoup d'aliments verts.

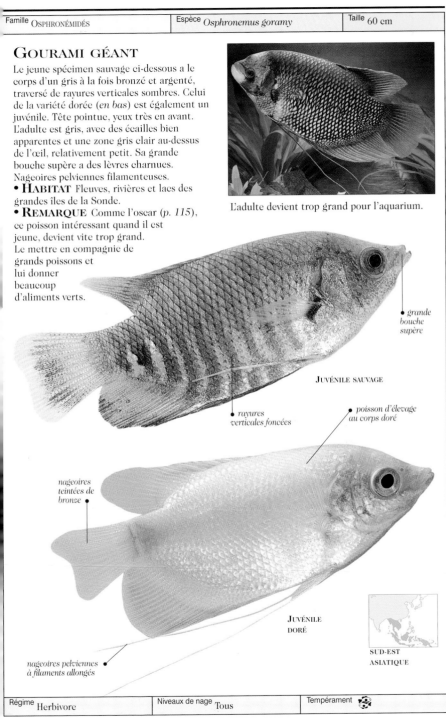

L'adulte devient trop grand pour l'aquarium.

grande bouche supère

JUVÉNILE SAUVAGE

rayures verticales foncées

poisson d'élevage au corps doré

nageoires teintées de bronze

JUVÉNILE DORÉ

SUD-EST ASIATIQUE

nageoires pelviennes à filaments allongés

Régime Herbivore	Niveaux de nage Tous	Tempérament

Famille BÉLONTIIDÉS	Espèce Sphaerichthys osphromenoides	Taille 8 cm

GOURAMI CHOCOLAT

Corps ovale mais se terminant en pointe, par un long museau d'un côté et, de l'autre, par un pédoncule caudal court et effilé. Les écailles à bord clair se détachent sur un fond brun chocolat. Les nageoires dorsale et anale ne dépassent pas la moitié de la longueur du corps. Tête marquée de deux lignes crème, l'une de la bouche au bord de l'œil, l'autre à la verticale du haut de l'œil. Plus en arrière, d'autres rayures verticales crème traversent le corps.
• **HABITAT** Eaux lentes de Bornéo, Malaisie et Sumatra.
• **REMARQUE** Timide. Incubateur buccal. Exige des nourritures vivantes.

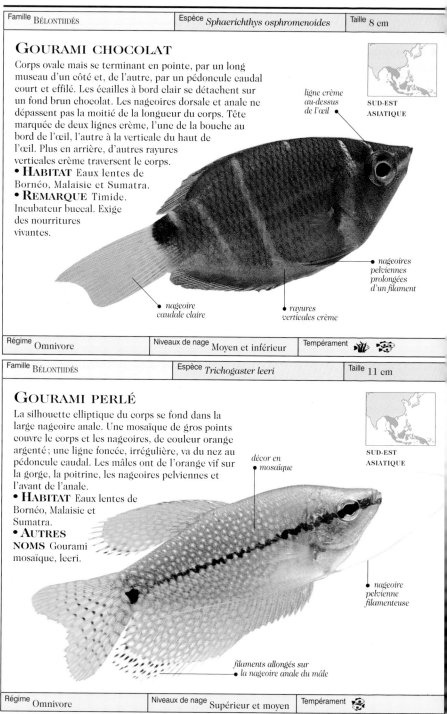

ligne crème au-dessus de l'œil

SUD-EST ASIATIQUE

nageoires pelviennes prolongées d'un filament

nageoire caudale claire

rayures verticales crème

Régime Omnivore	Niveaux de nage Moyen et inférieur	Tempérament

Famille BÉLONTIIDÉS	Espèce Trichogaster leeri	Taille 11 cm

GOURAMI PERLÉ

La silhouette elliptique du corps se fond dans la large nageoire anale. Une mosaïque de gros points couvre le corps et les nageoires, de couleur orange argenté ; une ligne foncée, irrégulière, va du nez au pédoncule caudal. Les mâles ont de l'orange vif sur la gorge, la poitrine, les nageoires pelviennes et l'avant de l'anale.
• **HABITAT** Eaux lentes de Bornéo, Malaisie et Sumatra.
• **AUTRES NOMS** Gourami mosaïque, leeri.

décor en mosaïque

SUD-EST ASIATIQUE

nageoire pelvienne filamenteuse

filaments allongés sur la nageoire anale du mâle

Régime Omnivore	Niveaux de nage Supérieur et moyen	Tempérament

Famille BÉLONTIIDÉS	Espèce *Trichogaster microlepis*	Taille 14 cm

GOURAMI-LUNE

Les écailles particulièrement petites (*microlepis*
signifie «à petites écailles») de ce poisson
paisible lui donnent un reflet d'argent poli.
Le profil de la tête présente une dépression
bien nette au-dessus de la bouche, supère.
Les mâles ont les nageoires pelviennes
rouges et la dorsale un peu allongée.
• **HABITAT** Eaux lentes du
Cambodge et de Thaïlande.
• **REMARQUE** Nid de
bulles complété de
débris végétaux.

ASIE DU SUD

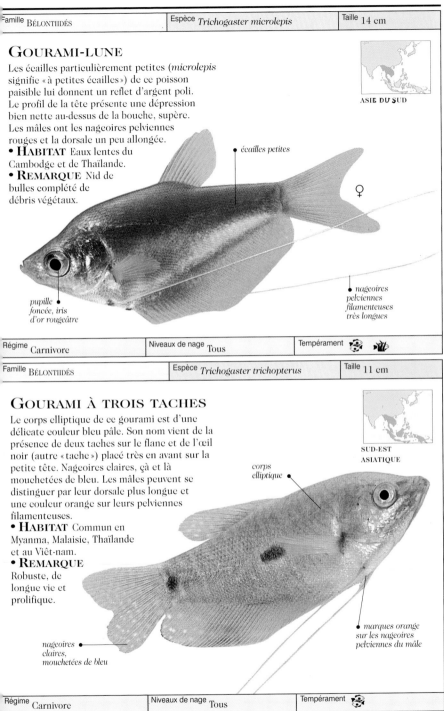

écailles petites

♀

pupille
foncée, iris
d'or rougeâtre

nageoires
pelviennes
filamenteuses
très longues

Régime Carnivore	Niveaux de nage Tous	Tempérament

Famille BÉLONTIIDÉS	Espèce *Trichogaster trichopterus*	Taille 11 cm

GOURAMI À TROIS TACHES

Le corps elliptique de ce gourami est d'une
délicate couleur bleu pâle. Son nom vient de la
présence de deux taches sur le flanc et de l'œil
noir (autre «tache») placé très en avant sur la
petite tête. Nageoires claires, çà et là
mouchetées de bleu. Les mâles peuvent se
distinguer par leur dorsale plus longue et
une couleur orange sur leurs pelviennes
filamenteuses.
• **HABITAT** Commun en
Myanma, Malaisie, Thaïlande
et au Viêt-nam.
• **REMARQUE**
Robuste, de
longue vie et
prolifique.

SUD-EST
ASIATIQUE

corps
elliptique

nageoires
claires,
mouchetées de bleu

marques orange
sur les nageoires
pelviennes du mâle

Régime Carnivore	Niveaux de nage Tous	Tempérament

Famille BÉLONTIIDÉS	Espèce *Trichogaster trichopterus sumatranus*	Taille 11 cm

GOURAMI À TROIS TACHES DORÉ

Ce gourami jaune or porte des zébrures foncées, ondulantes, sur la surface dorsale. Surface ventrale d'un jaune argenté. Nageoire anale attachée long, à mouchetures rouges et jaunes, et à bord clair. Les autres nageoires sont plus claires, avec des mouchetures jaunes. Les mâles ont la nageoire dorsale plus longue et une couleur jaune orange plus vive sur les pelviennes.

- **HABITAT**
Variété d'aquarium.
- **REMARQUE**
Ne se trouve pas dans la nature.

œil à pupille foncée et cerclé de rouge

couleur jaune orangé sur les pelviennes du mâle

pelviennes filamenteuses

ventre jaune argenté

mouchetures rouges et jaunes sur l'anale

Régime Carnivore	Niveaux de nage Tous	Tempérament

Famille BÉLONTIIDÉS	Espèce *Trichopsis vittatus*	Taille 6 cm

GOURAMI HURLEUR

Poisson généralement élancé mais avec une portion du corps très haute, en avant de la nageoire dorsale. Chez les meilleurs spécimens, la coloration est d'un brun doré, avec deux raies longitudinales bien nettes, formées de points ou de petites taches rouges. Rayures brun rougeâtre sur la tête. Nageoire dorsale très en arrière, anale attachée long et allongée à l'arrière. Grande caudale arrondie, à pointe centrale. Toutes les nageoires sont faiblement truitées.

- **HABITAT** Ruisseaux d'Asie méridionale (Viêt-nam, Thaïlande, Malaisie).
- **REMARQUE** Émet un coassement, surtout pendant le frai. A besoin de cachettes parmi les plantes, surtout s'il y a d'autres poissons.

ASIE DU SUD

nageoire dorsale très en arrière

rayures d'un brun rougeâtre

faibles marques longitudinales

nageoires pelviennes aux premiers rayons allongés

Régime Carnivore	Niveaux de nage Tous	Tempérament

CYPRINODONTIDÉS

LES CYPRINODONTIDÉS, communément appelés killies, habitent les eaux douces des régions tropicales et subtropicales d'Amérique, d'Afrique et d'Asie, ainsi que du sud-ouest européen. Certaines espèces vivent dans de faibles étendues d'eau qui s'assèchent à certaines périodes de l'année ; elles pondent des œufs qui peuvent survivre à une déshydratation presque complète. En captivité, ces poissons acceptent toute sorte de nourriture. Les mâles adultes de ces espèces, en général plus grands, ont des nageoires longues et des couleurs plus vives.

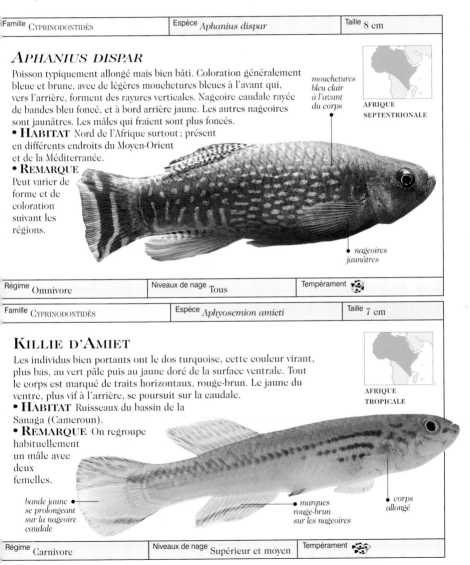

Famille CYPRINODONTIDÉS	Espèce Aphanius dispar	Taille 8 cm

APHANIUS DISPAR

Poisson typiquement allongé mais bien bâti. Coloration généralement bleue et brune, avec de légères mouchetures bleues à l'avant qui, vers l'arrière, forment des rayures verticales. Nageoire caudale rayée de bandes bleu foncé, et à bord arrière jaune. Les autres nageoires sont jaunâtres. Les mâles qui fraient sont plus foncés.
• **HABITAT** Nord de l'Afrique surtout ; présent en différents endroits du Moyen-Orient et de la Méditerranée.
• **REMARQUE** Peut varier de forme et de coloration suivant les régions.

mouchetures bleu clair à l'avant du corps

AFRIQUE SEPTENTRIONALE

nageoires jaunâtres

Régime Omnivore	Niveaux de nage Tous	Tempérament

Famille CYPRINODONTIDÉS	Espèce Aphyosemion amieti	Taille 7 cm

KILLIE D'AMIET

Les individus bien portants ont le dos turquoise, cette couleur virant, plus bas, au vert pâle puis au jaune doré de la surface ventrale. Tout le corps est marqué de traits horizontaux, rouge-brun. Le jaune du ventre, plus vif à l'arrière, se poursuit sur la caudale.
• **HABITAT** Ruisseaux du bassin de la Sanaga (Cameroun).
• **REMARQUE** On regroupe habituellement un mâle avec deux femelles.

AFRIQUE TROPICALE

bande jaune se prolongeant sur la nageoire caudale

marques rouge-brun sur les nageoires

corps allongé

Régime Carnivore	Niveaux de nage Supérieur et moyen	Tempérament

Famille CYPRINODONTIDÉS	Espèce Aphyosemion australe	Taille 6 cm

CAP-LOPEZ

Corps « en crayon », à la surface dorsale presque plate. Celle du mâle est brun-vert, virant au bleu-vert sur les flancs. Des points rouges couvrent le corps et la tête. Femelle semblable, mais à nageoires plus courtes et dépourvues de rayures colorées.
• **HABITAT** Ruisseaux d'Afrique notamment du Cameroun, du Gabon et du Zaïre.
• **REMARQUE** Apprécie un aquarium touffu et ombragé.

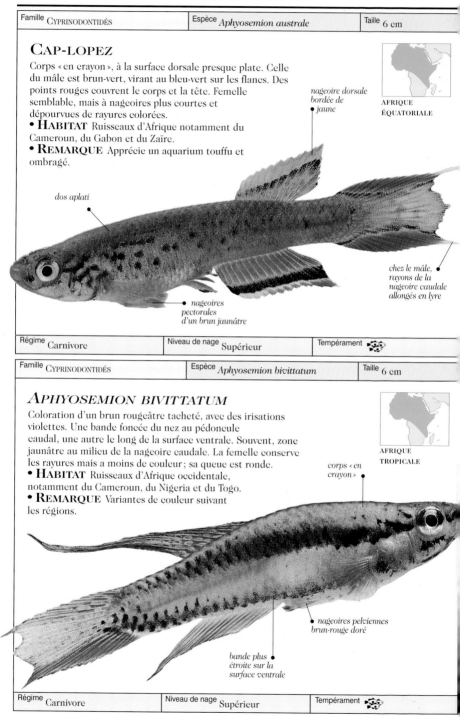

nageoire dorsale bordée de jaune

AFRIQUE ÉQUATORIALE

dos aplati

chez le mâle, rayons de la nageoire caudale allongés en lyre

nageoires pectorales d'un brun jaunâtre

Régime Carnivore	Niveau de nage Supérieur	Tempérament

Famille CYPRINODONTIDÉS	Espèce Aphyosemion bivittatum	Taille 6 cm

APHYOSEMION BIVITTATUM

Coloration d'un brun rougeâtre tacheté, avec des irisations violettes. Une bande foncée du nez au pédoncule caudal, une autre le long de la surface ventrale. Souvent, zone jaunâtre au milieu de la nageoire caudale. La femelle conserve les rayures mais a moins de couleur ; sa queue est ronde.
• **HABITAT** Ruisseaux d'Afrique occidentale, notamment du Cameroun, du Nigeria et du Togo.
• **REMARQUE** Variantes de couleur suivant les régions.

corps « en crayon »

AFRIQUE TROPICALE

nageoires pelviennes brun-rouge doré

bande plus étroite sur la surface ventrale

Régime Carnivore	Niveau de nage Supérieur	Tempérament

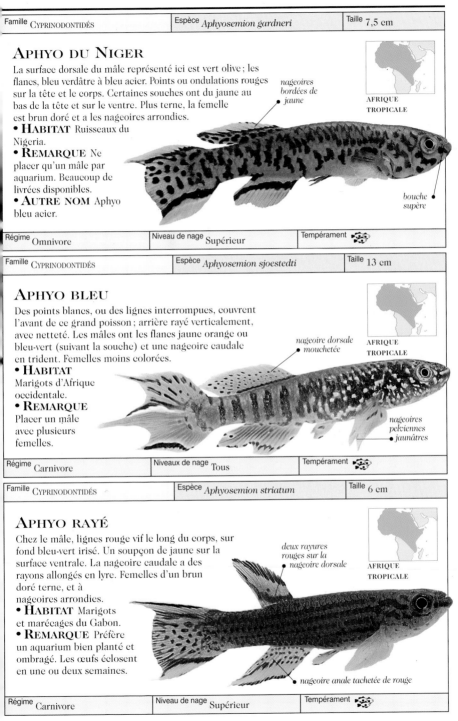

Famille CYPRINODONTIDÉS		Espèce *Aphyosemion gardneri*		Taille 7,5 cm

APHYO DU NIGER

La surface dorsale du mâle représenté ici est vert olive ; les flancs, bleu verdâtre à bleu acier. Points ou ondulations rouges sur la tête et le corps. Certaines souches ont du jaune au bas de la tête et sur le ventre. Plus terne, la femelle est brun doré et a les nageoires arrondies.
• **HABITAT** Ruisseaux du Nigéria.
• **REMARQUE** Ne placer qu'un mâle par aquarium. Beaucoup de livrées disponibles.
• **AUTRE NOM** Aphyo bleu acier.

nageoires bordées de jaune

AFRIQUE
TROPICALE

bouche supère

Régime Omnivore	Niveau de nage Supérieur	Tempérament

Famille CYPRINODONTIDÉS		Espèce *Aphyosemion sjoestedti*		Taille 13 cm

APHYO BLEU

Des points blancs, ou des lignes interrompues, couvrent l'avant de ce grand poisson ; arrière rayé verticalement, avec netteté. Les mâles ont les flancs jaune orange ou bleu-vert (suivant la souche) et une nageoire caudale en trident. Femelles moins colorées.
• **HABITAT** Marigots d'Afrique occidentale.
• **REMARQUE** Placer un mâle avec plusieurs femelles.

nageoire dorsale mouchetée

AFRIQUE
TROPICALE

nageoires pelviennes jaunâtres

Régime Carnivore	Niveaux de nage Tous	Tempérament

Famille CYPRINODONTIDÉS		Espèce *Aphyosemion striatum*		Taille 6 cm

APHYO RAYÉ

Chez le mâle, lignes rouge vif le long du corps, sur fond bleu-vert irisé. Un soupçon de jaune sur la surface ventrale. La nageoire caudale a des rayons allongés en lyre. Femelles d'un brun doré terne, et à nageoires arrondies.
• **HABITAT** Marigots et marécages du Gabon.
• **REMARQUE** Préfère un aquarium bien planté et ombragé. Les œufs éclosent en une ou deux semaines.

deux rayures rouges sur la nageoire dorsale

AFRIQUE
TROPICALE

nageoire anale tachetée de rouge

Régime Carnivore	Niveau de nage Supérieur	Tempérament

Famille CYPRINODONTIDÉS	Espèce *Aphyosemion walkeri*	Taille 6,5 cm

APHYO DE WALKER

Poisson vert jaunâtre, avec des tonalités bleues. Rayures verticales brun-rouge sur le corps, longitudinales derrière l'opercule et sur la tête. Les nageoires dorsale et anale, en opposition, ont le milieu jaune et les bords brun-rouge.
• **HABITAT** Ruisseaux forestiers du Ghana et de la Côte-d'Ivoire.
• **REMARQUE** Les œufs doivent rester environ deux mois dans des sphaignes humides avant que leur réimmersion les fasse éclore.

bord de la nageoire dorsale brun-rouge

AFRIQUE TROPICALE

taches brun-rouge sur la nageoire caudale

bouche supère

nageoires pelviennes très petites

Régime Carnivore	Niveaux de nage Tous	Tempérament

Famille CYPRINODONTIDÉS	Espèce *Aplocheilus dayi*	Taille 7 cm

PANCHAX VERT

Poisson jaune doré, décoré, le long des flancs, d'irisations bleu-vert qui peuvent éventuellement former des rayures verticales. Tête aplatie, bouche large aux lèvres rouges. La nageoire dorsale est petite et attachée très en arrière ; chez la femelle, la base en porte une tache foncée. Caudale jaune à marques rouges.
• **HABITAT** Ruisseaux et fossés de l'Inde méridionale et du Sri Lanka.
• **REMARQUE** Vit en surface, où il aime se reposer parmi les plantes flottantes. Les œufs, pondus en plusieurs jours, éclosent au bout de deux semaines.

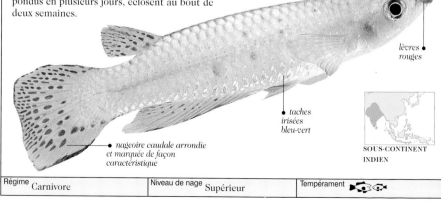

Ces killies se reposent parmi les plantes de surface.

lèvres rouges

taches irisées bleu-vert

nageoire caudale arrondie et marquée de façon caractéristique

SOUS-CONTINENT INDIEN

Régime Carnivore	Niveau de nage Supérieur	Tempérament

Famille CYPRINODONTIDÉS	Espèce *Cynolebias bokermani*	Taille 5 cm

CYNOLEBIAS BOKERMANI

Corps de hauteur maximale à l'avant des nageoires dorsale et anale, et d'un brun verdâtre doré contrastant avec la couleur pâle, jaunâtre, du ventre. Rayures verticales bleu-vert pâle derrière l'opercule bleu métallique. Mouchetures pâles le long du dos, se continuant sur la dorsale et la caudale.
• **HABITAT** Mares isolées près de la côte brésilienne.
• **REMARQUE** Les œufs doivent être stockés environ deux mois dans des sphaignes humides avant d'être réimmergés pour éclore.

AMÉRIQUE DU SUD

dos brun doré et verdâtre

mouchetures bleues sur la nageoire caudale arrondie

ventre jaunâtre

lignes verticales derrière l'opercule

Régime Carnivore	Niveau de nage Inférieur	Tempérament

Famille CYPRINODONTIDÉS	Espèce *Cynolebias nigripinnis*	Taille 5 cm

PERLE D'ARGENTINE À NAGEOIRES NOIRES

Pendant le frai, les mâles de cette espèce foncent jusqu'au bleu-noir, moucheté d'argent, et leur nageoire dorsale porte un galon bleu très clair. Nageoires dorsale et anale à mi-corps. Femelles gris-bleu ou gris jaunâtre à mouchetures noires et sans bordure bleue aux nageoires.
• **HABITAT** Cours d'eau d'Argentine, du Brésil méridional et d'Uruguay.
• **REMARQUE** Les œufs doivent être conservés cinq semaines dans des sphaignes humides avant d'éclore.

AMÉRIQUE DU SUD

mouchetures argentées chez le mâle qui fraie

grand œil cerclé d'or

nageoire caudale circulaire

Régime Carnivore	Niveau de nage Inférieur	Tempérament

Famille CYPRINODONTIDÉS	Espèce *Epiplatys fasciolatus*	Taille 8 cm

EPIPLATYS FASCIOLATUS

Le mâle est brun jaunâtre, pâlissant vers la surface ventrale. Les flancs peuvent prendre un reflet bleuâtre sous un éclairage rasant. Des points dorés, verdâtres, couvrent le corps en formant un réseau oblique ; les flancs peuvent présenter des truitures rouges. Nageoires dorsale et anale très en arrière. Surface dorsale bleuâtre. La coloration de la femelle est beaucoup plus grisâtre.

AFRIQUE TROPICALE

• **HABITAT** Ruisseaux du Liberia, du Nigeria et de Sierra Leone.
• **REMARQUE** Apprécie un aquarium touffu et ombragé. Bien que préférant les vifs, tous les cyprinodontidés acceptent les aliments préparés. Œufs déposés sur les plantes.

écailles bien apparentes

♀

lèvres foncées

ventre plus clair

nageoire caudale ronde

nageoires dorsale et anale très en arrière

reflet bleuâtre sur les flancs du mâle

Régime Carnivore	Niveau de nage Supérieur	Tempérament

Famille CYPRINODONTIDÉS	Espèce *Jordanella floridae*	Taille 7,5 cm

JORDANELLE DE FLORIDE

Corps bleu verdâtre, couvert de rayures pointillées bleu-vert et rouges, rappelant vaguement le drapeau américain. Une tache sombre apparaît souvent sur le flanc, au-dessous de la dorsale, mais elle se remarque mieux chez la femelle, plus terne. La nageoire dorsale de celle-ci porte une tache foncée à l'arrière.

marques rouges sur la nageoire dorsale

ÉTATS-UNIS

• **HABITAT** Mares et lacs à végétation dense de Floride ; présent au Mexique.
• **REMARQUE** Apprécie les végétaux et une température de l'eau avoisinant 20 °C. Forme du corps non conforme au standard de la famille.

nageoires pectorales claires

Régime Omnivore	Niveaux de nage Tous	Tempérament

Famille CYPRINODONTIDÉS	Espèce *Pachypanchax playfairii*	Taille 7,5 cm

PANCHAX POINTILLÉ

Mâle brun jaunâtre, se dégradant vers le ventre, plus pâle. Des points rouges, régulièrement espacés, couvrent le corps et peuvent être entrecoupés d'irisations. Nageoires d'un jaune verdâtre à mouchetures rouges, mais les pectorales et les pelviennes comprennent du jaune pur. Femelle moins brillamment colorée, avec une région foncée à la base de la nageoire dorsale.
• **HABITAT** Ruisseaux d'Afrique orientale ; présent à Madagascar, à Zanzibar et aux Seychelles.
• **REMARQUE** Apprécie un aquarium planté et ombragé. Les écailles écartées sont normales, et non symptôme d'hydropisie.

AFRIQUE TROPICALE

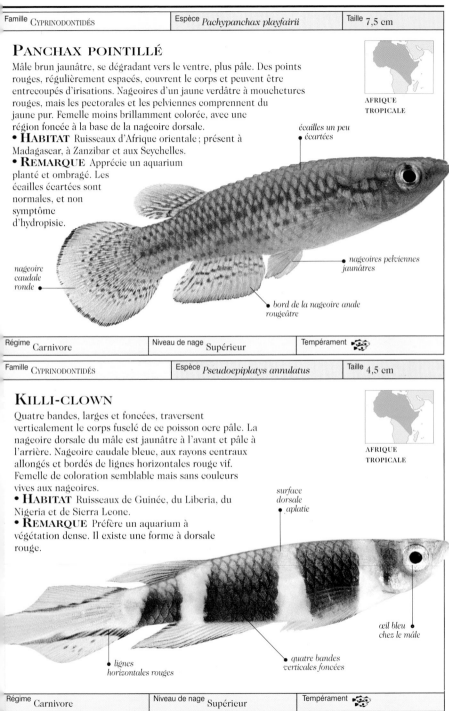

écailles un peu écartées

nageoire caudale ronde

nageoires pelviennes jaunâtres

bord de la nageoire anale rougeâtre

Régime Carnivore	Niveau de nage Supérieur	Tempérament

Famille CYPRINODONTIDÉS	Espèce *Pseudoepiplatys annulatus*	Taille 4,5 cm

KILLI-CLOWN

Quatre bandes, larges et foncées, traversent verticalement le corps fuselé de ce poisson ocre pâle. La nageoire dorsale du mâle est jaunâtre à l'avant et pâle à l'arrière. Nageoire caudale bleue, aux rayons centraux allongés et bordés de lignes horizontales rouge vif. Femelle de coloration semblable mais sans couleurs vives aux nageoires.
• **HABITAT** Ruisseaux de Guinée, du Liberia, du Nigeria et de Sierra Leone.
• **REMARQUE** Préfère un aquarium à végétation dense. Il existe une forme à dorsale rouge.

AFRIQUE TROPICALE

surface dorsale aplatie

lignes horizontales rouges

quatre bandes verticales foncées

œil bleu chez le mâle

Régime Carnivore	Niveau de nage Supérieur	Tempérament

POISSONS-CHATS

I L Y A environ 30 familles de poissons-chats, ou siluroïdes, comprenant quelque 2 000 espèces largement distribuées, surtout en Afrique, en Amérique du Sud et dans le Sud-Est asiatique. Souvent nocturnes, ils hantent le fond de l'eau. De barbillons autour de leur bouche infère le aident à trouver la nourriture. Beaucou portent un bouclier osseux. Certains peu vent respirer l'air.

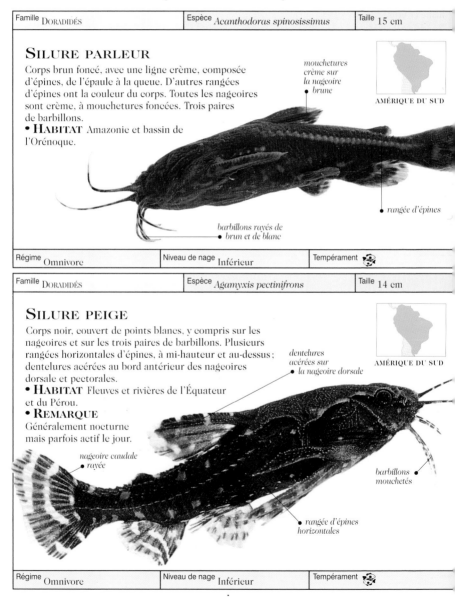

Famille DORADIDÉS	Espèce Acanthodoras spinosissimus	Taille 15 cm

SILURE PARLEUR

Corps brun foncé, avec une ligne crème, composée d'épines, de l'épaule à la queue. D'autres rangées d'épines ont la couleur du corps. Toutes les nageoires sont crème, à mouchetures foncées. Trois paires de barbillons.
• **HABITAT** Amazonie et bassin de l'Orénoque.

mouchetures crème sur la nageoire brune

AMÉRIQUE DU SUD

• rangée d'épines

barbillons rayés de brun et de blanc

Régime Omnivore	Niveau de nage Inférieur	Tempérament

Famille DORADIDÉS	Espèce Agamyxis pectinifrons	Taille 14 cm

SILURE PEIGE

Corps noir, couvert de points blancs, y compris sur les nageoires et sur les trois paires de barbillons. Plusieurs rangées horizontales d'épines, à mi-hauteur et au-dessus ; dentelures acérées au bord antérieur des nageoires dorsale et pectorales.
• **HABITAT** Fleuves et rivières de l'Équateur et du Pérou.
• **REMARQUE** Généralement nocturne mais parfois actif le jour.

dentelures acérées sur la nageoire dorsale

AMÉRIQUE DU SUD

nageoire caudale rayée

barbillons mouchetés

• rangée d'épines horizontales

Régime Omnivore	Niveau de nage Inférieur	Tempérament

Famille DORADIDÉS	Espèce *Amblydoras hancocki*	Taille 13 cm

POISSON-CHAT PARLEUR

La couleur peut varier mais elle est ordinairement brun foncé, avec des taches irrégulières plus sombres. Une ligne d'épines blanchâtres, soulignée d'une bordure foncée, court le long de la ligne latérale. Bouclier osseux sur tout le corps ; tête plissée. Trois paires de longs barbillons blanc et brun.
• **HABITAT** Fleuves et rivières du Brésil, du Pérou et de Guyana.
• **REMARQUE** Se plaira dans un aquarium bien planté, avec des cachettes formées de racines ou de pierres.

AMÉRIQUE DU SUD

rayons foncés sur la nageoire dorsale érigée

corps moucheté

rangée d'épines blanchâtres

trois paires de barbillons

Régime Omnivore	Niveau de nage Inférieur	Tempérament

Famille LORICARIIDÉS	Espèce *Ancistrus temmincki*	Taille 14 cm

SILURE BLEU

De petits points pâles couvrent le corps et les nageoires. Les yeux sont très en arrière de la grande tête qui porte, sur le dessus du museau, des excroissances caractéristiques. Les femelles ont une seule rangée de ces « tentacules », les mâles une double, pouvant former un Y. Les dimensions en augmentent toujours pendant le frai. Bouche en ventouse.
• **HABITAT** Eaux rapides de Guyana.
• **REMARQUE** Ce poisson, qui sert généralement à éliminer les algues, veut un aquarium bien oxygéné et bien planté, ainsi que des légumes verts blanchis.

AMÉRIQUE DU SUD

excroissances sur le dessus du museau

bouche infère

♀

nageoires pectorales s'étendant au-delà des nageoires pelviennes

Régime Herbivore	Niveau de nage Inférieur	Tempérament

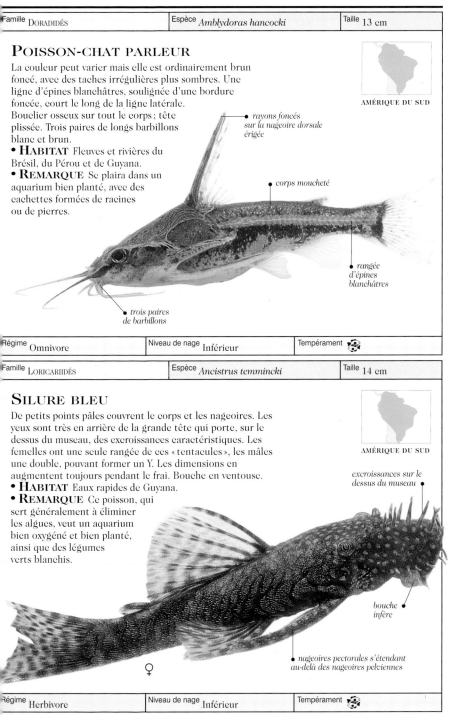

Famille AUCHÉNIPTÉRIDÉS	Espèce *Auchenipterichthys thoracatus*	Taille 13 cm

AUCHENIPTERICHTHYS THORACATUS

Petits points blancs irisés sur le corps gris-bleu foncé.
Ventre blanc argenté entre les nageoires pectorales et les
nageoires pelviennes. Dorsale très en avant, blanche
à marque noire. Rayons allongés à l'avant de la nageoire
anale pointue du mâle, dont la caudale a le
lobe supérieur plus long.
• **HABITAT** Commun de Panama au rio
de la Plata.
• **REMARQUE** Nocturne et
farouche.

AMÉRIQUE DU SUD

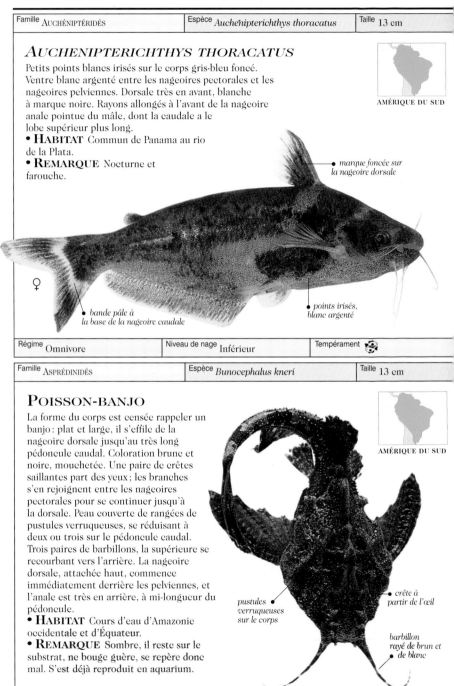

marque foncée sur
la nageoire dorsale

♀

bande pâle à
la base de la nageoire caudale

points irisés,
blanc argenté

Régime Omnivore	Niveau de nage Inférieur	Tempérament

Famille ASPRÉDINIDÉS	Espèce *Bunocephalus kneri*	Taille 13 cm

POISSON-BANJO

La forme du corps est censée rappeler un
banjo : plat et large, il s'effile de la
nageoire dorsale jusqu'au très long
pédoncule caudal. Coloration brune et
noire, mouchetée. Une paire de crêtes
saillantes part des yeux ; les branches
s'en rejoignent entre les nageoires
pectorales pour se continuer jusqu'à
la dorsale. Peau couverte de rangées de
pustules verruqueuses, se réduisant à
deux ou trois sur le pédoncule caudal.
Trois paires de barbillons, la supérieure se
recourbant vers l'arrière. La nageoire
dorsale, attachée haut, commence
immédiatement derrière les pelviennes, et
l'anale est très en arrière, à mi-longueur du
pédoncule.
• **HABITAT** Cours d'eau d'Amazonie
occidentale et d'Équateur.
• **REMARQUE** Sombre, il reste sur le
substrat, ne bouge guère, se repère donc
mal. S'est déjà reproduit en aquarium.

AMÉRIQUE DU SUD

crête à
partir de l'œil

pustules
verruqueuses
sur le corps

barbillon
rayé de brun et
de blanc

Régime Omnivore	Niveau de nage Inférieur	Tempérament

Famille CALLICHTHYIDÉS	Espèce *Callichthys callichthys*	Taille 18 cm

CALLICHTHYS CALLICHTHYS

Les plaques du bouclier osseux se chevauchent en formant une carapace remarquable. Elles se distribuent en deux rangées derrière l'opercule, et leur dessin rappelle celui des arêtes. Coloration générale gris brunâtre. Tête grande et assez plate ; les yeux, très mobiles, s'orientent indépendamment l'un de l'autre.

AMÉRIQUE DU SUD

• **HABITAT** Fleuves et rivières du Brésil.
• **REMARQUE** Ne se reproduit pas comme les autres poissons-chats : construit un nid de bulles sous la végétation, et les œufs y restent attachés jusqu'à éclosion.

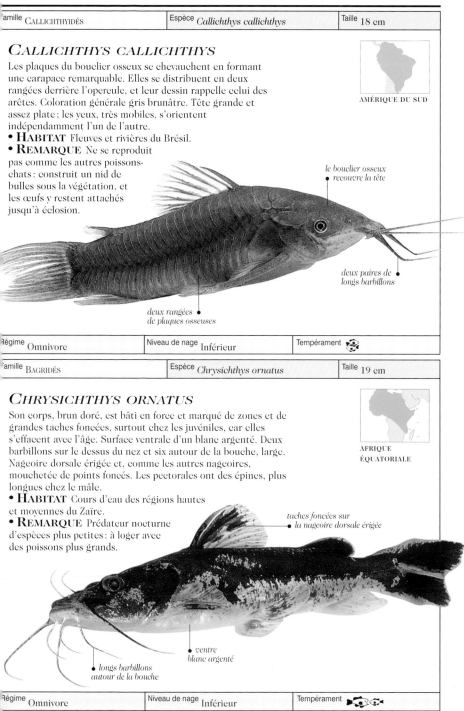

le bouclier osseux • recouvre la tête

deux paires de • longs barbillons

deux rangées • de plaques osseuses

Régime Omnivore	Niveau de nage Inférieur	Tempérament

Famille BAGRIDÉS	Espèce *Chrysichthys ornatus*	Taille 19 cm

CHRYSICHTHYS ORNATUS

Son corps, brun doré, est bâti en force et marqué de zones et de grandes taches foncées, surtout chez les juvéniles, car elles s'effacent avec l'âge. Surface ventrale d'un blanc argenté. Deux barbillons sur le dessus du nez et six autour de la bouche, large. Nageoire dorsale érigée et, comme les autres nageoires, mouchetée de points foncés. Les pectorales ont des épines, plus longues chez le mâle.

AFRIQUE ÉQUATORIALE

• **HABITAT** Cours d'eau des régions hautes et moyennes du Zaïre.
• **REMARQUE** Prédateur nocturne d'espèces plus petites : à loger avec des poissons plus grands.

taches foncées sur • la nageoire dorsale érigée

ventre blanc argenté

longs barbillons autour de la bouche

Régime Omnivore	Niveau de nage Inférieur	Tempérament

Famille CLARIIDÉS	Espèce *Clarias batrachus*	Taille 55 cm

POISSON-CHAT MARCHEUR

Les spécimens sauvages de ce poisson-chat anguilliforme sont d'un brun verdâtre et moucheté. La variété pie (ici), ainsi qu'une autre, dorée, sont devenues populaires auprès des aquariophiles. Les nageoires pectorales portent des épines venimeuses, redoutables chez le mâle. Les pelviennes restent petites.
• **HABITAT** Inde et Sri Lanka ; présent en Malaisie.
• **REMARQUE** Peut sortir de l'eau et migrer, en stockant de l'air dans un organe respiratoire auxiliaire. Interdit dans plusieurs États américains car jugé menaçant pour les poissons indigènes. A besoin d'un logement spacieux et nanti d'un couvercle lourd. Devient très grand.

SOUS-CONTINENT INDIEN

tête large et aplatie

yeux très latéraux et avancés

épines venimeuses sur les nageoires pectorales

coloration pie

Régime Omnivore	Niveau de nage Inférieur	Tempérament

Famille CALLICHTHYIDÉS	Espèce *Dianema longibarbis*	Taille 10 cm

SILURE-HUBLOT

Corps cylindrique, portant deux rangées de plaques osseuses derrière l'opercule. Ce bouclier est cependant moins prononcé que chez d'autres callichthyidés. Couleur gris rosé, devenant plus claire sur la surface ventrale. Mouchetures foncées, se concentrant sur la moitié supérieure. Bouche terminale, portant deux paires de barbillons qui pointent vers l'avant quand le poisson nage.
• **HABITAT** Bassin amazonien.
• **REMARQUE** Vit en bancs. Atteint un grand âge en aquarium. Construit un nid de bulles mais se reproduit rarement en captivité.

AMÉRIQUE DU SUD

tête large et aplatie

bouche terminale à deux paires de barbillons

nageoire caudale fourchue

nageoires incolores

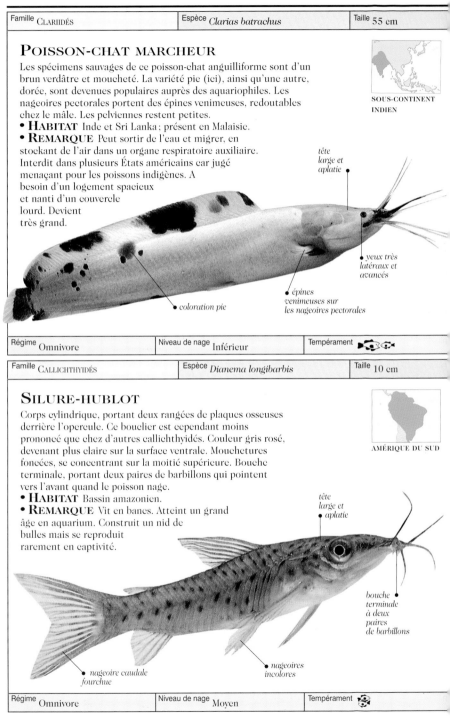

Régime Omnivore	Niveau de nage Moyen	Tempérament

Famille CALLICHTHYIDÉS	Espèce *Dianema urostriata*	Taille 13 cm

SILURE À QUEUE RAYÉE

Nageoires incolores, sauf la caudale qui porte des rayures (ce que signifie l'épithète latine *urostriata*) noires et blanches. Deux rangées de plaques osseuses sur le corps brun crémeux à grisâtre, devenant plus clair vers le ventre et sous la tête. Mouchetures, souvent peu visibles sur cette tonalité profonde.
• **HABITAT** Commun dans le bassin amazonien.
• **REMARQUE** Poisson vivant en bancs et actif surtout après la tombée du jour. N'est pas toujours disponible.

AMÉRIQUE DU SUD

corps allongé et cylindrique

rayures noires et blanches sur la nageoire caudale

deux rangées de plaques osseuses

bouche terminale portant deux paires de barbillons

Régime Omnivore	Niveau de nage Moyen	Tempérament

Famille SCHILBÉIDÉS	Espèce *Eutropiellus debauwi*	Taille 7,5 cm

EUTROPIELLUS DEBAUWI

Ce poisson translucide, crème doré et bleu, a trois rayures noires horizontales. Deux d'entre elles se continuent en marques noires sur chaque lobe de la nageoire caudale. La nageoire dorsale est très avancée et l'adipeuse ressemble plus à une nageoire classique, à rayons, qu'à celle, vraiment grasse, de plusieurs familles de poissons-chats africains.
• **HABITAT** Cours d'eau du Zaïre.
• **REMARQUE** Poisson actif, à héberger par groupes de même espèce. Ressemble à *Eutropiellus vanderweyeri*.

AFRIQUE ÉQUATORIALE

nageoire adipeuse très en arrière, sur le pédoncule caudal

œil grand, tête petite

nageoire anale étroite, à base longue

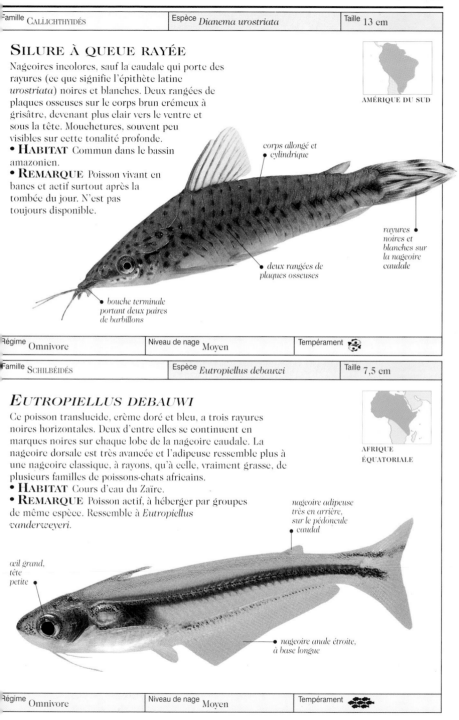

Régime Omnivore	Niveau de nage Moyen	Tempérament

Famille LORICARIIDÉS	Espèce *Farlowella acus*	Taille 20 cm

SILURE-AIGUILLE COMMUN

Poisson-chat allongé, brun avec une ligne sombre longeant les flancs d'un bout à l'autre. Dessous pâle, rayons des nageoires mouchetés. Bouclier osseux. Excroissances sur le museau du mâle adulte.
• **HABITAT** Cours d'eau du Brésil central et méridional.
• **REMARQUE** Peut se reproduire en captivité ; œufs déposés sur une surface dure et propre, et surveillés par le mâle. Demande un supplément de nourriture verte car les algues sont rarement suffisantes en aquarium.

Ces poissons se fondent sur le lit de la rivière.

rayons de la nageoire caudale allongés chez l'adulte

tête aplatie, au museau très long

AMÉRIQUE DU SUD

nageoire à mi-chemin de la surface dorsale

bouclier osseux

Régime Herbivore	Niveaux de nage Moyen et inférieur	Tempérament

Famille CALLICHTHYIDÉS	Espèce *Hoplosternum thoracatum*	Taille 20 cm

SILURE PEINT

Deux rangées de plaques osseuses couvrent son corps, à couleur variable mais qui est habituellement brun-rouge ou bleu-noir, avec des mouchetures plus foncées. Nageoires arrondies, à mouchetures sombres sur fond bleuâtre. Le mâle peut être un peu plus petit et porter, à l'avant des nageoires pectorales, des rayons épineux plus épais, d'un brun rougeâtre.
• **HABITAT** Commun dans le nord de l'Amérique du Sud, présent à Panama.
• **REMARQUE** Construit un nid de bulles.

AMÉRIQUE DU SUD

corps bleu-noir

tête comprimée latéralement, à deux paires de barbillons

rayons bruns rougeâtres sur les nageoires pectorales du mâle

couleur pâle à la naissance de la nageoire caudale

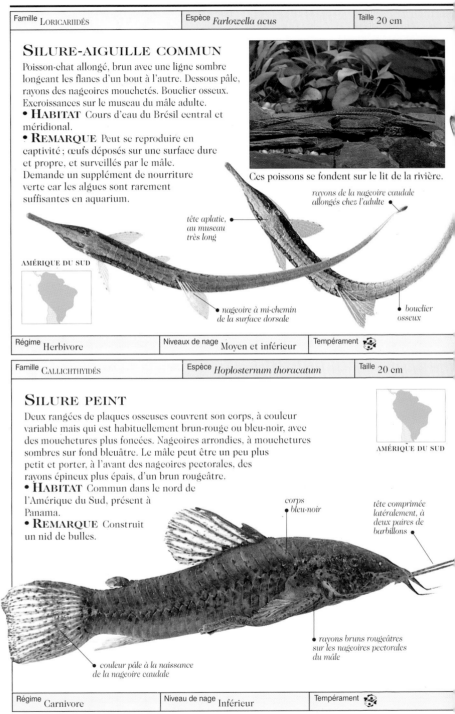

Régime Carnivore	Niveau de nage Inférieur	Tempérament

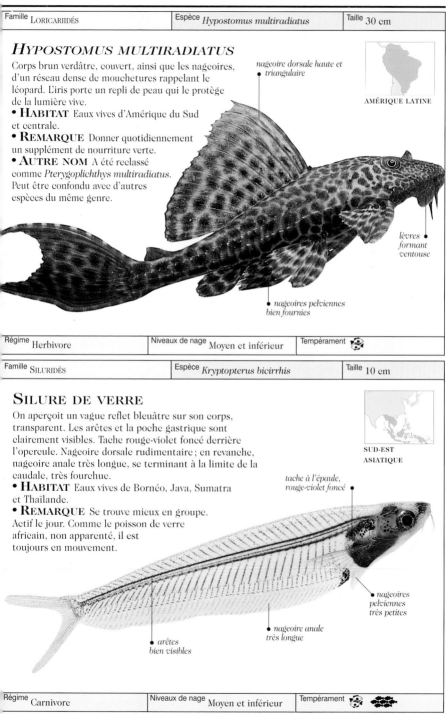

| Famille LORICARIIDÉS | Espèce *Hypostomus multiradiatus* | Taille 30 cm |

HYPOSTOMUS MULTIRADIATUS

Corps brun verdâtre, couvert, ainsi que les nageoires, d'un réseau dense de mouchetures rappelant le léopard. L'iris porte un repli de peau qui le protège de la lumière vive.
• **HABITAT** Eaux vives d'Amérique du Sud et centrale.
• **REMARQUE** Donner quotidiennement un supplément de nourriture verte.
• **AUTRE NOM** A été reclassé comme *Pterygoplichthys multiradiatus*. Peut être confondu avec d'autres espèces du même genre.

nageoire dorsale haute et triangulaire

AMÉRIQUE LATINE

lèvres formant ventouse

nageoires pelviennes bien fournies

| Régime Herbivore | Niveaux de nage Moyen et inférieur | Tempérament |

| Famille SILURIDÉS | Espèce *Kryptopterus bicirrhis* | Taille 10 cm |

SILURE DE VERRE

On aperçoit un vague reflet bleuâtre sur son corps, transparent. Les arêtes et la poche gastrique sont clairement visibles. Tache rouge-violet foncé derrière l'opercule. Nageoire dorsale rudimentaire ; en revanche, nageoire anale très longue, se terminant à la limite de la caudale, très fourchue.
• **HABITAT** Eaux vives de Bornéo, Java, Sumatra et Thaïlande.
• **REMARQUE** Se trouve mieux en groupe. Actif le jour. Comme le poisson de verre africain, non apparenté, il est toujours en mouvement.

SUD-EST ASIATIQUE

tache à l'épaule, rouge-violet foncé

nageoires pelviennes très petites

arêtes bien visibles

nageoire anale très longue

| Régime Carnivore | Niveaux de nage Moyen et inférieur | Tempérament |

Famille BAGRIDÉS	Espèce *Leiocassis siamensis*	Taille 14 cm

LEIOCASSIS SIAMENSIS

Corps massif, brun foncé à rayures et taches pâles,
irrégulières. Ces marques se poursuivent sur les nageoires. Il y
a une nageoire adipeuse, plus charnue et attachée plus long
que la dorsale. Celle-ci porte en son milieu un croissant clair.
Quatre paires de barbillons.
• **HABITAT** Cours d'eau de Thaïlande.
• **REMARQUE** Nocturne ; normalement
pacifique, mais peut dévorer de plus
petits poissons.

ASIE DU SUD

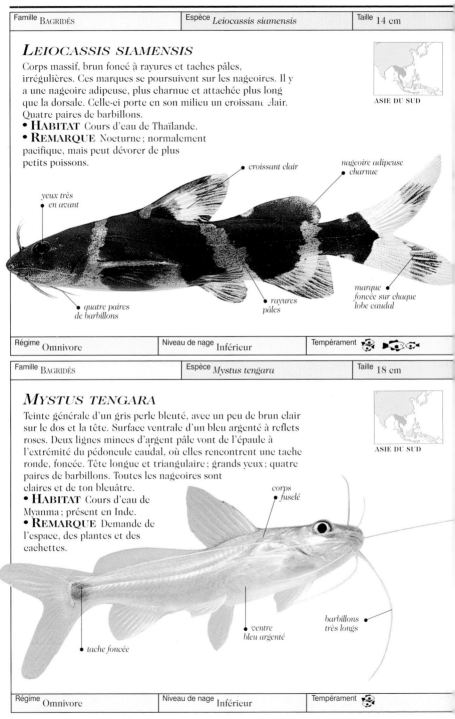

croissant clair

nageoire adipeuse
charnue

yeux très
en avant

quatre paires
de barbillons

rayures
pâles

marque
foncée sur chaque
lobe caudal

Régime Omnivore	Niveau de nage Inférieur	Tempérament

Famille BAGRIDÉS	Espèce *Mystus tengara*	Taille 18 cm

MYSTUS TENGARA

Teinte générale d'un gris perle bleuté, avec un peu de brun clair
sur le dos et la tête. Surface ventrale d'un bleu argenté à reflets
roses. Deux lignes minces d'argent pâle vont de l'épaule à
l'extrémité du pédoncule caudal, où elles rencontrent une tache
ronde, foncée. Tête longue et triangulaire ; grands yeux ; quatre
paires de barbillons. Toutes les nageoires sont
claires et de ton bleuâtre.
• **HABITAT** Cours d'eau de
Myanma ; présent en Inde.
• **REMARQUE** Demande de
l'espace, des plantes et des
cachettes.

ASIE DU SUD

corps
fuselé

tache foncée

ventre
bleu argenté

barbillons
très longs

Régime Omnivore	Niveau de nage Inférieur	Tempérament

Famille LORICARIIDÉS	Espèce *Otocinclus affinis*	Taille 5 cm

OTOCINCLUS NAIN

Forme élancée, rappelant celle d'un têtard. Nuances
foncées et mouchetées sur la surface dorsale ; bande
sombre depuis le nez, à travers l'œil, jusqu'au
pédoncule caudal, où elle se termine par une tache
bien distincte. La moitié inférieure du corps est
pâle. Bouche en ventouse sous le museau allongé.
Mouchetures sur les nageoires dorsale, anale et
caudale.
• **HABITAT** Eaux rapides du Brésil.
• **REMARQUE** Passe beaucoup de temps
à racler les algues sur toutes les surfaces,
y compris les parois de la cuve, où on
le voit souvent escalader la vitre.
La ventouse sert aussi d'ancre
dans les eaux rapides.

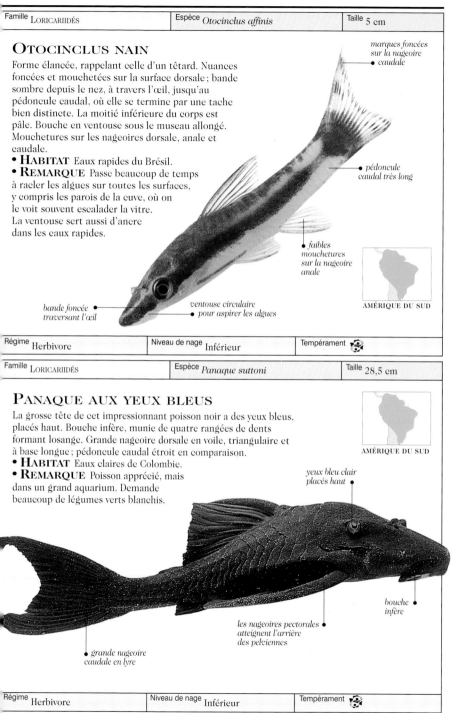

marques foncées
sur la nageoire
caudale

pédoncule
caudal très long

faibles
mouchetures
sur la nageoire
anale

AMÉRIQUE DU SUD

bande foncée
traversant l'œil

ventouse circulaire
pour aspirer les algues

Régime Herbivore	Niveau de nage Inférieur	Tempérament 🐟

Famille LORICARIIDÉS	Espèce *Panaque suttoni*	Taille 28,5 cm

PANAQUE AUX YEUX BLEUS

La grosse tête de cet impressionnant poisson noir a des yeux bleus,
placés haut. Bouche infère, munie de quatre rangées de dents
formant losange. Grande nageoire dorsale en voile, triangulaire et
à base longue ; pédoncule caudal étroit en comparaison.
• **HABITAT** Eaux claires de Colombie.
• **REMARQUE** Poisson apprécié, mais
dans un grand aquarium. Demande
beaucoup de légumes verts blanchis.

AMÉRIQUE DU SUD

yeux bleu clair
placés haut

bouche
infère

les nageoires pectorales
atteignent l'arrière
des pelviennes

grande nageoire
caudale en lyre

Régime Herbivore	Niveau de nage Inférieur	Tempérament 🐟

Famille LORICARIIDÉS	Espèce *Peckoltia pulcher*	Taille 10 cm

SILURE CUIRASSÉ NAIN

D'étroites rayures verticales gris pâle traversent le corps, bleu-noir. Cette coloration marbrée se poursuit sur toutes les nageoires. Le bouclier osseux qui remplace les écailles porte souvent des excroissances. Quand elle est érigée, la nageoire dorsale est en drapeau. Nageoires pectorales et pelviennes en aile, caudale fourchue et se terminant par des pointes qui lui donnent presque une forme en lyre. Bouche infère, formant ventouse.

• **HABITAT** Rio Negro, Amazonie.
• **REMARQUE** Espèce attrayante et utile en tant que mangeuse d'algues ; convient à l'aquarium communautaire, mais a besoin d'espace.

AMÉRIQUE DU SUD

peau marbrée

rayures verticales foncées

nageoires pectorales en aile

Régime Herbivore	Niveau de nage Inférieur	Tempérament

Famille PIMÉLODIDÉS	Espèce *Phractocephalus hemiliopterus*	Taille 120 cm

PHRACTO

Le haut de ce poisson volumineux, y compris la lèvre supérieure, est gris foncé avec de petites mouchetures plus noires. Le bas, y compris la lèvre inférieure et les trois paires de longs barbillons, est blanc. La nageoire caudale, en bêche mais arrondie, se distingue par sa couleur rouge orangé. Les juvéniles (comme ici) peuvent être de coloration plus intense

• **HABITAT** Régions amazoniennes du Pérou, de la Guyana et du Brésil.
• **REMARQUE** L'adulte convient à un aquarium public. Il mange des poissons morts ou vivants et de la viande, et finit par dépasser les dimensions du plus grand aquarium domestique. Prédateur de poissons plus petits, mais paisible.

AMÉRIQUE DU SUD

longs barbillons

dessus du corps gris foncé

dessous blanc

nageoire caudale rouge orange

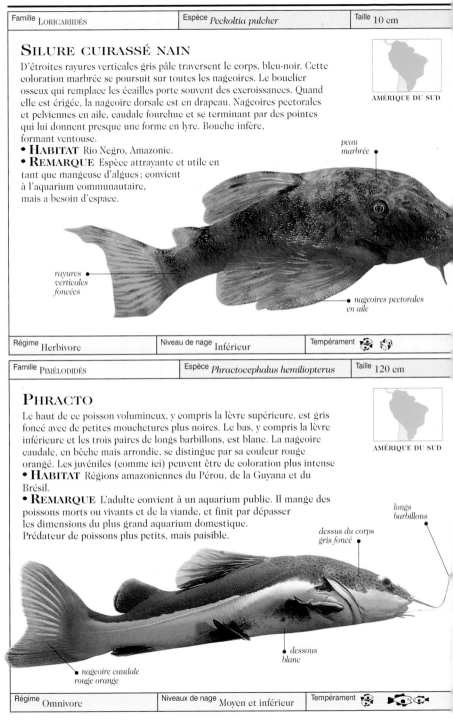

Régime Omnivore	Niveaux de nage Moyen et inférieur	Tempérament

Famille PIMÉLODIDÉS	Espèce *Pimelodus ornatus*	Taille 25 cm

PIMELODUS ORNATUS

Poisson élancé, au corps aplati, de couleur argent à trois larges bandes foncées. Celle du dessus va de la base de la dorsale au pédoncule caudal, le long du dos, et se poursuit sur le lobe supérieur de la queue ; marque symétrique sur le lobe inférieur. La deuxième bande sous la première en est séparée par une grosse raie claire. La troisième, trapézoïdale, descend de la dorsale pour se terminer entre les pectorales et les pelviennes. Tête gris foncé, dorsale blanche avec une tache foncée.
• **HABITAT** Cours d'eau de la Guyana au Paraguay.
• **REMARQUE** Peu importé ; s'adapte pourtant bien à l'aquarium.

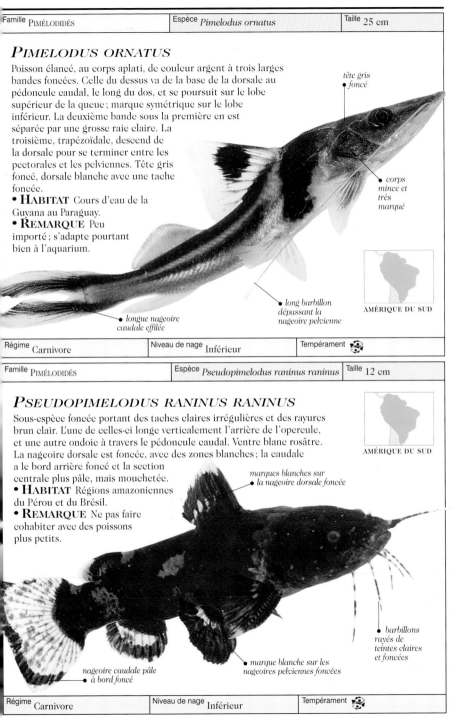

tête gris foncé

corps mince et très marqué

AMÉRIQUE DU SUD

long barbillon dépassant la nageoire pelvienne

longue nageoire caudale effilée

Régime Carnivore	Niveau de nage Inférieur	Tempérament

Famille PIMÉLODIDÉS	Espèce *Pseudopimelodus raninus raninus*	Taille 12 cm

PSEUDOPIMELODUS RANINUS RANINUS

Sous-espèce foncée portant des taches claires irrégulières et des rayures brun clair. L'une de celles-ci longe verticalement l'arrière de l'opercule, et une autre ondoie à travers le pédoncule caudal. Ventre blanc rosâtre. La nageoire dorsale est foncée, avec des zones blanches ; la caudale a le bord arrière foncé et la section centrale plus pâle, mais mouchetée.
• **HABITAT** Régions amazoniennes du Pérou et du Brésil.
• **REMARQUE** Ne pas faire cohabiter avec des poissons plus petits.

AMÉRIQUE DU SUD

marques blanches sur la nageoire dorsale foncée

barbillons rayés de teintes claires et foncées

nageoire caudale pâle à bord foncé

marque blanche sur les nageoires pelviennes foncées

Régime Carnivore	Niveau de nage Inférieur	Tempérament

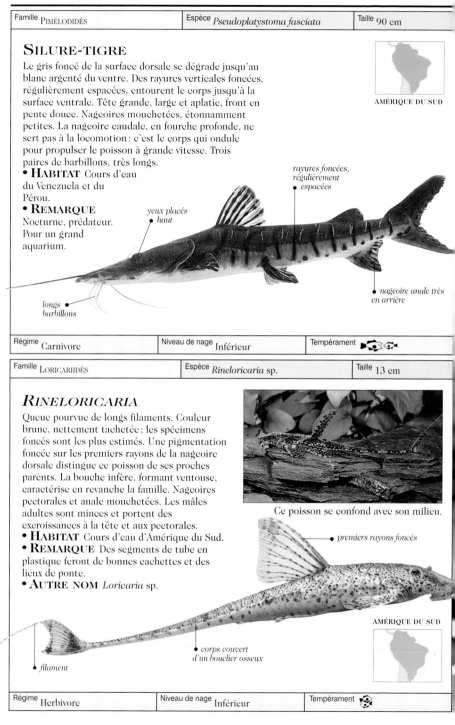

Famille PIMÉLODIDÉS	Espèce *Pseudoplatystoma fasciata*	Taille 90 cm

SILURE-TIGRE

Le gris foncé de la surface dorsale se dégrade jusqu'au blanc argenté du ventre. Des rayures verticales foncées, régulièrement espacées, entourent le corps jusqu'à la surface ventrale. Tête grande, large et aplatie, front en pente douce. Nageoires mouchetées, étonnamment petites. La nageoire caudale, en fourche profonde, ne sert pas à la locomotion : c'est le corps qui ondule pour propulser le poisson à grande vitesse. Trois paires de barbillons, très longs.

• **HABITAT** Cours d'eau du Venezuela et du Pérou.
• **REMARQUE** Nocturne, prédateur. Pour un grand aquarium.

AMÉRIQUE DU SUD

rayures foncées, régulièrement espacées

yeux placés haut

nageoire anale très en arrière

longs barbillons

Régime Carnivore	Niveau de nage Inférieur	Tempérament

Famille LORICARIIDÉS	Espèce *Rineloricaria* sp.	Taille 13 cm

RINELORICARIA

Queue pourvue de longs filaments. Couleur brune, nettement tachetée ; les spécimens foncés sont les plus estimés. Une pigmentation foncée sur les premiers rayons de la nageoire dorsale distingue ce poisson de ses proches parents. La bouche infère, formant ventouse, caractérise en revanche la famille. Nageoires pectorales et anale mouchetées. Les mâles adultes sont minces et portent des excroissances à la tête et aux pectorales.

• **HABITAT** Cours d'eau d'Amérique du Sud.
• **REMARQUE** Des segments de tube en plastique feront de bonnes cachettes et des lieux de ponte.
• **AUTRE NOM** *Loricaria* sp.

Ce poisson se confond avec son milieu.

premiers rayons foncés

corps couvert d'un bouclier osseux

AMÉRIQUE DU SUD

filament

Régime Herbivore	Niveau de nage Inférieur	Tempérament

Famille MOCHOKIDÉS	Espèce *Synodontis angelicus*	Taille 20 cm

SILURE-ANGE

Juvéniles noirs, couverts de points blancs. À
l'âge adulte, la couleur tourne au gris terne et
le nombre des points diminue. Nageoire
adipeuse à base longue, typique de la famille,
ponctuée uniquement chez le juvénile,
comme ici. Le dimorphisme sexuel
n'apparaît que chez l'adulte : femelle
plus ronde, mâle éventuellement
plus coloré. Bouche infère, portant
trois paires de barbillons.
- **HABITAT** Eaux lentes du
Zaïre.
- **REMARQUE** Ne peut
être exporté du Zaïre ;
a donc pris
de la valeur.

AFRIQUE
ÉQUATORIALE

nageoire dorsale
érigée

nageoire adipeuse à
base longue

marques
attrayantes chez
le juvénile

œil grand,
placé haut
et en avant

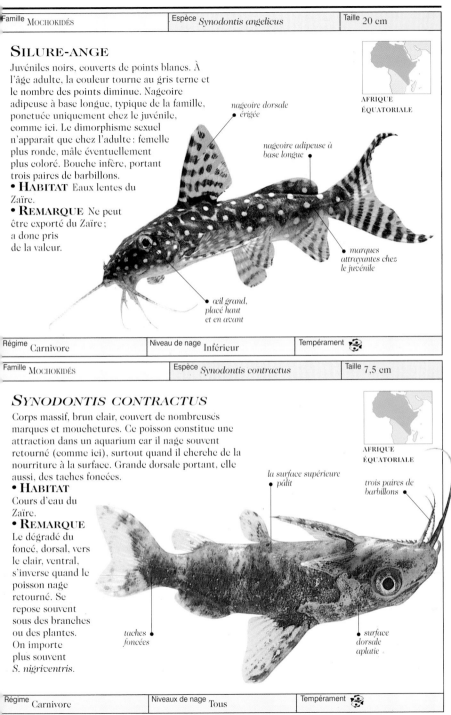

Régime Carnivore	Niveau de nage Inférieur	Tempérament

Famille MOCHOKIDÉS	Espèce *Synodontis contractus*	Taille 7,5 cm

SYNODONTIS CONTRACTUS

Corps massif, brun clair, couvert de nombreuses
marques et mouchetures. Ce poisson constitue une
attraction dans un aquarium car il nage souvent
retourné (comme ici), surtout quand il cherche de la
nourriture à la surface. Grande dorsale portant, elle
aussi, des taches foncées.
- **HABITAT**
Cours d'eau du
Zaïre.
- **REMARQUE**
Le dégradé du
foncé, dorsal, vers
le clair, ventral,
s'inverse quand le
poisson nage
retourné. Se
repose souvent
sous des branches
ou des plantes.
On importe
plus souvent
S. nigriventris.

AFRIQUE
ÉQUATORIALE

la surface supérieure
pâlit

trois paires de
barbillons

taches
foncées

surface
dorsale
aplatie

Régime Carnivore	Niveaux de nage Tous	Tempérament

| Famille CALLICHTHYIDÉS | Espèce *Brochis splendens* | Taille 8 cm |

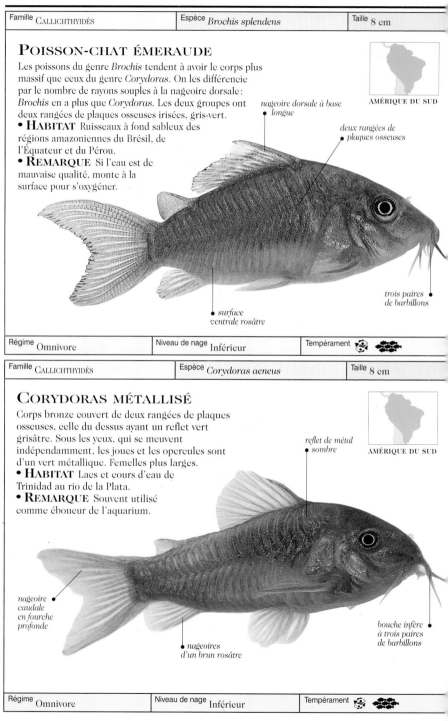

POISSON-CHAT ÉMERAUDE

Les poissons du genre *Brochis* tendent à avoir le corps plus massif que ceux du genre *Corydoras*. On les différencie par le nombre de rayons souples à la nageoire dorsale : *Brochis* en a plus que *Corydoras*. Les deux groupes ont deux rangées de plaques osseuses irisées, gris-vert.
• **HABITAT** Ruisseaux à fond sableux des régions amazoniennes du Brésil, de l'Équateur et du Pérou.
• **REMARQUE** Si l'eau est de mauvaise qualité, monte à la surface pour s'oxygéner.

AMÉRIQUE DU SUD

nageoire dorsale à base longue

deux rangées de plaques osseuses

trois paires de barbillons

surface ventrale rosâtre

| Régime Omnivore | Niveau de nage Inférieur | Tempérament |

| Famille CALLICHTHYIDÉS | Espèce *Corydoras aeneus* | Taille 8 cm |

CORYDORAS MÉTALLISÉ

Corps bronze couvert de deux rangées de plaques osseuses, celle du dessus ayant un reflet vert grisâtre. Sous les yeux, qui se meuvent indépendamment, les joues et les opercules sont d'un vert métallique. Femelles plus larges.
• **HABITAT** Lacs et cours d'eau de Trinidad au rio de la Plata.
• **REMARQUE** Souvent utilisé comme éboueur de l'aquarium.

reflet de métal sombre

AMÉRIQUE DU SUD

nageoire caudale en fourche profonde

bouche infère à trois paires de barbillons

nageoires d'un brun rosâtre

| Régime Omnivore | Niveau de nage Inférieur | Tempérament |

Famille CALLICHTHYIDÉS	Espèce *Corydoras barbatus*	Taille 9 cm

CORYDORAS CHABRAQUE

Ce corydoras, d'une longueur inhabituelle, porte les deux rangées de plaques osseuses caractéristiques du genre. Un réseau de marques foncées couvre la moitié antérieure du corps, et une mince rayure blanc crème traverse la tête, du nez à la dorsale. Les mâles adultes ont des excroissances sur la tête.
• **HABITAT** Fleuves et rivières du Brésil, surtout autour de Rio de Janeiro et de São Paulo.
• **REMARQUE** Actif après la tombée du jour.

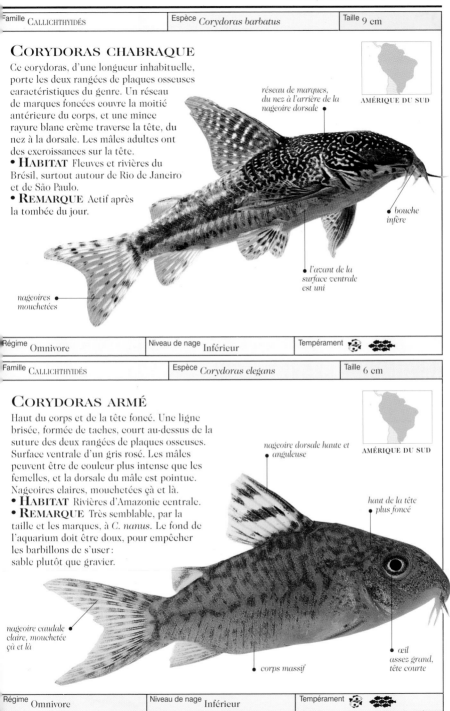

réseau de marques, du nez à l'arrière de la nageoire dorsale

AMÉRIQUE DU SUD

bouche infère

l'avant de la surface ventrale est uni

nageoires mouchetées

Régime Omnivore	Niveau de nage Inférieur	Tempérament

Famille CALLICHTHYIDÉS	Espèce *Corydoras elegans*	Taille 6 cm

CORYDORAS ARMÉ

Haut du corps et de la tête foncé. Une ligne brisée, formée de taches, court au-dessus de la suture des deux rangées de plaques osseuses. Surface ventrale d'un gris rosé. Les mâles peuvent être de couleur plus intense que les femelles, et la dorsale du mâle est pointue. Nageoires claires, mouchetées çà et là.
• **HABITAT** Rivières d'Amazonie centrale.
• **REMARQUE** Très semblable, par la taille et les marques, à *C. nanus*. Le fond de l'aquarium doit être doux, pour empêcher les barbillons de s'user : sable plutôt que gravier.

nageoire dorsale haute et anguleuse

AMÉRIQUE DU SUD

haut de la tête plus foncé

nageoire caudale claire, mouchetée çà et là

œil assez grand, tête courte

corps massif

Régime Omnivore	Niveau de nage Inférieur	Tempérament

| Famille CALLICHTHYIDÉS | Espèce *Corydoras haraldshultzi* | Taille 7,5 cm |

CORYDORAS HARALDSHULTZI

Chez cette espèce, les rangées de plaques osseuses
sont masquées par un réseau de marques foncées.
Corps arrondi, gris-bleu rosâtre ; surface ventrale
pâle. À l'arrière des flancs, les marques forment
des lignes parallèles ; sur la tête, ce sont des
points. Toutes les nageoires, sauf les pelviennes
qui sont claires, portent un réseau similaire.
Les pectorales ont le bord antérieur blanc.
Les mouchetures de la nageoire caudale
s'organisent en rayures verticales. Bouche
infère, à trois paires de barbillons.
• **HABITAT** Ruisseaux à fond
sableux du bassin
amazonien.
• **REMARQUE**
Ressemble à
C. sterbai, bien
que celui-ci ait les
rayures des flancs plus
écartées.

AMÉRIQUE DU SUD

réseau de marques
foncées

nageoire
adipeuse

trois paires
de barbillons

surface
ventrale rosâtre

| Régime Omnivore | Niveau de nage Inférieur | Tempérament |

| Famille CALLICHTHYIDÉS | Espèce *Corydoras leucomelas* | Taille 6 cm |

CORYDORAS LEUCOMELAS

Sauf la surface ventrale et la région entourant la
base des nageoires pectorales, le corps est
couvert de mouchetures noires, nettes et
régulièrement espacées. Une rayure foncée
entoure l'œil et s'incurve vers la nageoire
dorsale. Celle-ci a le bord avant foncé, ainsi
qu'une grande tache qui déborde sur le dos.
Il y a derrière l'œil une zone d'or pâle.
• **HABITAT** Torrents de montagne
en Colombie et au Pérou.
• **REMARQUE** Similaire à
C. ambiacus, plus petit.
Souvent confondu avec
C. punctatus.

AMÉRIQUE DU SUD

zone noire sur
la nageoire dorsale

les mouchetures
de la nageoire caudale
forment des rayures

rayure
foncée
entourant l'œil

tache dorée
derrière l'œil

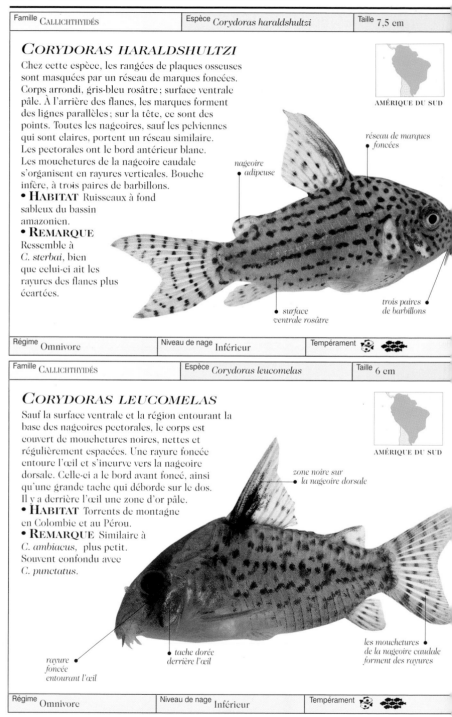

| Régime Omnivore | Niveau de nage Inférieur | Tempérament |

Famille CALLICHTHYIDÉS	Espèce *Corydoras napoensis*	Taille 6 cm

CORYDORAS NAPOENSIS

Ce poisson jaune d'or est couvert de mouchetures noires, qui se rejoignent pour former trois rayures le long des flancs. Celles-ci masquent les rangées, caractéristiques, de plaques osseuses. Occasionnellement, des ocelles dorées apparaissent dans les zones foncées du dessus. Petite zone dorée à l'avant de la dorsale. Tête couverte d'un motif réticulé foncé. Les opercules ont un reflet métallique, et la gorge est blanche.
• **HABITAT** Le rio Napo, affluent occidental de l'Amazone.
• **REMARQUE** Ressemble à *C. nanus*, avec de légères différences à la dorsale et aux marques corporelles.

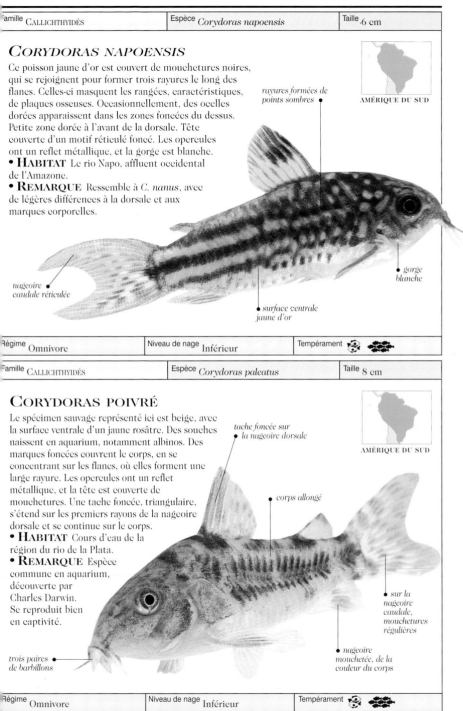

rayures formées de points sombres

AMÉRIQUE DU SUD

gorge blanche

nageoire caudale réticulée

surface ventrale jaune d'or

Régime Omnivore	Niveau de nage Inférieur	Tempérament

Famille CALLICHTHYIDÉS	Espèce *Corydoras paleatus*	Taille 8 cm

CORYDORAS POIVRÉ

Le spécimen sauvage représenté ici est beige, avec la surface ventrale d'un jaune rosâtre. Des souches naissent en aquarium, notamment albinos. Des marques foncées couvrent le corps, en se concentrant sur les flancs, où elles forment une large rayure. Les opercules ont un reflet métallique, et la tête est couverte de mouchetures. Une tache foncée, triangulaire, s'étend sur les premiers rayons de la nageoire dorsale et se continue sur le corps.
• **HABITAT** Cours d'eau de la région du rio de la Plata.
• **REMARQUE** Espèce commune en aquarium, découverte par Charles Darwin. Se reproduit bien en captivité.

tache foncée sur la nageoire dorsale

AMÉRIQUE DU SUD

corps allongé

sur la nageoire caudale, mouchetures régulières

nageoire mouchetée, de la couleur du corps

trois paires de barbillons

Régime Omnivore	Niveau de nage Inférieur	Tempérament

LOCHES

L ES COBITIDÉS, ou loches, se répartissent à travers l'Eurasie, de l'Afrique du Nord au Pacifique. Ils portent des
barbillons et certaines espèces ont une
épine érectile près de chaque œil. Leur
ventre est plat, car ce sont des hôtes du
fond. Timides et nocturnes, ils peuvent
ne se montrer que si on les appâte avec
un de leurs vifs favoris, de préférence un
ver.

Famille COBITIDÉS	Espèce *Acanthophthalmus kuhlii*	Taille 11 cm

KUHLI

Loche de couleur dorée, au ventre rosé. Des bandes brun-noir verticales
barrent le corps, sans l'entourer. L'une d'elles dissimule l'œil, petit ; la
plupart sont coupées d'une mince ligne jaune. Sous certains éclairages,
on voit la grande arête et la poche d'organes.
• **HABITAT** Ruisseaux de Bornéo, Java, Malaisie, Sumatra et Thaïlande.
• **REMARQUE** *Acanthophthalmus* signifie « œil épineux », en
raison de la présence d'une épine sous chaque œil. Poisson
malaisé à attraper.
• **AUTRES NOMS** Chaussette, loche svelte.

SUD-EST ASIATIQUE

bandes foncées,
coupées par
• une ligne
jaune

• nageoires anale
et dorsale très
en arrière

Régime Carnivore	Niveau de nage Inférieur	Tempérament

Famille COBITIDÉS	Espèce *Acanthopsis choirorhynchus*	Taille 20 cm

ACANTHOPSIS CHOIRORHYNCHUS

Forme allongée, tête longue et effilée. Fond beige doré,
semé de taches foncées, également réparties sur
la ligne du milieu ; de petites bandes transversales
et une rangée de mouchetures foncées marquent
la surface dorsale. La couleur peut varier d'un
spécimen à l'autre.
• **HABITAT** Ruisseaux rapides de
Myanma, Java, Sumatra et
Thaïlande.
• **AUTRE NOM** Tali.

SUD-EST ASIATIQUE

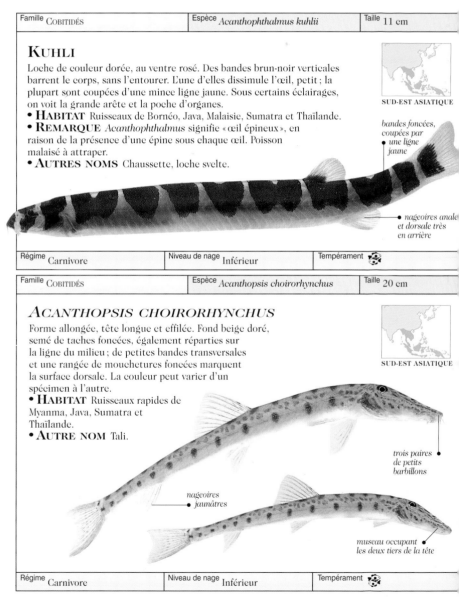

trois paires •
de petits
barbillons

nageoires
• jaunâtres

museau occupant •
les deux tiers de la tête

Régime Carnivore	Niveau de nage Inférieur	Tempérament

Famille COBITIDÉS	Espèce *Botia horae*	Taille 10 cm

LOCHE D'HORAS

Le corps parfaitement fuselé de cette loche est gris crème, le bas des flancs et le ventre étant plus pâles et argentés. Une rayure sombre longe la surface dorsale, et une bande entoure le pédoncule caudal. Les écailles étant très petites, la peau a un aspect mat.

• **HABITAT** Cours d'eau de Thaïlande ; présent dans le nord de l'Inde.

• **REMARQUE** Normalement, se repose le jour parmi les plantes ou dans une cachette.

• **AUTRE NOM** Récemment reclassé comme *B. morleti*.

ASIE DU SUD

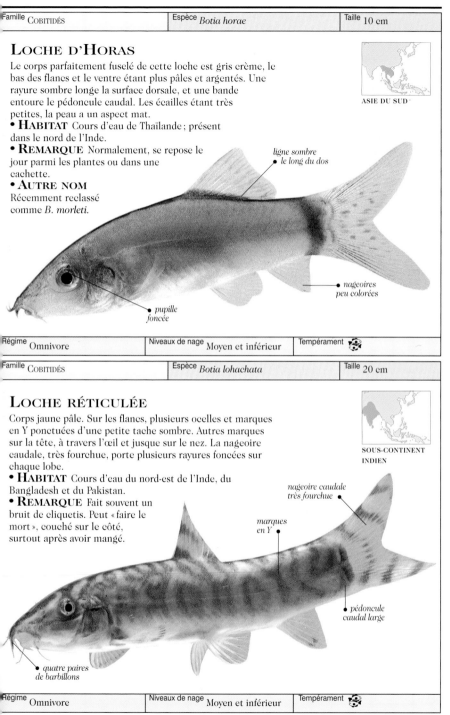

ligne sombre le long du dos

nageoires peu colorées

pupille foncée

Régime Omnivore	Niveaux de nage Moyen et inférieur	Tempérament

Famille COBITIDÉS	Espèce *Botia lohachata*	Taille 20 cm

LOCHE RÉTICULÉE

Corps jaune pâle. Sur les flancs, plusieurs ocelles et marques en Y ponctuées d'une petite tache sombre. Autres marques sur la tête, à travers l'œil et jusque sur le nez. La nageoire caudale, très fourchue, porte plusieurs rayures foncées sur chaque lobe.

• **HABITAT** Cours d'eau du nord-est de l'Inde, du Bangladesh et du Pakistan.

• **REMARQUE** Fait souvent un bruit de cliquetis. Peut «faire le mort», couché sur le côté, surtout après avoir mangé.

SOUS-CONTINENT INDIEN

nageoire caudale très fourchue

marques en Y

pédoncule caudal large

quatre paires de barbillons

Régime Omnivore	Niveaux de nage Moyen et inférieur	Tempérament

Famille COBITIDÉS	Espèce *Botia macracantha*	Taille 30 cm

LOCHE-CLOWN

Trois bandes noires traversent le corps arqué, de couleur
orange. Nageoires pectorales, pelviennes et
caudale sont d'un rouge orangé ; dorsale et
anale noires, à bord clair. Ses petites écailles
donnent à ce poisson une peau douce et
mate. Épine érectile devant l'œil : elle
peut se prendre dans une épuisette.
• **HABITAT** Ruisseaux
d'Indonésie et de
Sumatra ; présent à
Bornéo.
• **REMARQUE**
Peut être
hébergé en
nombre.

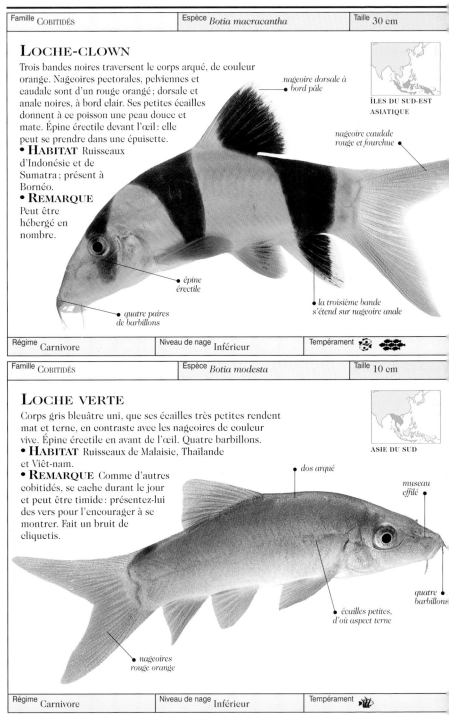

*nageoire dorsale à
bord pâle*

**ÎLES DU SUD-EST
ASIATIQUE**

*nageoire caudale
rouge et fourchue*

*épine
érectile*

*la troisième bande
s'étend sur nageoire anale*

*quatre paires
de barbillons*

Régime Carnivore	Niveau de nage Inférieur	Tempérament

Famille COBITIDÉS	Espèce *Botia modesta*	Taille 10 cm

LOCHE VERTE

Corps gris bleuâtre uni, que ses écailles très petites rendent
mat et terne, en contraste avec les nageoires de couleur
vive. Épine érectile en avant de l'œil. Quatre barbillons.
• **HABITAT** Ruisseaux de Malaisie, Thaïlande
et Viêt-nam.
• **REMARQUE** Comme d'autres
cobitidés, se cache durant le jour
et peut être timide : présentez-lui
des vers pour l'encourager à se
montrer. Fait un bruit de
cliquetis.

dos arqué

ASIE DU SUD

*museau
effilé*

*quatre
barbillons*

*écailles petites,
d'où aspect terne*

*nageoires
rouge orange*

Régime Carnivore	Niveau de nage Inférieur	Tempérament

Famille COBITIDÉS	Espèce *Botia sidthimunki*	Taille 7,5 cm

LOCHE NAINE

Une marque sombre en forme de chaîne occupe la moitié
supérieure, or pâle, métallique, du corps; chez
les spécimens matures, elle peut descendre
plus bas sur les flancs. Le bas de cette chaîne
dessine une ligne foncée, du nez à la nageoire
caudale. Ventre blanc et or.
Toutes les nageoires, sauf la
caudale, sont claires et unies.
• **HABITAT** Ruisseaux de
Thaïlande.
• **REMARQUE** Se « repose »
souvent en se perchant sur
ses pelviennes.

marques sombres
en forme
de chaîne

ASIE DU SUD

quatre
paires de
barbillons

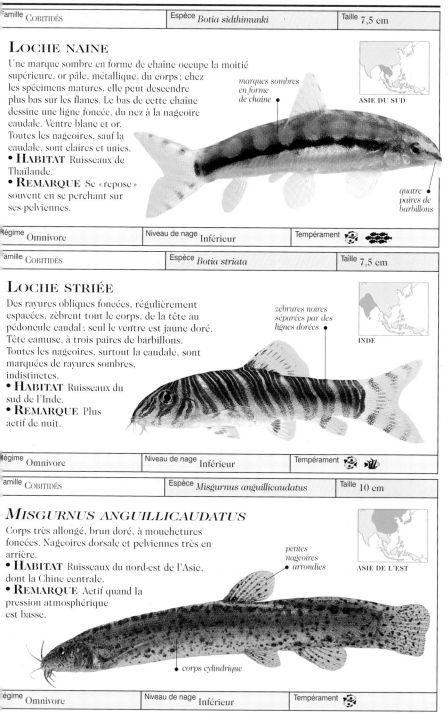

Régime Omnivore	Niveau de nage Inférieur	Tempérament

Famille COBITIDÉS	Espèce *Botia striata*	Taille 7,5 cm

LOCHE STRIÉE

Des rayures obliques foncées, régulièrement
espacées, zèbrent tout le corps, de la tête au
pédoncule caudal ; seul le ventre est jaune doré.
Tête camuse, à trois paires de barbillons.
Toutes les nageoires, surtout la caudale, sont
marquées de rayures sombres,
indistinctes.
• **HABITAT** Ruisseaux du
sud de l'Inde.
• **REMARQUE** Plus
actif de nuit.

zébrures noires
séparées par des
lignes dorées

INDE

Régime Omnivore	Niveau de nage Inférieur	Tempérament

Famille COBITIDÉS	Espèce *Misgurnus anguillicaudatus*	Taille 10 cm

MISGURNUS ANGUILLICAUDATUS

Corps très allongé, brun doré, à mouchetures
foncées. Nageoires dorsale et pelviennes très en
arrière.
• **HABITAT** Ruisseaux du nord-est de l'Asie,
dont la Chine centrale.
• **REMARQUE** Actif quand la
pression atmosphérique
est basse.

petites
nageoires
arrondies

ASIE DE L'EST

corps cylindrique

Régime Omnivore	Niveau de nage Inférieur	Tempérament

AUTRES POISSONS TROPICAUX OVIPARES

B EAUCOUP de poissons tropicaux ovipares sont monotypiques (c'est-à-dire qu'il n'y a qu'une espèce par genre) et bon nombre de genres ne contiennent que peu d'espèces. Nous avons rassemblé ici ces petits groupes, très divers, qu contiennent souvent les poissons les plu curieux, comme les mastacembélidés, le perches de verre, ou les mélanotænias qu ont deux nageoires dorsales.

Famille BADIDÉS	Espèce *Badis badis*	Taille 6,5 cm

POISSON-CAMÉLÉON

Coloration très variable, et changeante en fonction du milieu ambiant. La couleur de base est brune mais, chez un spécimen heureux, elle peut s'orner d'un réseau de petites taches rouges et bleues. Les femelles sont de teinte plus neutre, surtout en période de frai, quand les couleurs des mâles s'avivent considérablement.
• **HABITAT** Eaux dormantes de l'Inde.
• **REMARQUE** Se reproduit très discrètement, en enfonçant ses œufs dans la paroi supérieure de trous rocheux, après que le mâle s'est livré à des démonstrations de force. Préfère les nourritures vivantes.
• **AUTRES NOMS** Autrefois classé dans la famille des nandidés. Perche bleue.

INDE

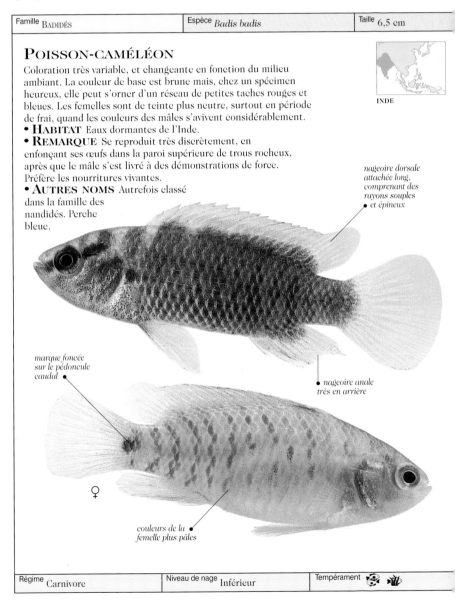

nageoire dorsale attachée long, comprenant des rayons souples et épineux

marque foncée sur le pédoncule caudal

♀

nageoire anale très en arrière

couleurs de la femelle plus pâles

Régime Carnivore	Niveau de nage Inférieur	Tempérament

Famille ATHÉRINIDÉS	Espèce *Bedotia geayi*	Taille 10 cm

ARC-EN-CIEL DE MADAGASCAR

Poisson élancé, de couleur jaune verdâtre clair, avec un reflet
bleu violacé sous éclairage rasant. Ligne foncée du museau à
la nageoire caudale. La première des deux nageoires dorsales
est généralement repliée vers le bas. La seconde, ainsi que
l'anale, sont très en arrière ; celles du mâle sont foncées,
avec des rayures d'un jaune orangé et un bord sombre ;
celles de la femelle ne portent que cette bordure.
• **HABITAT** Ruisseaux de Madagascar.
• **REMARQUE** Espèce active
et grégaire, ayant besoin de
beaucoup d'espace. Tolère
l'eau dure.

AFRIQUE
TROPICALE

première nageoire
• dorsale repliée

bouche
supère,
tête petite

ligne
longitudinale foncée

rayures jaune •
orange sur la nageoire
anale du mâle

Régime Carnivore	Niveaux de nage Supérieur et moyen	Tempérament

Famille GOBIIDÉS	Espèce *Brachygobius doriae*	Taille 5 cm

POISSON-ABEILLE DE DORIA

Des bandes jaune pâle, de différentes largeurs, encerclent le
corps bleu-noir mat des plus beaux spécimens. Les deux
nageoires dorsales et l'anale ont la base foncée et les bords
extérieurs pâles. Les pelviennes, soudées, sont un trait
distinctif de tous les gobiidés ; elles forment une ventouse,
qui ancre le poisson quand le courant est rapide. Pas de
vessie natatoire.
• **HABITAT** Eaux saumâtres de Bornéo,
Java, Malaisie et Thaïlande.
• **REMARQUE** Demande des
plantes, des cachettes et la
compagnie de spécimens
de son espèce ou
d'autres poissons
pacifiques. On
peut ajouter
à son eau un peu
de sel marin.

ÎLES DU SUD-EST
ASIATIQUE

bandes jaune
• pâle

tête large •
et camuse,
bouche grande

nageoires pelviennes
soudées formant ventouse

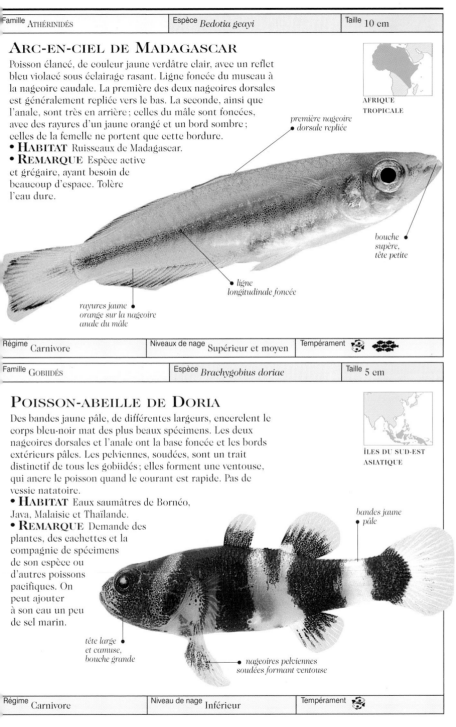

Régime Carnivore	Niveau de nage Inférieur	Tempérament

Famille CENTROPOMIDÉS	Espèce *Chanda ranga*	Taille 7 cm

POISSON DE VERRE

Coloration à peu près inexistante, ou vaguement jaunâtre, mais rehaussée d'irisations bleues sous éclairage rasant, et influencée par les couleurs de l'arrière-plan. L'opercule et la ligne latérale sont soulignés d'argent, et une poche argentée contient les organes internes. Nageoire dorsale à l'avant épineux. Dimorphisme sexuel faible.
• **HABITAT** Surtout estuaires de Thaïlande et de Myanma ; présent en Inde.
• **REMARQUE** Un aquarium spécifique est à conseiller.

ASIE DU SUD

nageoire dorsale épineuse à l'avant

nageoire caudale très fourchue

bouche supère

ligne latérale argentée

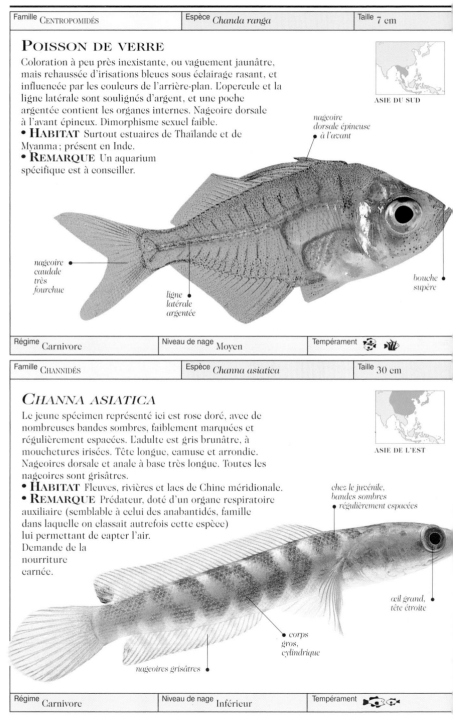

Régime Carnivore	Niveau de nage Moyen	Tempérament

Famille CHANNIDÉS	Espèce *Channa asiatica*	Taille 30 cm

CHANNA ASIATICA

Le jeune spécimen représenté ici est rose doré, avec de nombreuses bandes sombres, faiblement marquées et régulièrement espacées. L'adulte est gris brunâtre, à moucheures irisées. Tête longue, camuse et arrondie. Nageoires dorsale et anale à base très longue. Toutes les nageoires sont grisâtres.
• **HABITAT** Fleuves, rivières et lacs de Chine méridionale.
• **REMARQUE** Prédateur, doté d'un organe respiratoire auxiliaire (semblable à celui des anabantidés, famille dans laquelle on classait autrefois cette espèce) lui permettant de capter l'air. Demande de la nourriture carnée.

ASIE DE L'EST

chez le juvénile, bandes sombres régulièrement espacées

œil grand, tête étroite

corps gros, cylindrique

nageoires grisâtres

Régime Carnivore	Niveau de nage Inférieur	Tempérament

Famille LOBOTIDÉS	Espèce *Datnioides microlepis*	Taille 40 cm

PERCHE-TIGRE

Poisson puissamment bâti, brun jaunâtre, à rayures
verticales sombres. Ligne pâle à bords foncés, du
nez à la nageoire dorsale, le long du front. La dorsale, à
base longue, porte la continuation des marques du corps;
l'avant en est épineux, à bord noir; l'arrière clair, à
rayons souples. Nageoires pelviennes foncées, aux
bords antérieurs crème. Base de la caudale à
bord foncé.

ASIE DU SUD

• **HABITAT** Cours d'eau de
Thaïlande, Bornéo et Sumatra.
• **REMARQUE** Prédateur,
hantant souvent les
eaux saumâtres : on
peut donc ajouter
du sel marin.
Demande un
aquarium à
plantations
denses, avec
des cachettes.
Alimentation carnée; mange les
poissons plus petits.

*rayures verticales
foncées*

*nageoire anale
traversée d'une rayure*

Régime Carnivore	Niveaux de nage Moyen et inférieur	Tempérament

Famille MÉLANOTÉNIIDÉS	Espèce *Glossolepis incisus*	Taille 15 cm

POISSON ARC-EN-CIEL
DE NOUVELLE-GUINÉE

Museau très pointu. Chez les spécimens mâles parfaits, la
coloration se distingue par la distribution inégale d'écailles
chrome ou argent à bord rouge vif, donnant un effet orange
argenté. Deux nageoires dorsales, la seconde plus grande.
Le mâle a le dos plus arqué; la femelle, d'un vert
argenté, est plus mince.

OCÉANIE

• **HABITAT** Lac Sentani, dans le nord
de la Papouasie-Nouvelle-Guinée.
• **REMARQUE** Grégaire, doit
cohabiter avec d'autres
mélanoténiidés.
Tolère l'eau
dure.

*seconde nageoire dorsale
plus grande*

♀

*femelle de couleur
vert pâle argenté*

*museau
pointu*

*nageoire anale
à base longue*

Régime Omnivore	Niveau de nage Moyen	Tempérament

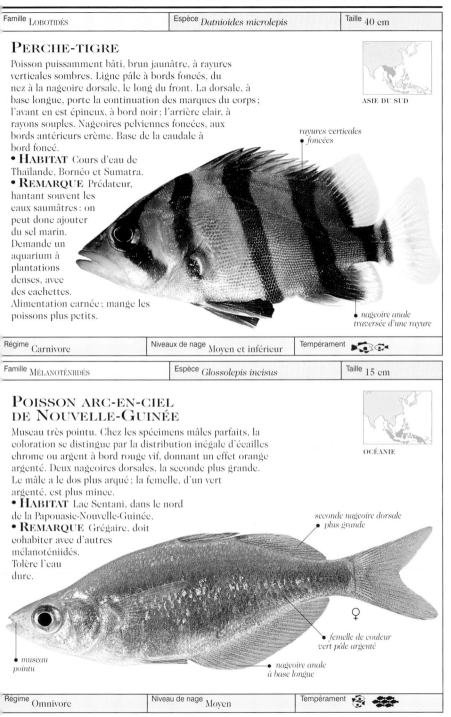

Famille MORMYRIDÉS	Espèce *Gnathonemus petersi*	Taille 23 cm

POISSON-ÉLÉPHANT

La tête occupe à peu près le quart de la longueur du corps.
La mâchoire inférieure, semblable à un doigt, est étrangement
allongée, d'où le nom vernaculaire. Tête équilibrée par un pédoncule
caudal long et étroit. Coloration d'un gris très foncé, avec sur les
flancs deux marques blanchâtres en parenthèses, entre les nageoires
dorsale et anale attachées très en arrière. Caudale étroite et très
fourchue. Pectorales en aileron, pelviennes petites.

• **HABITAT** Cours d'eau du Nigeria, du Cameroun et du Zaïre.

• **REMARQUE** Espèce nocturne ; émet des
impulsions électriques qui lui permettent de
naviguer dans l'obscurité ou dans des
eaux boueuses. Très sensible aux
changements de l'eau, a été utilisée
dans l'industrie pour en contrôler la
qualité.

*nageoire caudale
très fourchue* •

• *pédoncule
caudal long
et étroit*

• *nageoire anale
attachée long et
très en arrière*

• *marques blanchâtres
en parenthèses sur le flanc*

• *mâchoire
inférieure
longue et digitée*

**AFRIQUE
TROPICALE**

La mâchoire allongée sert à fouiller le substrat.

Régime Carnivore	Niveau de nage Inférieur	Tempérament

Famille GYRINOCHÉILIDÉS	Espèce *Gyrinocheilus aymonieri*	Taille 25 cm

GYRINO

Poisson allongé, de couleur brune, aux écailles à bord foncé. Bande foncée du museau au pédoncule caudal. Bouche infère, formant ventouse, avec laquelle le poisson racle les algues. Quand celui-ci reste fixé sur une surface plane, comme la vitre de l'aquarium, la circulation d'eau se fait par des fentes spéciales de la tête.

ASIE DU SUD

• **HABITAT** Cours d'eau de Thaïlande et du Laos.
• **REMARQUE** L'un des meilleurs consommateurs d'algues utilisés pour la propreté de l'aquarium. Mange aussi des laitues blanchies et de la nourriture sèche. Peut devenir agressif avec l'âge.

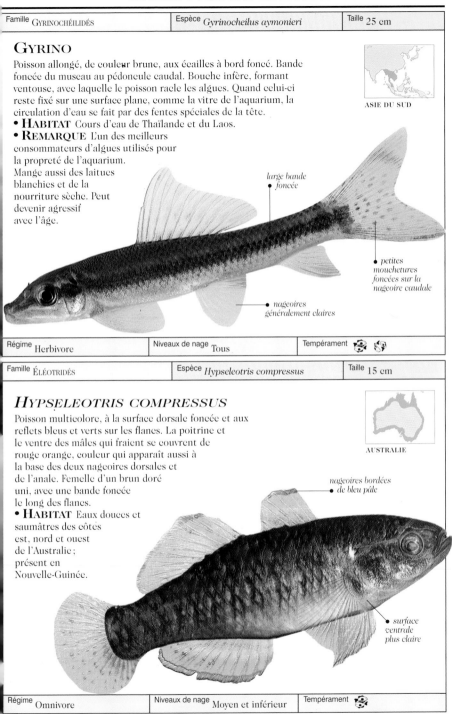

*large bande
foncée*

*petites
mouchetures
foncées sur la
nageoire caudale*

*nageoires
généralement claires*

Régime Herbivore	Niveaux de nage Tous	Tempérament

Famille ÉLÉOTRIDÉS	Espèce *Hypseleotris compressus*	Taille 15 cm

HYPSELEOTRIS COMPRESSUS

Poisson multicolore, à la surface dorsale foncée et aux reflets bleus et verts sur les flancs. La poitrine et le ventre des mâles qui fraient se couvrent de rouge orange, couleur qui apparaît aussi à la base des deux nageoires dorsales et de l'anale. Femelle d'un brun doré uni, avec une bande foncée le long des flancs.

AUSTRALIE

• **HABITAT** Eaux douces et saumâtres des côtes est, nord et ouest de l'Australie ; présent en Nouvelle-Guinée.

*nageoires bordées
de bleu pâle*

*surface
ventrale
plus claire*

Régime Omnivore	Niveaux de nage Moyen et inférieur	Tempérament

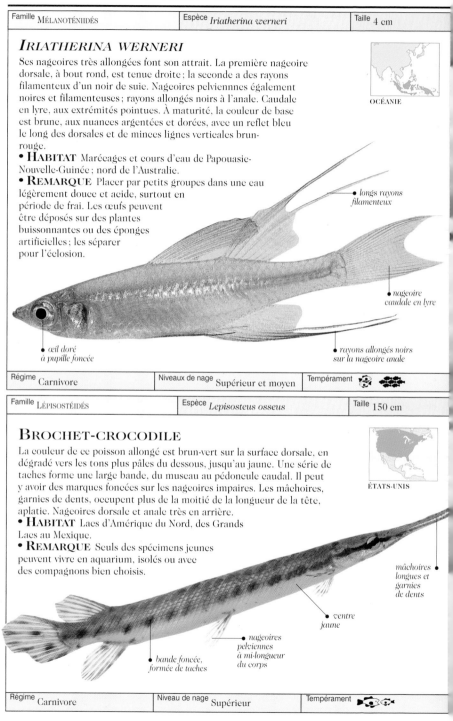

Famille MÉLANOTÉNIIDÉS	Espèce *Iriatherina werneri*	Taille 4 cm

IRIATHERINA WERNERI

Ses nageoires très allongées font son attrait. La première nageoire dorsale, à bout rond, est tenue droite ; la seconde a des rayons filamenteux d'un noir de suie. Nageoires pelviennnes également noires et filamenteuses ; rayons allongés noirs à l'anale. Caudale en lyre, aux extrémités pointues. À maturité, la couleur de base est brune, aux nuances argentées et dorées, avec un reflet bleu le long des dorsales et de minces lignes verticales brun-rouge.

- **HABITAT** Marécages et cours d'eau de Papouasie-Nouvelle-Guinée ; nord de l'Australie.
- **REMARQUE** Placer par petits groupes dans une eau légèrement douce et acide, surtout en période de frai. Les œufs peuvent être déposés sur des plantes buissonnantes ou des éponges artificielles ; les séparer pour l'éclosion.

OCÉANIE

• longs rayons filamenteux

• nageoire caudale en lyre

• œil doré à pupille foncée

• rayons allongés noirs sur la nageoire anale

Régime Carnivore	Niveaux de nage Supérieur et moyen	Tempérament

Famille LÉPISOSTÉIDÉS	Espèce *Lepisosteus osseus*	Taille 150 cm

BROCHET-CROCODILE

La couleur de ce poisson allongé est brun-vert sur la surface dorsale, en dégradé vers les tons plus pâles du dessous, jusqu'au jaune. Une série de taches forme une large bande, du museau au pédoncule caudal. Il peut y avoir des marques foncées sur les nageoires impaires. Les mâchoires, garnies de dents, occupent plus de la moitié de la longueur de la tête, aplatie. Nageoires dorsale et anale très en arrière.

- **HABITAT** Lacs d'Amérique du Nord, des Grands Lacs au Mexique.
- **REMARQUE** Seuls des spécimens jeunes peuvent vivre en aquarium, isolés ou avec des compagnons bien choisis.

ÉTATS-UNIS

• mâchoires longues et garnies de dents

• ventre jaune

• nageoires pelviennes à mi-longueur du corps

• bande foncée, formée de taches

Régime Carnivore	Niveau de nage Supérieur	Tempérament

| Famille MASTACEMBÉLIDÉS | Espèce *Mastacembelus armatus* | Taille 75 cm |

ANGUILLE ÉPINEUSE GÉANTE

Poisson anguilliforme doré dessus, brun foncé dessous.
Deux rangées de taches ovales sur la surface ventrale.
Nageoires dorsale, anale et caudale ne font qu'une,
en entourant l'arrière du corps.
• **HABITAT** Lits herbeux de ruisseaux
en Inde, en Thaïlande
et à Sumatra.
• **REMARQUE**
Surtout
nocturne,
s'ensevelit dans
le substrat. Lui
donner des vers.

*bande brun
foncé*

ASIE DU SUD

*une rayure
masque l'œil,
petit*

*taches ovales
sur la surface
ventrale*

| Régime Carnivore | Niveau de nage Inférieur | Tempérament |

| Famille MASTACEMBÉLIDÉS | Espèce *Mastacembelus circumcinctus* | Taille 20 cm |

ANGUILLE ÉPINEUSE À CEINTURE

Les deux tiers arrière de ce poisson brun doré sont traversés verticalement
par des rayures foncées qui, là où elles sont le plus larges, forment une ligne
interrompue, le long des flancs. Nageoire dorsale précédée d'une
rangée de petites épines.
• **HABITAT** Lits de
ruisseaux en Thaïlande.
• **REMARQUE**
N'héberger qu'avec
des poissons plus
grands ou des
congénères.

ASIE DU SUD

*nageoires entourant
la moitié arrière du corps*

*ligne foncée
interrompue*

| Régime Carnivore | Niveau de nage Inférieur | Tempérament |

| Famille MASTACEMBÉLIDÉS | Espèce *Mastacembelus erythrotaenia* | Taille 20 cm |

ANGUILLE-POINTE-DE-FEU

Des lignes horizontales discontinues, rouge feu, longent
le corps brun-noir. Caudale bordée de rouge.
• **HABITAT** Lits de ruisseaux du Sud-Est asiatique.
• **REMARQUE** Attrayant, souvent hébergé seul ou
dans un aquarium spécifique : ne jamais l'associer
à des poissons
plus petits.
• **AUTRE
NOM**
Anguille
épineuse
à bandes
rouges.

brun-noir

SUD-EST
ASIATIQUE

*lignes rouges
discontinues*

*marques
jaune-rouge
sur la tête*

| Régime Carnivore | Niveau de nage Inférieur | Tempérament |

Famille MÉLANOTÉNIIDÉS	Espèce *Melanotaenia boesmani*	Taille 10 cm

ARC-EN-CIEL DE BOESMAN

L'avant du corps bicolore est bleu grisâtre, l'arrière jaune
uni. Comme chez beaucoup de ces « poissons arc-en-ciel », il
y a deux nageoires dorsales. La postérieure et l'anale ont les
bords pâles et la base longue, partageant la couleur jaune
de la nageoire caudale. Mâles généralement plus colorés.
• **HABITAT** Ruisseaux et lacs de Papouasie-Nouvelle-
Guinée.
• **REMARQUE** Préfère une eau dure,
franchement alcaline.
• **AUTRE NOM** Autrefois
classé dans la famille des
athérinidés.

OCÉANIE

*museau
pointu*

*nageoire
caudale
marquée
de jaune*

*nageoire anale
à bord pâle*

*nageoires
pelviennes grisâtres*

Régime Omnivore	Niveau de nage Moyen	Tempérament

Famille MÉLANOTÉNIIDÉS	Espèce *Melanotaenia herbertaxelrodi*	Taille 9 cm

ARC-EN-CIEL DE HERBERT AXELROD

Le jeune mâle représenté ici arbore des teintes jaunâtres sur
les surfaces dorsale et ventrale. Une bande bleue, plus foncée,
va de l'œil au pédoncule caudal. La seconde nageoire dorsale
et l'anale ont la base bordée de jaune, le reste étant
quasiment incolore. Les spécimens matures, surtout
les mâles, sont d'un jaune plus vif.
• **HABITAT** Ruisseaux et lacs de Papouasie-
Nouvelle-Guinée.
• **REMARQUE** Cette espèce, populaire, porte
le nom d'un éditeur et aquariophile
américain de renom.

OCÉANIE

*bande
bleue*

*couleur jaunâtre
chez le juvénile*

*nageoire anale
à base jaune*

*nageoire
caudale
arrondie*

*œil grand,
tête petite*

Régime Omnivore	Niveau de nage Moyen	Tempérament

Famille MÉLANOTÉNIIDÉS	Espèce *Melanotaenia lacustris*	Taille 10 cm

POISSON ARC-EN-CIEL TURQUOISE

Une bande bleue, plutôt foncée, va, le long des flancs, de mi-corps au pédoncule caudal du juvénile représenté ici. La couleur générale du corps est gris-bleu pâle. Chez les spécimens matures, la moitié supérieure est d'un bleu verdâtre profond, l'inférieure plus claire. Mâles généralement plus colorés.

• **HABITAT** Lac Katubu, dans le sud de la Papouasie-Nouvelle-Guinée.
• **REMARQUE** Le terme latin de *lacustris* indique bien un habitat lacustre. Forme très semblable à celle du poisson arc-en-ciel nain ci-dessous.

OCÉANIE

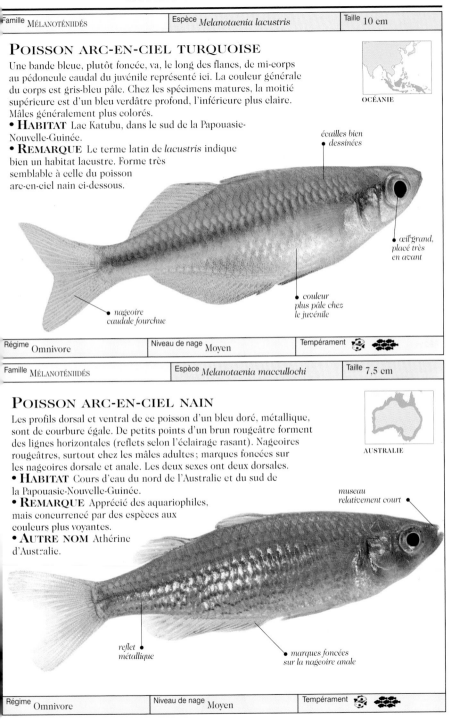

écailles bien
• dessinées

• œil grand,
placé très
en avant

• couleur
plus pâle chez
le juvénile

• nageoire
caudale fourchue

Régime Omnivore	Niveau de nage Moyen	Tempérament

Famille MÉLANOTÉNIIDÉS	Espèce *Melanotaenia maccullochi*	Taille 7,5 cm

POISSON ARC-EN-CIEL NAIN

Les profils dorsal et ventral de ce poisson d'un bleu doré, métallique, sont de courbure égale. De petits points d'un brun rougeâtre forment des lignes horizontales (reflets selon l'éclairage rasant). Nageoires rougeâtres, surtout chez les mâles adultes ; marques foncées sur les nageoires dorsale et anale. Les deux sexes ont deux dorsales.

• **HABITAT** Cours d'eau du nord de l'Australie et du sud de la Papouasie-Nouvelle-Guinée.
• **REMARQUE** Apprécié des aquariophiles, mais concurrencé par des espèces aux couleurs plus voyantes.
• **AUTRE NOM** Athérine d'Australie.

AUSTRALIE

museau
relativement court •

reflet •
métallique

• marques foncées
sur la nageoire anale

Régime Omnivore	Niveau de nage Moyen	Tempérament

Famille MÉLANOTÉNIIDÉS	Espèce *Melanotaenia splendida*	Taille 12 cm

POISSON ARC-EN-CIEL DE CAP YORK

Violet argenté, avec des rangées de minces rayures brun-rouge,
formées par les bords foncés des écailles. Sous lumière rasante,
ces couleurs peuvent varier jusqu'à inclure des bleu-vert
métalliques. Tête pointue, œil placé en avant. Deux nageoires
dorsales. Toutes les nageoires sont mouchetées de brun
rougeâtre. Chez les mâles, dessous parfois plus rouge.
• **HABITAT** Cours d'eau du golfe de
Carpentarie (nord de l'Australie).
• **REMARQUE** Poisson
actif, demandant
beaucoup d'espace.

AUSTRALIE

rayures
brun-rouge

corps
violet argenté

mouchetures
brun-rouge sur
les nageoires

♀

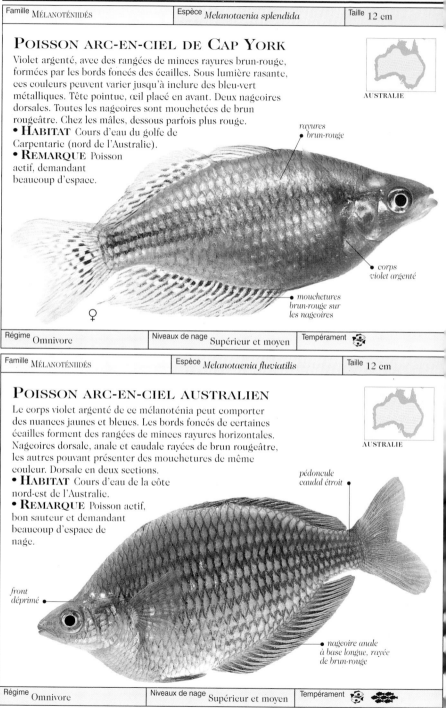

Régime Omnivore	Niveaux de nage Supérieur et moyen	Tempérament

Famille MÉLANOTÉNIIDÉS	Espèce *Melanotaenia fluviatilis*	Taille 12 cm

POISSON ARC-EN-CIEL AUSTRALIEN

Le corps violet argenté de ce mélanténia peut comporter
des nuances jaunes et bleues. Les bords foncés de certaines
écailles forment des rangées de minces rayures horizontales.
Nageoires dorsale, anale et caudale rayées de brun rougeâtre,
les autres pouvant présenter des mouchetures de même
couleur. Dorsale en deux sections.
• **HABITAT** Cours d'eau de la côte
nord-est de l'Australie.
• **REMARQUE** Poisson actif,
bon sauteur et demandant
beaucoup d'espace de
nage.

AUSTRALIE

pédoncule
caudal étroit

front
déprimé

nageoire anale
à base longue, rayée
de brun-rouge

Régime Omnivore	Niveaux de nage Supérieur et moyen	Tempérament

Famille NANDIDÉS	Espèce *Monocirrhus polyacanthus*	Taille 10 cm

POISSON-FEUILLE

Couleur variant suivant les besoins du mimétisme mais généralement d'un brun doré, avec des taches irrégulières d'un brun plus foncé, le tout ayant l'aspect d'une feuille morte. Bouche très grande et pouvant s'ouvrir en entonnoir pour la quête de nourriture. Une mince ligne horizontale, foncée, longe le flanc ; il y en a deux similaires sur la tête, formant un V à partir de l'œil. La dorsale, attachée long, est épineuse ; la caudale est souvent maintenue serrée quand le poisson nage dans sa position caractéristique, la tête en bas.

• **HABITAT** Cours d'eau d'Amazonie et de Guyana.

• **REMARQUE** S'approche de sa proie en imitant une feuille morte, puis l'engloutit en usant de sa bouche protractile. Il lui faut beaucoup de plantes où se mettre à l'affût, et beaucoup de poissons à happer. Œufs déposés sur des surfaces planes ; les alevins doivent être bien nourris de vifs.

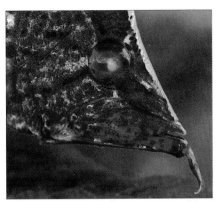

La longue excroissance du menton ressemble au pédoncule d'une feuille.

épines sur la nageoire dorsale, à base longue •

nageoire caudale tenue serrée •

la bouche s'ouvre en entonnoir •

coloration mimétique •

marque en V derrière l'œil •

AMÉRIQUE DU SUD

Régime Carnivore	Niveaux de nage Tous	Tempérament

Famille MONODACTYLIDÉS	Espèce *Monodactylus argenteus*	Taille 23 cm

POISSON-LUNE

Corps discoïde, comprimé latéralement,
comme chez les scalaires (*voir p. 122*).
Écailles très petites sur un corps argenté.
Œil grand, traversé par une rayure foncée.
Une autre, un peu plus étroite, naît à
l'avant de la nageoire
dorsale. On voit la ligne
latérale, très arquée. Les
nageoires impaires sont
jaune orange, le bord
antérieur de la dorsale
et de l'anale étant noir.
• **HABITAT** Eaux
côtières et portuaires
de l'Inde à Tahiti,
aux Philippines et
à l'Australie.
• **REMARQUE** Héberger
de préférence en groupe,
dans une grande cuve d'eau
saumâtre. Mange les plantes.

*ligne latérale
• visible*

INDOPACIFIQUE

*• rayure
foncée à
travers l'œil*

*• nageoire
caudale
jaune orange*

*• nageoire anale
à bord noir*

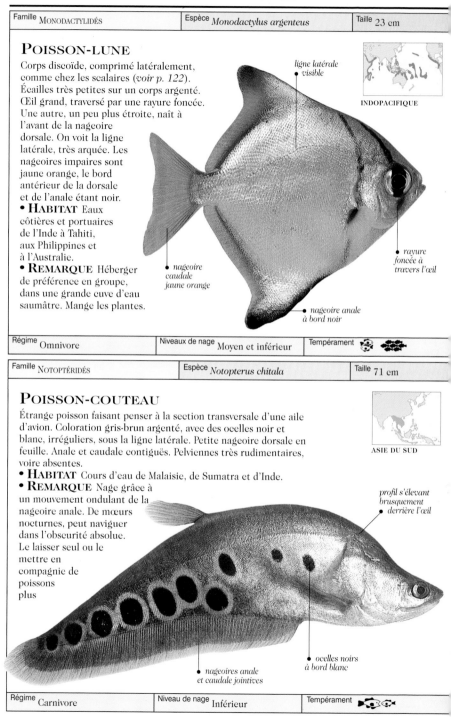

Régime Omnivore	Niveaux de nage Moyen et inférieur	Tempérament

Famille NOTOPTÉRIDÉS	Espèce *Notopterus chitala*	Taille 71 cm

POISSON-COUTEAU

Étrange poisson faisant penser à la section transversale d'une aile
d'avion. Coloration gris-brun argenté, avec des ocelles noir et
blanc, irréguliers, sous la ligne latérale. Petite nageoire dorsale en
feuille. Anale et caudale contiguës. Pelviennes très rudimentaires,
voire absentes.
• **HABITAT** Cours d'eau de Malaisie, de Sumatra et d'Inde.
• **REMARQUE** Nage grâce à
un mouvement ondulant de la
nageoire anale. De mœurs
nocturnes, peut naviguer
dans l'obscurité absolue.
Le laisser seul ou le
mettre en
compagnie de
poissons
plus

ASIE DU SUD

*profil s'élevant
brusquement
• derrière l'œil*

*• ocelles noirs
à bord blanc*

*• nageoires anale
et caudale jointives*

Régime Carnivore	Niveau de nage Inférieur	Tempérament

Famille ORYZIATIDÉS	Espèce *Oryzias melastigma*	Taille 4 cm

KILLI DE JAVA

D'argent pâle, avec une irisation bleue qu'avive un éclairage rasant. Grande arête visible. Nageoire dorsale petite et très en arrière.
* **HABITAT** Eaux douces et saumâtres de l'Inde orientale, du Sri Lanka, de Myanma, d'Indonésie et de Malaisie.
* **REMARQUE** Après le frai, les œufs fécondés pendent en grappe sous la femelle et sont déposés par frottement sur des plantes. Placer dans un aquarium spécifique ou avec des poissons non agressifs.
* **AUTRE NOM** Autrefois classé dans la famille des cyprinodontidés.

nageoire dorsale petite et très en arrière

SOUS-CONTINENT INDIEN

grande arête visible sous la peau

Régime Omnivore	Niveau de nage Supérieur	Tempérament

Famille PANTODONTIDÉS	Espèce *Pantodon buchholzi*	Taille 10 cm

POISSON-PAPILLON

Jaune doré, moucheté de brun, avec une vague ligne horizontale le long des flancs. Nageoires pectorales marquées et très grandes, ressemblant, vues de dessus, à des ailes de papillon. Dorsale et anale très en arrière, l'anale étant plus grande. Caudale aux rayons centraux allongés. Les pelviennes ont des prolongements filamenteux. Rayure foncée à travers l'œil et la grande bouche supère.
* **HABITAT** Eaux tranquilles du Cameroun et du Zaïre.
* **REMARQUE** La seule espèce du genre. Prédateur de petits poissons et bon sauteur : l'aquarium doit être couvert.

nageoires pectorales en aile

AFRIQUE ÉQUATORIALE

grande bouche supère

marques aux rayons des nageoires

nageoire pelvienne à rayons allongés

Régime Omnivore	Niveau de nage Supérieur	Tempérament

Famille SCATOPHAGIDÉS	Espèce *Scatophagus argus*	Taille 30 cm

SCATOPHAGE

Forme oblongue, accentuée par la position des nageoires.
La coloration mêle les zones brunes et dorées à de nombreuses
mouchetures rondes, foncées. Chez les adultes (*voir la vignette*),
deux lignes verticales sur le front et une rayure dorée derrière
l'opercule. Marques rouges sur le dos. Nageoire dorsale brun et
or, attachée long, épineuse à l'avant et souple à l'arrière.
• **HABITAT** Estuaires et eaux côtières, de l'Inde
à Tahiti et aux Philippines.
• **REMARQUE** Parfait éboueur mais
mangeur de plantes d'aquarium.
Légumes et espace lui sont
essentiels. Ajouter à l'eau
du sel marin.
• **AUTRE NOM**
Scato.

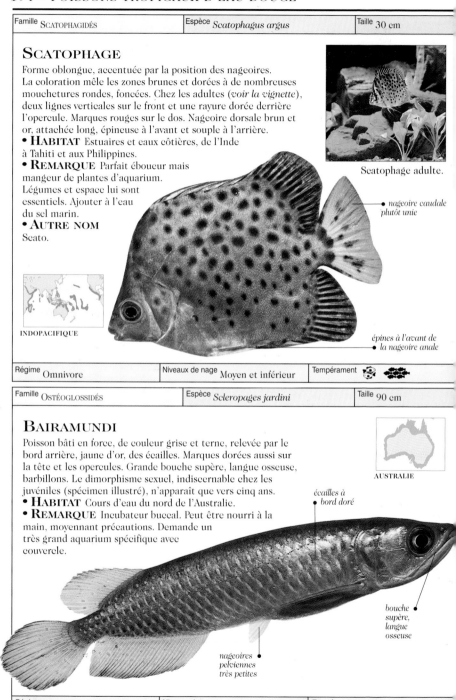

Scatophage adulte.

• *nageoire caudale
plutôt unie*

INDOPACIFIQUE

*épines à l'avant de
• la nageoire anale*

Régime Omnivore	Niveaux de nage Moyen et inférieur	Tempérament

Famille OSTÉOGLOSSIDÉS	Espèce *Scleropages jardini*	Taille 90 cm

BAIRAMUNDI

Poisson bâti en force, de couleur grise et terne, relevée par le
bord arrière, jaune d'or, des écailles. Marques dorées aussi sur
la tête et les opercules. Grande bouche supère, langue osseuse,
barbillons. Le dimorphisme sexuel, indiscernable chez les
juvéniles (spécimen illustré), n'apparaît que vers cinq ans.
• **HABITAT** Cours d'eau du nord de l'Australie.
• **REMARQUE** Incubateur buccal. Peut être nourri à la
main, moyennant précautions. Demande un
très grand aquarium spécifique avec
couvercle.

AUSTRALIE

*écailles à
• bord doré*

*bouche •
supère,
langue
osseuse*

*nageoires •
pelviennes
très petites*

Régime Carnivore	Niveaux de nage Tous	Tempérament

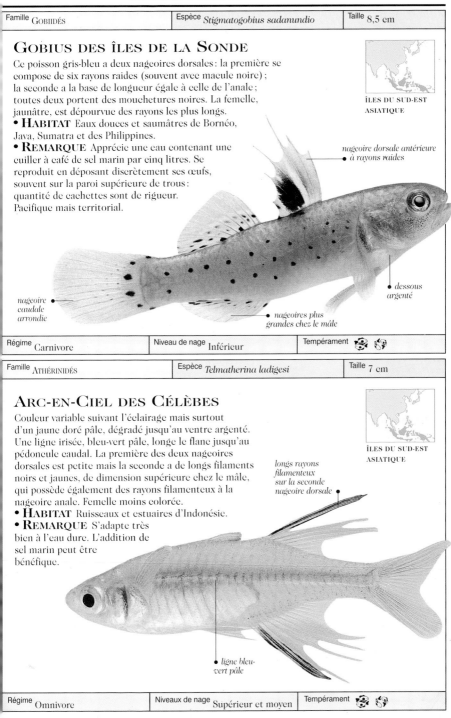

Famille GOBIIDÉS	Espèce *Stigmatogobius sadanundio*	Taille 8,5 cm

GOBIUS DES ÎLES DE LA SONDE

Ce poisson gris-bleu a deux nageoires dorsales : la première se
compose de six rayons raides (souvent avec macule noire) ;
la seconde a la base de longueur égale à celle de l'anale ;
toutes deux portent des mouchetures noires. La femelle,
jaunâtre, est dépourvue des rayons les plus longs.
• HABITAT Eaux douces et saumâtres de Bornéo,
Java, Sumatra et des Philippines.
• REMARQUE Apprécie une eau contenant une
cuiller à café de sel marin par cinq litres. Se
reproduit en déposant discrètement ses œufs,
souvent sur la paroi supérieure de trous :
quantité de cachettes sont de rigueur.
Pacifique mais territorial.

ÎLES DU SUD-EST
ASIATIQUE

*nageoire dorsale antérieure
à rayons raides*

*dessous
argenté*

*nageoire
caudale
arrondie*

*nageoires plus
grandes chez le mâle*

Régime Carnivore	Niveau de nage Inférieur	Tempérament

Famille ATHÉRINIDÉS	Espèce *Telmatherina ladigesi*	Taille 7 cm

ARC-EN-CIEL DES CÉLÈBES

Couleur variable suivant l'éclairage mais surtout
d'un jaune doré pâle, dégradé jusqu'au ventre argenté.
Une ligne irisée, bleu-vert pâle, longe le flanc jusqu'au
pédoncule caudal. La première des deux nageoires
dorsales est petite mais la seconde a de longs filaments
noirs et jaunes, de dimension supérieure chez le mâle,
qui possède également des rayons filamenteux à la
nageoire anale. Femelle moins colorée.
• HABITAT Ruisseaux et estuaires d'Indonésie.
• REMARQUE S'adapte très
bien à l'eau dure. L'addition de
sel marin peut être
bénéfique.

ÎLES DU SUD-EST
ASIATIQUE

*longs rayons
filamenteux
sur la seconde
nageoire dorsale*

*ligne bleu-
vert pâle*

Régime Omnivore	Niveaux de nage Supérieur et moyen	Tempérament

Famille TOXOTIDÉS	Espèce *Toxotes jaculator*	Taille 25 cm

POISSON-ARCHER

Tête longue et effilée, lèvre inférieure proéminente. Le corps
semble raccourci à cause des nageoires dorsale et anale
très reculées. Coloration argentée, avec des taches foncées
sur les flancs, ainsi que sur la dorsale et l'anale.
• **HABITAT** Eaux côtières et estuaires, de l'Afrique
orientale à l'Australie.
• **REMARQUE** Cette espèce fascine par son habileté à
assommer des insectes posés, par un jet d'eau bien
ajusté. Elle peut aussi sauter à 30 cm hors de l'eau.
• **AUTRE NOM** Toxote.

la plus grande
tache se situe
sous la nageoire
• dorsale

Le poisson-archer saute sur
sa proie.

couleur jaune
• sur le dos

lèvre •
inférieure
proéminente

OCÉAN INDIEN

bordure •
foncée
à la nageoire anale

Régime Carnivore	Niveau de nage Supérieur	Tempérament

Famille BÉLONIDÉS	Espèce *Xenentodon cancila*	Taille 30 cm

POISSON-AIGUILLE ARGENTÉ

Forme en aiguille. Coloration beige sur la surface dorsale,
argent sur la ventrale. Les deux régions sont séparées par une
bande brun foncé. Trait typique : les mâchoires peuvent être
aussi longues que la tête elle-même. Petites dents très aiguës.
• **HABITAT** Ruisseaux d'eau douce et fleuves saumâtres
de l'Inde et d'autres régions d'Asie.
• **REMARQUE** S'alarme vite et peut sauter hors
de l'aquarium. Jeune, ressemble
au demi-bec
(*voir p. 200*).

SOUS-CONTINENT
INDIEN

bande
sombre bien
prononcée •

• longues
mâchoires

Régime Carnivore	Niveau de nage Supérieur	Tempérament

POISSONS VIVIPARES ET OVOVIVIPARES

CES POISSONS se distinguent par leur mode de reproduction : chez les ovovivipares, les œufs sont fécondés et incubés dans le corps de la femelle ; chez les vivipares, l'embryon reçoit directement sa nourriture de la femelle (seuls les goodéidés sont vivipares). La plupart de ces poissons viennent d'Amérique centrale, et quelques-uns d'Asie de l'Est. Robustes, ils s'adaptent bien aux modifications de l'eau.

Famille POECILIIDÉS	Espèce *Alfaro cultratus*	Taille 9 cm

ALFARO CULTRATUS

Coloration d'un brun beige argenté, avec un reflet métallique bleu sous éclairage rasant. Surface dorsale plus foncée. La nageoire dorsale, arrondie, est attachée à mi-corps et, comme chez les autres membres de la famille, l'anale diffère suivant le sexe. Celle du mâle – un peu plus petit – est modifiée pour former un gonopode, tandis que celle de la femelle est en éventail. Toutes les nageoires sont jaunâtres, la caudale pouvant avoir une bordure foncée.
• **HABITAT** Ruisseaux de Costa Rica, du Guatemala, de Panama et du Nicaragua.
• **REMARQUE** Assez agressif. Apprécie un aquarium bien planté. Les plantes protègent aussi les alevins de leurs parents affamés.

AMÉRIQUE CENTRALE

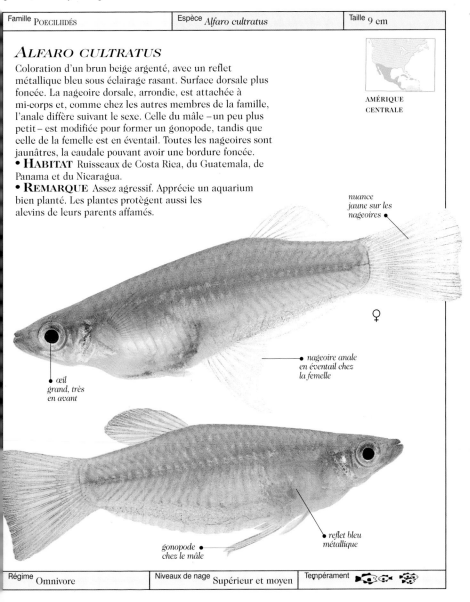

nuance jaune sur les nageoires •

♀

• *nageoire anale en éventail chez la femelle*

• *œil grand, très en avant*

gonopode • *chez le mâle*

• *reflet bleu métallique*

Régime Omnivore	Niveaux de nage Supérieur et moyen	Tempérament

Famille GOODÉIDÉS	Espèce *Allotoca dugesi*	Taille 6 cm

ALLOTOCA DUGESI

Corps allongé mais solide, pédoncule caudal étroit. Le bas des flancs
est jaune doré chez le mâle et bleuâtre, parfois avec des rayures foncées,
chez la femelle. La nageoire anale du mâle n'est pas en forme de
gonopode, comme chez la plupart des poissons ovovivipares ; celle
de la femelle est, elle, typiquement en éventail. Bande horizontale
bleuâtre chez les deux sexes, de l'opercule à la queue.

• **HABITAT** Cours d'eau des hautes terres
du Mexique.

• **REMARQUE** Les femelles de
goodéidés ne peuvent stocker
le sperme comme chez les
pœciliidés : l'accouplement
est donc nécessaire pour
chaque portée.

AMÉRIQUE
CENTRALE

*nageoire dorsale
• très reculée*

*bande horizontale
bleue •*

*couleur
dorée sur le
bas du flanc*

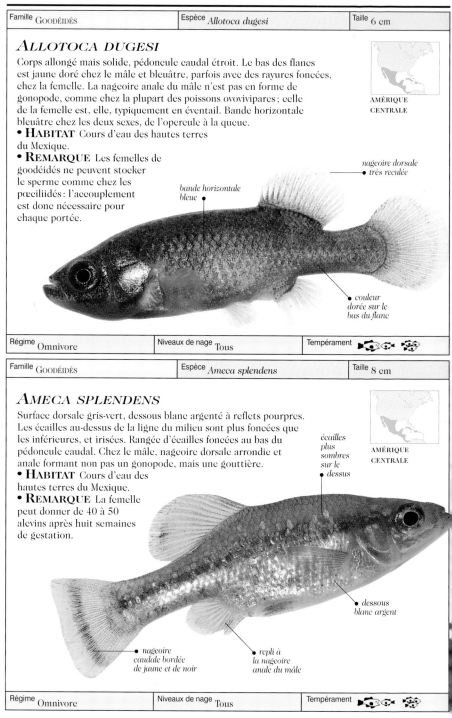

Régime Omnivore	Niveaux de nage Tous	Tempérament

Famille GOODÉIDÉS	Espèce *Ameca splendens*	Taille 8 cm

AMECA SPLENDENS

Surface dorsale gris-vert, dessous blanc argenté à reflets pourpres.
Les écailles au-dessus de la ligne du milieu sont plus foncées que
les inférieures, et irisées. Rangée d'écailles foncées au bas du
pédoncule caudal. Chez le mâle, nageoire dorsale arrondie et
anale formant non pas un gonopode, mais une gouttière.

• **HABITAT** Cours d'eau des
hautes terres du Mexique.

• **REMARQUE** La femelle
peut donner de 40 à 50
alevins après huit semaines
de gestation.

*écailles
plus
sombres
sur le
• dessus*

AMÉRIQUE
CENTRALE

*dessous
blanc argent*

*nageoire
caudale bordée
de jaune et de noir*

*repli à
la nageoire
anale du mâle*

Régime Omnivore	Niveaux de nage Tous	Tempérament

Famille PŒCILIIDÉS	Espèce *Brachyrhaphis roseni*	Taille 5 cm

BRACHYRHAPHIS ROSENI

Les plus beaux spécimens ont le dos brun verdâtre, les flancs d'un jaune doré, également verdâtre, et le ventre argenté. Flancs traversés verticalement – sur toute leur hauteur en dessous de la dorsale – par des rayures sombres, régulièrement espacées. Le mâle a la nageoire dorsale jaune et rouge, à bord foncé, et un long gonopode jaune. Nageoire anale en éventail chez la femelle.
• **HABITAT** Ruisseaux de Costa Rica et Panama.
• **REMARQUE** Espèce connue des aquariophiles depuis 1988. Aquarium bien planté, pour protéger les alevins du cannibalisme parental.

nageoire moins colorée chez la femelle

AMÉRIQUE CENTRALE

écailles bien apparentes

♀

nageoire anale grande et profonde chez la femelle

Régime Omnivore	Niveaux de nage Tous	Tempérament

Famille GOODÉIDÉS	Espèce *Characodon audax*	Taille 5 cm

CHARACODON AUDAX

Toutes les nageoires sont arrondies et noir de jais. Surface dorsale gris sale, flancs plus clairs. Il peut y avoir du rose à la gorge et au ventre. Écailles légèrement irisées.
• **HABITAT** Cours d'eau des hautes terres du Mexique.
• **REMARQUE** Territoriaux, les mâles peuvent se montrer agressifs entre eux. Espèce demandant de la nourriture verte et une eau très tranquille.

AMÉRIQUE CENTRALE

profil trapu

écailles irisées

nageoire caudale noir de jais

Régime Omnivore	Niveaux de nage Tous	Tempérament

Famille HÉMIRHAMPHIDÉS	Espèce *Dermogenys pusillus*	Taille 6 cm

DEMI-BEC

Poisson allongé. Chez les mâles représentés ici, la mâchoire
inférieure est à peu près deux fois plus longue que la supérieure :
c'est un atout pour chasser en surface. Coloration jaune doré à
verdâtre, avec des taches bleues. La nageoire anale du mâle est
plissée ; celle de la femelle est en éventail.

**SUD-EST
ASIATIQUE**

• **HABITAT** Cours d'eau de Java, Malaisie, Sumatra et Thaïlande.
• **REMARQUE** Regrouper un mâle avec deux ou trois
femelles : les mâles ont tendance à se battre en s'attrapant
par les mâchoires.

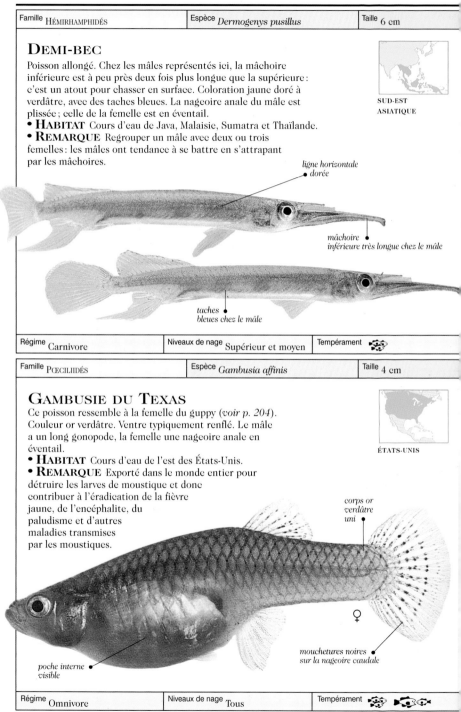

ligne horizontale
• dorée

mâchoire •
inférieure très longue chez le mâle

taches •
bleues chez le mâle

Régime Carnivore	Niveaux de nage Supérieur et moyen	Tempérament

Famille PŒCILIIDÉS	Espèce *Gambusia affinis*	Taille 4 cm

GAMBUSIE DU TEXAS

Ce poisson ressemble à la femelle du guppy (*voir p. 204*).
Couleur or verdâtre. Ventre typiquement renflé. Le mâle
a un long gonopode, la femelle une nageoire anale en
éventail.

ÉTATS-UNIS

• **HABITAT** Cours d'eau de l'est des États-Unis.
• **REMARQUE** Exporté dans le monde entier pour
détruire les larves de moustique et donc
contribuer à l'éradication de la fièvre
jaune, de l'encéphalite, du
paludisme et d'autres
maladies transmises
par les moustiques.

corps or
verdâtre
uni

♀

mouchetures noires •
sur la nageoire caudale

poche interne •
visible

Régime Omnivore	Niveaux de nage Tous	Tempérament

Famille PŒCILIIDÉS	Espèce *Heterandria bimaculata*	Taille 7 cm

HETERANDRIA BIMACULATA

Coloration variable : les spécimens de l'illustration ont été
trouvés dans des torrents de montagne et sont d'un or
verdâtre à reflets bleus. Ceux des eaux lentes de plaine
sont plus mouchetés. Toutes les écailles ont le bord foncé.
Il y a normalement une tache foncée sur le côté du
pédoncule caudal. Nageoire dorsale mouchetée.
• **HABITAT** Cours d'eau et lacs du Mexique
des pays voisins.
• **REMARQUE** Espèce
agressive et prolifique.
• **AUTRE NOM**
Pseudoxiphophorus helleri.

AMÉRIQUE
CENTRALE

*dorsale
à base longue*

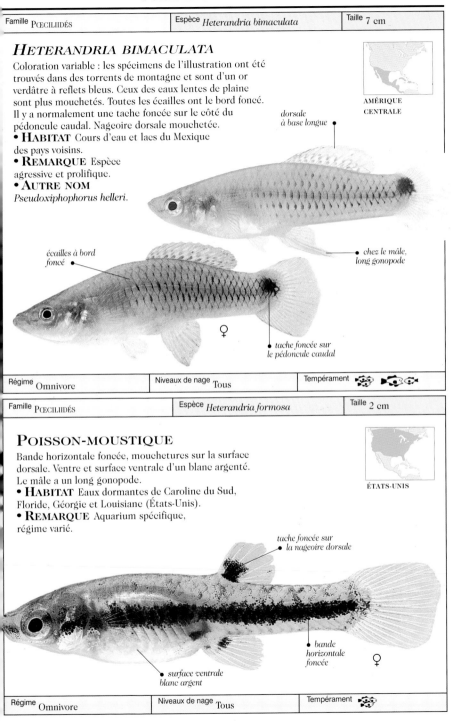

*chez le mâle,
long gonopode*

*écailles à bord
foncé*

♀

*tache foncée sur
le pédoncule caudal*

Régime Omnivore	Niveaux de nage Tous	Tempérament

Famille PŒCILIIDÉS	Espèce *Heterandria formosa*	Taille 2 cm

POISSON-MOUSTIQUE

Bande horizontale foncée, mouchetures sur la surface
dorsale. Ventre et surface ventrale d'un blanc argenté.
Le mâle a un long gonopode.
• **HABITAT** Eaux dormantes de Caroline du Sud,
Floride, Géorgie et Louisiane (États-Unis).
• **REMARQUE** Aquarium spécifique,
régime varié.

ÉTATS-UNIS

*tache foncée sur
la nageoire dorsale*

*bande
horizontale
foncée*

♀

*surface ventrale
blanc argent*

Régime Omnivore	Niveaux de nage Tous	Tempérament

Famille PŒCILIIDÉS	Espèce *Poecilia nigrofasciata*	Taille 6 cm

PŒCILIA À RAIES NOIRES

La «bosse» de cette espèce est accentuée par la somptueuse nageoire dorsale. Flancs bleus argentés, traversés verticalement de rayures sombres. Le dos n'est vraiment «bossu» que chez le mâle adulte, qui a aussi l'arrière du profil ventral caréné. La femelle a le ventre plus descendu; ses rayures sont plus courtes et plus larges.

• **HABITAT** Cours d'eau d'Haïti et des Caraïbes.

• **AUTRE NOM** Limia barrée de noir. Précédemment classée dans le genre *Limia*.

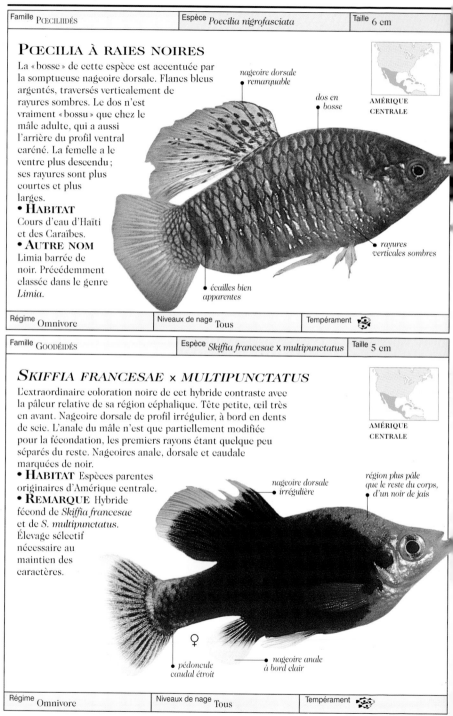

nageoire dorsale remarquable

dos en bosse

AMÉRIQUE CENTRALE

rayures verticales sombres

écailles bien apparentes

Régime Omnivore	Niveaux de nage Tous	Tempérament

Famille GOODÉIDÉS	Espèce *Skiffia francesae* x *multipunctatus*	Taille 5 cm

SKIFFIA FRANCESAE x *MULTIPUNCTATUS*

L'extraordinaire coloration noire de cet hybride contraste avec la pâleur relative de sa région céphalique. Tête petite, œil très en avant. Nageoire dorsale de profil irrégulier, à bord en dents de scie. L'anale du mâle n'est que partiellement modifiée pour la fécondation, les premiers rayons étant quelque peu séparés du reste. Nageoires anale, dorsale et caudale marquées de noir.

• **HABITAT** Espèces parentes originaires d'Amérique centrale.

• **REMARQUE** Hybride fécond de *Skiffia francesae* et de *S. multipunctatus*. Élevage sélectif nécessaire au maintien des caractères.

nageoire dorsale irrégulière

région plus pâle que le reste du corps, d'un noir de jais

AMÉRIQUE CENTRALE

♀

pédoncule caudal étroit

nageoire anale à bord clair

Régime Omnivore	Niveaux de nage Tous	Tempérament

Famille GOODÉIDÉS	Espèce *Xenotoca eiseni*	Taille 6 cm

GOODÉIDÉ À QUEUE ROUGE

Sur le pédoncule caudal, grande tache orange
vif à rouge, plus intense chez le mâle. En avant
de la dorsale, la coloration est d'un brun
jaunâtre ; en arrière, bleu-vert métallique. Repli
à la nageoire anale du mâle, qui a la dorsale
arrondie et souvent assez grande. La
mâchoire inférieure et la gorge peuvent
être roses.

nageoire
dorsale
très en
• arrière

AMÉRIQUE
CENTRALE

• **HABITAT** Cours
d'eau des hautes
terres du Mexique.

♀

• **REMARQUE**
Peut être querelleur
et a la réputation
de mordiller les
nageoires. Préfère
une eau de dureté
moyenne.

• femelle
plus ronde

tache orange à rouge •
sur le pédoncule caudal

• repli à la nageoire anale du mâle

Régime Omnivore	Niveaux de nage Tous	Tempérament

Famille PŒCILIIDÉS	Espèce *Xiphophorus neuzalanahotl*	Taille 6 cm

PORTE-ÉPÉE TACHETÉ

Poisson jaune crème, aux flancs marqués de mouchetures
irrégulières ; certaines écailles, à bord foncé, se rejoignent
pour former des zigzags. Irisations violettes sous
éclairage rasant. Nageoires claires, avec des traces
de jaune et quelques mouchetures à la dorsale.
Le mâle porte une courte épée bordée de noir.
Sa nageoire anale est raide ; celle de la
femelle, en éventail.

mouchetures
irrégulières
sur les
flancs
• crème

AMÉRIQUE
CENTRALE

• **HABITAT** Eaux
rapides du Mexique ;
les adultes tiennent
le milieu de la rivière,
les juvéniles et les
femelles gravides se
rassemblent parmi les
plantes de la rive.

• corps
relativement allongé

épée sur la nageoire
• caudale du mâle

Régime Omnivore	Niveaux de nage Tous	Tempérament

Family POECILIIDAE	Species *Poecilia reticulata*	Size 3cm (1¼in)

GUPPY

Le guppy sauvage est vert olive foncé, dégradé vers l'argent
sur la surface ventrale. Les variétés d'aquarium se conforment
à des standards mais les couleurs individuelles peuvent varier
grandement, comme le montre la sélection proposée ici. Les
mâles portent des marques irrégulières rouges, orange, vertes ou
noires : il n'y en a pas deux exactement pareils. Les femelles sont
en principe plus grandes qu'eux et ne possèdent ni leurs couleurs,
ni leurs nageoires extravagantes, bien qu'on en trouve
aujourd'hui quelques-unes dont les nageoires impaires
portent une coloration. La gravidité les arrondit et fait
apparaître une zone noire autour de l'orifice anal.
Le gonopode du mâle sert àla fécondation interne.
• **HABITAT** Ruisseaux d'Amérique centrale ; présent
à Trinidad et dans le nord de l'Amérique du Sud.
• **REMARQUE** Éviter les croisements pour
maintenir les variétés de couleur.
La femelle stocke le sperme.
• **AUTRE NOM**
Précédemment *Lebistes*.

AMÉRIQUE
CENTRALE

GUPPY-COBRA
DORÉ

marques
« en peau
de serpent »

gonopode
chez le mâle

GUPPY
INCOLORE

couleur toujours moindre
chez la femelle

nageoire
caudale
en delta

♀

zone foncée
chez la femelle gravide

nageoires
plus petites
chez la femelle

Régime Omnivore	Niveaux de nage Tous	Tempérament

longue nageoire
dorsale

GUPPY-AILE DELTA ROUGE

couleurs
variables

GUPPY HALF BLACK ROUGE QUEUE-DE-VERRE

corps pie
semi-noir

nageoire dorsale
en drapeau

GUPPY HALF-BLACK JAUNE QUEUE-DE-VERRE

queue-de-voile
très développée

surface
ventrale
plus pâle

nageoire caudale
arrondie

Famille PŒCILIIDÉS	Espèce *Poecilia latipinna*	Taille 10 cm

MOLLY-VOILE

Tous les pœciliidés, y compris les mollies, sont à la fois massifs et assez allongés. L'élevage sélectif a développé de nombreuses variétés de cette espèce-ci, dont nous montrons des exemples sur cette double page. Les mollies sauvages sont d'un vert argenté et quelque peu irisé. Le mâle redresse sa nageoire dorsale, à la façon d'une voile, pour impressionner les femelles ou pour défier les autres mâles. Son anale est modifiée en gonopode en vue de la fécondation interne de la femelle ; celle-ci l'a en éventail.

• **HABITAT** Eaux côtières du golfe du Mexique, saumâtres et marines ; présent en Caroline du Sud (États-Unis).

• **REMARQUE** Eau claire et apport régulier de légumes assureront le meilleur développement. Une cuve séparée et bien plantée aidera la femelle à donner naissance. L'eau saline est tolérée.

AMÉRIQUE CENTRALE

MOLLY VERT

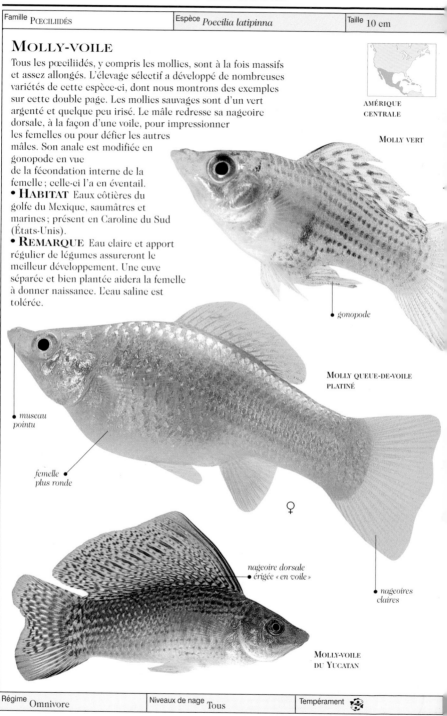

• gonopode

MOLLY QUEUE-DE-VOILE PLATINÉ

• *museau pointu*

femelle • *plus ronde*

♀

nageoire dorsale • érigée « en voile »

• *nageoires claires*

MOLLY-VOILE DU YUCATAN

Régime Omnivore	Niveaux de nage Tous	Tempérament

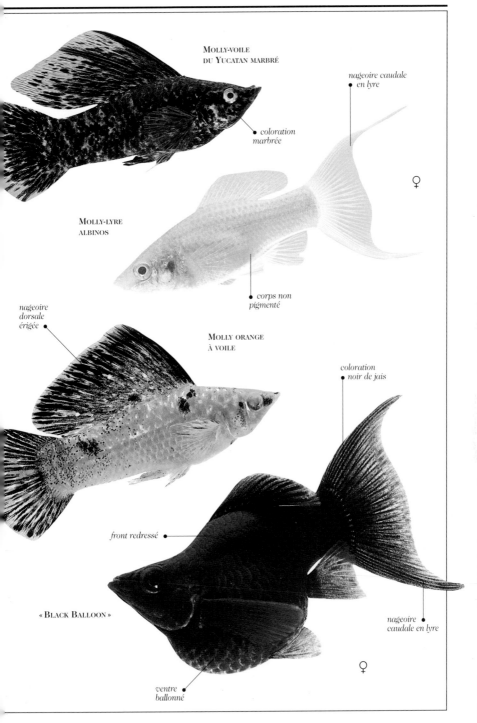

MOLLY-VOILE
DU YUCATAN MARBRÉ

nageoire caudale
en lyre

coloration
marbrée

♀

MOLLY-LYRE
ALBINOS

nageoire
dorsale
érigée

corps non
pigmenté

MOLLY ORANGE
À VOILE

coloration
noir de jais

front redressé

« BLACK BALLOON »

nageoire
caudale en lyre

ventre
ballonné

♀

Famille PŒCILIIDÉS	Espèce *Xiphophorus helleri*	Taille 10 cm

PORTE-ÉPÉE (OU XIPHO)

Le mâle sauvage est vert, avec une rayure pourpre le long du flanc et, à la nageoire caudale, des rayons allongés en épée basse, jaune à bords noirs. Des variétés, différentes tant par la couleur que par les nageoires, ont été sélectionnées. En voici quelques exemples ; la femelle de xipho vert, ci-dessous, est proche du modèle original. La nageoire anale du mâle forme un gonopode ; la femelle, un peu plus grande, n'a pas d'épée.

AMÉRIQUE CENTRALE

- **HABITAT** Ruisseaux du Mexique, du Honduras et du Guatemala.
- **REMARQUE** Les mâles peuvent se quereller. Il arrive que des femelles changent de sexe à un certain âge.
- **AUTRE NOM** Xipho.

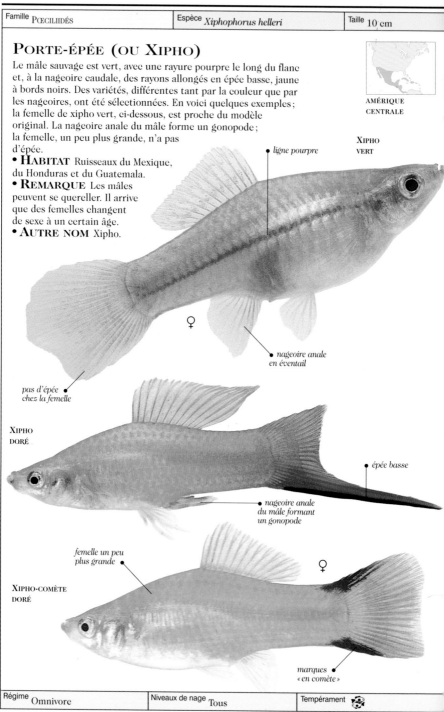

ligne pourpre

XIPHO VERT

♀

nageoire anale en éventail

pas d'épée chez la femelle

XIPHO DORÉ

épée basse

nageoire anale du mâle formant un gonopode

femelle un peu plus grande

XIPHO-COMÈTE DORÉ

♀

marques « en comète »

Régime Omnivore	Niveaux de nage Tous	Tempérament

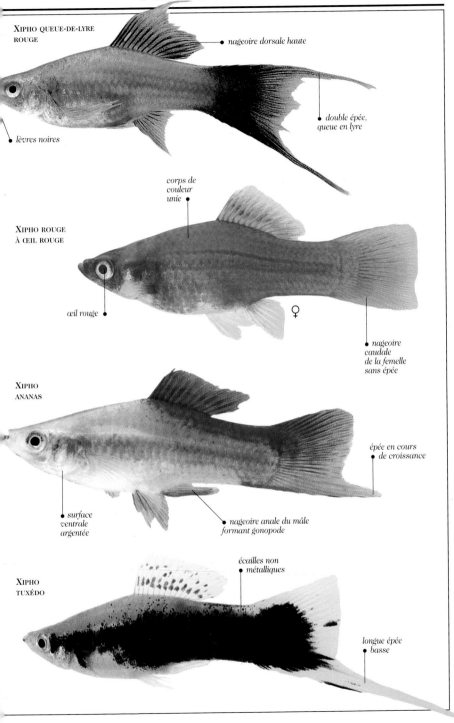

XIPHO QUEUE-DE-LYRE ROUGE

nageoire dorsale haute

double épée, queue en lyre

lèvres noires

corps de couleur unie

XIPHO ROUGE À ŒIL ROUGE

œil rouge

♀

nageoire caudale de la femelle sans épée

XIPHO ANANAS

épée en cours de croissance

surface ventrale argentée

nageoire anale du mâle formant gonopode

écailles non métalliques

XIPHO TUXÉDO

longue épée basse

Famille PœCILIIDÉS	Espèce *Xiphophorus maculatus*	Taille 4 cm

PLATY

Le platy sauvage est gris, à mouchetures foncées et nageoires claires ;
il peut y avoir du rouge sur la nageoire dorsale. En aquarium vivent des
variétés d'élevage ; nous en montrons quelques-unes ici. Le wagtail est une
souche très populaire : rouge ou jaune, à la bouche et aux nageoires noires.
Il en existe une version à dorsale haute, dite « tuxédo » (*page de droite*).
Dans toutes les souches, la nageoire anale du mâle, transformée en
gonopode, est utilisée pour la fécondation interne de la femelle ; celle-ci
l'a en éventail. En état de gravidité, elle grandit beaucoup.

AMÉRIQUE
CENTRALE

• **HABITAT** Provient du
Mexique, du Guatemala
ou du Honduras ; élevé
commercialement en
Floride et sur la côte
du Pacifique.

PLATY DORÉ

• **REMARQUE**
Convient à l'aquarium
communautaire ; les
couleurs dégénèrent si
l'élevage n'est pas
strictement contrôlé.

♀

PLATY-MICKEY
BLEU

marques
« en comète »

nageoire anale
en éventail

marque
bleu corail

nageoire anale du mâle
formant gonopode

Régime Omnivore	Niveaux de nage Tous	Tempérament

nageoire dorsale haute

PLATY TUXÉDO
ROUGE

♀

nageoires noires

corps
de couleur
unie

PLATY-CORAIL
SIMPSON

nageoire
dorsale très
développée

nageoire anale
du mâle formant
gonopode

PLATY-LUNE
SIMPSON

arrière du
corps plus foncé

Famille PŒCILIIDÉS	Espèce *Xiphophorus variatus*	Taille 5 cm

PLATY-PERROQUET

Comme chez le xipho et le platy (*voir pp. 208-209 et 210-211*),
l'élevage sélectif a produit des souches aux couleurs diverses et,
souvent, aux nageoires surdéveloppées. Des trois femelles
représentées ici, celle du dessus se rapproche probablement le
plus, par la couleur, du poisson sauvage. La forme originale est
en effet d'un jaune verdâtre, avec des écailles très apparentes,
à bord foncé, et parfois quelques mouchetures sur les flancs.
Corps plus allongé que celui du platy, surtout chez la
femelle. Le mâle a le même gonopode.
• **HABITAT** Provient des ruisseaux
du sud du Mexique.

AMÉRIQUE
CENTRALE

PLATY-PERROQUET
VERT

nageoire caudale
à bord clair

corps
jaune verdâtre

PLATY-PERROQUET TUXÉDO

pédoncule caudal
allongé

PLATY-PERROQUET TUXÉDO
NOIR

nageoire caudale
incolore

surface
ventrale
pâle

nageoire anale
en éventail

Régime Omnivore	Niveaux de nage Tous	Tempérament

POISSONS D'EAU DOUCE FROIDE

POISSONS ROUGES

L E POISSON rouge, ou cyprin doré, est le plus ancien des poissons d'aquarium et reste populaire grâce aux nombreuses variétés développées à partir de l'espèce originale, *Carassius auratus*.

Ce chapitre est consacré aux variétés à queue simple : des poissons robustes qui peuvent passer l'hiver dehors. L'élevage sélectif s'est borné à en modifier les nageoires et la coloration.

Famille CYPRINIDÉS	Espèce *Carassius auratus*	Taille Variable

POISSON ROUGE

Traditionnellement, la couleur est un rouge orange métallique, avec les nageoires assorties. Le jeune poisson peut être bronze verdâtre, la coloration définitive apparaissant vers un an. Nageoires dorsale et anale à base relativement longue ; caudale fourchue, portée raide. Ligne latérale visible. Vues de dessus, les femelles sont généralement plus rondes. En période de frai, le mâle porte de petits points blancs (tubercules) sur les opercules et la tête.
• REMARQUE Développé dès le XIᵉ siècle en Chine, à partir d'individus colorés ou de spécimens inhabituels, trouvés parmi les carpes élevées pour l'alimentation. L'élevage sélectif a produit des variétés à écailles métalliques, nacrées et mates.
• AUTRES NOMS Cyprin doré, dorade de Chine.

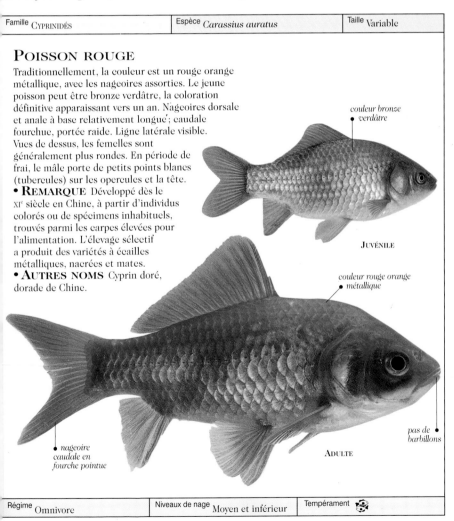

couleur bronze verdâtre

JUVÉNILE

couleur rouge orange métallique

nageoire caudale en fourche pointue

ADULTE

pas de barbillons

Régime Omnivore	Niveaux de nage Moyen et inférieur	Tempérament

Famille CYPRINIDÉS	Espèce *Carassius auratus*	Taille Variable

POISSON-COMÈTE

Tous les poissons rouges du type «comète» ont le corps allongé, avec les profils dorsal et ventral de courbure égale. Ils sont bâtis moins en hauteur que le poisson rouge commun (*voir p. 213*). Les couleurs dépendent de la souche ; les plus populaires sont rouge orange et jaune citron. Les variétés présentées sur cette page comprennent un juvénile incolore, un doré (ou métallique) et un «sarasa», très apprécié, dont la couleur de base est argentée. Un trait commun et sélectionné de ces sous-variétés est la nageoire caudale très fourchue, qui peut être presque aussi longue que le corps.

• **REMARQUE** Demande beaucoup d'espace de nage. Capable de nager très vite sur de courtes distances. Robuste, peut rester dehors toute l'année, dans un bassin.

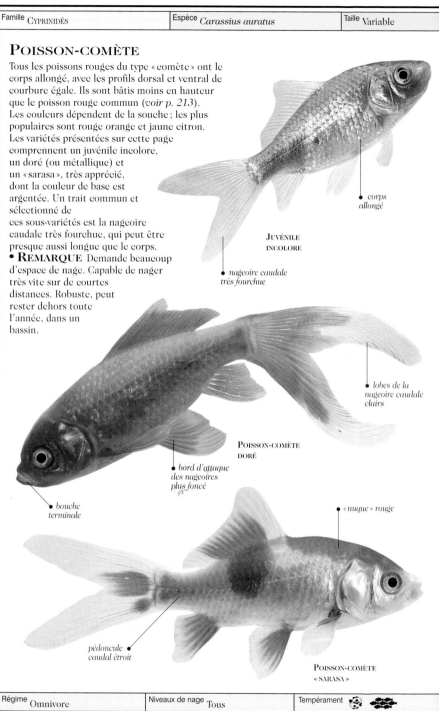

corps allongé

JUVÉNILE INCOLORE

nageoire caudale très fourchue

lobes de la nageoire caudale clairs

POISSON-COMÈTE DORÉ

bord d'attaque des nageoires plus foncé

bouche terminale

«nuque» rouge

pédoncule caudal étroit

POISSON-COMÈTE « SARASA »

Régime Omnivore	Niveaux de nage Tous	Tempérament

Famille CYPRINIDÉS	Espèce Carassius auratus	Taille Variable

COMÈTE-VOILE

Forme semblable à celle du kaliko et du queue-
de-voile (*voir p. 217 et 220*), mais les nageoires
anale et caudale sont simples, alors que ces deux
autres souches sont des queue-de-voile. La
sous-variété présentée ici est rouge métallique.
• **REMARQUE** Cette forme se trouve
souvent dans la descendance d'un kaliko
ou d'un queue-de-voile :
elle est dite
« récessive ».

nageoire dorsale
• *triangulaire*

nageoire caudale •
simple et claire

couleur
• *métallique*

écailles •
bien apparentes

Régime Omnivore	Niveaux de nage Tous	Tempérament

Famille CYPRINIDÉS	Espèce Carassius auratus	Taille Variable

SHUBUNKIN

Corps un peu plus court que celui du poisson rouge
commun (*voir p. 213*), mais de convexité semblable.
La coloration dépend beaucoup de la souche et de
la disposition des écailles : les sous-variétés les plus
appréciées montrent du noir, du rouge, du pourpre,
du bleu ou du brun sous des écailles nacrées ou
mates. On voit ici le shubunkin de Bristol, à
large nageoire caudale : chez un beau
spécimen, les grands lobes arrondis sont
portés droits.
• **REMARQUE**
Une autre souche,
le shubunkin de
Londres, a la
même forme que
le poisson rouge
commun ; ses nageoires
n'ont pas été
artificiellement développées.
Cependant, elle est
multicolore et n'a pas
d'écailles métalliques.

mouchetures •

nez •
rouge

SHUBUNKIN
DE BRISTOL

• *lobes de la nageoire*
caudale arrondis

Régime Omnivore	Niveaux de nage Tous	Tempérament

POISSONS ROUGES QUEUE-DE-VOILE

CES POISSONS rouges s'appellent «queue-de-voile» parce que leurs nageoires caudale et anale forment de doubles replis. L'élevage sélectif leur a donné un corps tronqué, ovoïde, et leur habileté à la nage s'est trouvée progressivement diminuée à mesure qu'ils s'éloignaient de la forme naturelle, fuselée. Les queue-de-voile ne conviennent pas aux bassins extérieurs. Ils ne peuvent ni participer efficacement à la compétition pour la nourriture, ni échapper aux prédateurs. En outre, une eau de qualité dégradée peut congestionner leurs nageoires délicates. Leur taille maximale dépend des dimensions de leur aquarium.

Famille CYPRINIDÉS	Espèce *Carassius auratus*	Taille Variable

« YEUX-AU-CIEL »

Poisson typique par les poches hypertrophiées, pleines de liquide, qu'il porte sous les yeux. Elles se balancent quand il nage. Le reste du corps est plus ou moins ovoïde, avec une surface dorsale quasi rectiligne. Coloration variable, généralement rouge orange métallique. Nageoire dorsale absente ; anale et caudales redoublées, l'extravagante caudale s'étalant au bout d'un pédoncule caudal incurvé vers le bas.

• **REMARQUE** Les poches sont fragiles : gardez ce poisson dans un aquarium individuel, au décor sans arêtes vives.

• **AUTRE NOM** Tête-à-flotteurs.

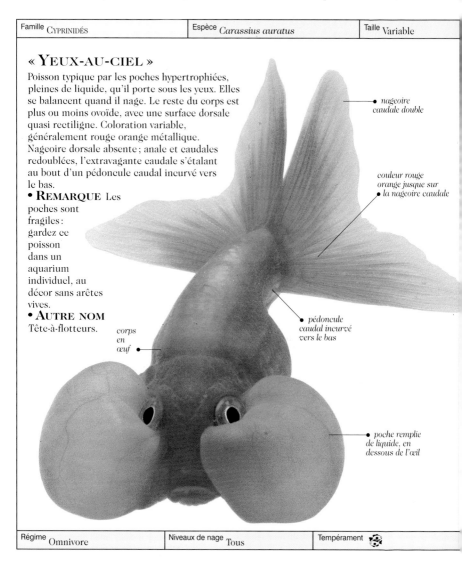

nageoire caudale double

couleur rouge orange jusque sur la nageoire caudale

pédoncule caudal incurvé vers le bas

corps en œuf

poche remplie de liquide, en dessous de l'œil

Régime Omnivore	Niveaux de nage Tous	Tempérament

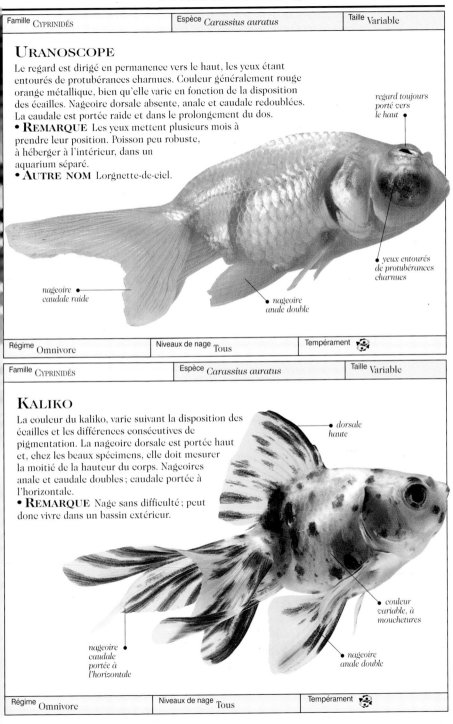

Famille CYPRINIDÉS	Espèce *Carassius auratus*	Taille Variable

URANOSCOPE

Le regard est dirigé en permanence vers le haut, les yeux étant entourés de protubérances charnues. Couleur généralement rouge orange métallique, bien qu'elle varie en fonction de la disposition des écailles. Nageoire dorsale absente, anale et caudale redoublées. La caudale est portée raide et dans le prolongement du dos.
• **REMARQUE** Les yeux mettent plusieurs mois à prendre leur position. Poisson peu robuste, à héberger à l'intérieur, dans un aquarium séparé.
• **AUTRE NOM** Lorgnette-de-ciel.

regard toujours porté vers le haut

yeux entourés de protubérances charnues

nageoire caudale raide

nageoire anale double

Régime Omnivore	Niveaux de nage Tous	Tempérament

Famille CYPRINIDÉS	Espèce *Carassius auratus*	Taille Variable

KALIKO

La couleur du kaliko, varie suivant la disposition des écailles et les différences consécutives de pigmentation. La nageoire dorsale est portée haut et, chez les beaux spécimens, elle doit mesurer la moitié de la hauteur du corps. Nageoires anale et caudale doubles ; caudale portée à l'horizontale.
• **REMARQUE** Nage sans difficulté ; peut donc vivre dans un bassin extérieur.

dorsale haute

couleur variable, à mouchetures

nageoire caudale portée à l'horizontale

nageoire anale double

Régime Omnivore	Niveaux de nage Tous	Tempérament

Famille CYPRINIDÉS	Espèce Carassius auratus	Taille Variable

TÊTE-DE-LION

Corps bréviligne et ovoïde. Pas de nageoire dorsale.
L'excroissance bourgeonnante qui entoure sa tête le fait
ressembler à l'oranda (*page de droite*), mais sa nageoire
caudale double, portée plus raide, ne flotte pas aussi
librement. Le pédoncule caudal est moins tourné vers le
bas dans les souches d'origine britannique que dans les
japonaises.
• **REMARQUE** Tout comme d'autres souches
très sophistiquées de poissons rouges,
le tête-de-lion est un animal
d'intérieur. Sa nage
malhabile le rend
impropre aux bassins
d'extérieur et
l'aquarium permet un
contrôle plus aisé de la
qualité de l'eau.

*nageoire caudale
portée raide*

*surface dorsale
nue*

*excroissance
bourgeonnante*

Régime Omnivore	Niveaux de nage Tous	Tempérament

Famille CYPRINIDÉS	Espèce Carassius auratus	Taille Variable

TÉLESCOPE

Corps ovoïde, pédoncule caudal légèrement
incurvé vers le bas. Selon les souches, les yeux
peuvent être normaux ou du type dit « télescope »
(exorbités sur des bourrelets coniques).
Nageoire dorsale commençant au point le plus
haut du dos ; anale double ; caudale double
surdéveloppée, pendant en plis mais au bord
supérieur droit.
• **REMARQUE** Les plus beaux spécimens
sont tout noirs ; dans les expositions, la
moindre trace d'argent est
pénalisée. Les
éleveurs de
champions
écartent tous les
alevins dont la
coloration ne répond
pas aux exigences.

*nageoire dorsale
attachée haut*

*yeux
du type
« télescope »*

*nageoire
caudale
hors norme*

Régime Omnivore	Niveaux de nage Tous	Tempérament

Famille CYPRINIDÉS	Espèce *Carassius auratus*	Taille Variable

ORANDA

Relativement bréviligne. Pédoncule caudal légèrement incliné vers le bas. La coloration varie : la souche représentée ici a le corps blanc et une calotte rouge sur la tête. L'excroissance boursouflée entourant la tête est particulière aux orandas et aux tête-de-lion (*page de gauche*). Nageoire dorsale haute ; anale et caudale doubles et flottantes.

• **REMARQUE** Comme d'autres souches de fantaisie, l'oranda demande un aquarium sans poissons actifs ni agressifs, ainsi qu'une eau d'excellente qualité, pour que ses nageoires ne soient ni endommagées, ni détériorées.

nageoire dorsale portée haute

calotte rouge et boursouflure

nageoire anale double

Régime Omnivore	Niveaux de nage Tous	Tempérament

Famille CYPRINIDÉS	Espèce *Carassius auratus*	Taille Variable

POISSON ROUGE PERLÉ

Joli poisson rouge bréviligne, très arrondi, au pédoncule caudal court. Couleur variable suivant la disposition des écailles et la pigmentation qui en découle. Forme ressemblant à celle du kaliko (*voir p. 217*), mais distincte par les écailles : chacune se surélève en son milieu, qui est blanc ou perle. Nageoire dorsale portée droite ; anale et caudale doubles.

• **REMARQUE** Avec sa rondeur et ses écailles bombées, ce poisson peut sembler présenter les symptômes de l'hydropisie. Comme les autres variétés sophistiquées, il nage mal et doit être hébergé à l'intérieur, dans un aquarium séparé.

écailles bombées

nageoire caudale double

corps court et rond

Régime Omnivore	Niveaux de nage Tous	Tempérament

Famille CYPRINIDÉS	Espèce *Carassius auratus*	Taille Variable

POMPON

Écailles généralement métalliques ou nacrées, mais cela peut varier. Semblable au tête-de-lion (*voir p. 218*), mais possède, au lieu d'une excroissance boursouflée à la tête, des bourgeonnements aux narines qui prennent l'aspect de deux « pompons » ; dans certaines souches, ils descendent plus bas que la bouche. La souche originale n'a pas de nageoire dorsale ; d'autres, plus récentes, la retrouvent.

• **REMARQUE**
Il faut des soins attentifs pour conserver en bon état les délicates excroissances nasales. Héberger ce poisson dans un aquarium séparé, nanti d'une eau de bonne qualité.

des souches récentes ont une nageoire dorsale

excroissances aux narines, formant des « pompons »

la couleur bronze est juvénile

Régime Omnivore	Niveaux de nage Tous	Tempérament

Famille CYPRINIDÉS	Espèce *Carassius auratus*	Taille Variable

QUEUE-DE-VOILE

Queue-de-voile proprement dit, ce poisson a le corps relativement haut. Couleur variable selon la disposition des écailles : la souche représentée ici est dorée. Nageoires anale et caudale doubles, formant des plis chez les beaux spécimens. Dorsale portée haut. Pectorales et pelviennes souvent bien fournies. Yeux normaux ou du type « télescope ».

• **REMARQUE** Les nageoires flottantes requièrent une bonne eau, bien contrôlée, et un aquarium sans détritus. Rentrer pour l'hiver les poissons de bassin.

nageoire dorsale portée haut

nageoire caudale flottant en replis

pédoncule caudal court

corps court et haut

Régime Omnivore	Niveaux de nage Tous	Tempérament

Famille CYPRINIDÉS	Espèce *Carassius auratus*	Taille Variable

POISSONS ROUGES JAPONAIS

Cette page et la suivante présentent des souches
de queue-de-voile élevées au Japon. Bien qu'il n'y
ait pas pour elles de standards internationalement
acceptés dans les expositions, elles deviennent de
plus en plus populaires.

• **REMARQUE** Les mots usités pour préciser
la forme de l'excroissance du
tête-de-lion (ou, au Japon, «tête-de-buffle»)
reflètent le degré de sophistication
atteint par les éleveurs japonais.
«Tokai» désigne une forme en
casque de samouraï, «bimbari»
une boursouflure latérale,
«tatsugashira» un
chaperon complet.

*nageoire
caudale
double*

TÉLESCOPE
JAPONAIS

*yeux en
«télescope»*

*couleur
dorée*

*pas de nageoire
dorsale*

*pédoncule
caudal tourné
vers le bas*

TÊTE-DE-LION
ROUGE ET BLANC

*excroissance
rudimentaire
à la tête*

POISSON-COMÈTE
SHUBUNKIN

*grande nageoire
caudale fourchue*

*corps
multicolore*

Régime Omnivore	Niveaux de nage Tous	Tempérament

Famille CYPRINIDÉS	Espèce *Carassius auratus*	Taille Variable

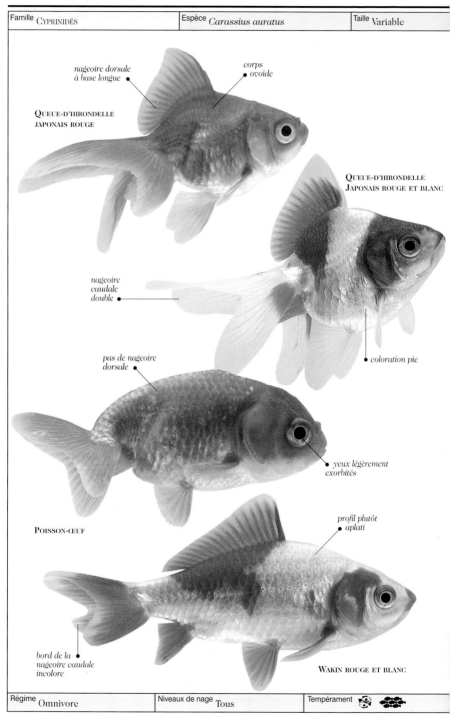

nageoire dorsale à base longue

corps ovoïde

QUEUE-D'HIRONDELLE JAPONAIS ROUGE

QUEUE-D'HIRONDELLE JAPONAIS ROUGE ET BLANC

nageoire caudale double

pas de nageoire dorsale

coloration pie

yeux légèrement exorbités

POISSON-ŒUF

profil plutôt aplati

bord de la nageoire caudale incolore

WAKIN ROUGE ET BLANC

Régime Omnivore	Niveaux de nage Tous	Tempérament

Koïs

B IEN QUE les carpes *(Cyprinus carpio)* aient été longtemps impropres à l'aquarium, il en existe des souches ornementales d'élevage, appelées koïs, dont voici une sélection. La tradition veut qu'on regarde et qu'on juge ces poissons vus de dessus, et l'élevage sélectif en a tenu compte. Les koïs sont originaires d'Asie de l'Est mais on en élève, aujourd'hui, partout dans le monde.

Famille CYPRINIDÉS	Espèce *Cyprinus carpio*	Taille Variable

Koï

La forme de ce poisson ornemental est allongée. Profil dorsal relativement arqué chez les juvéniles ; adultes plus fuselés, de section arrondie et puissamment bâtis. Tête grande, bouche large portant deux paires de barbillons. Les couleurs comme les écailles sont très variables et n'ont pas de modèle naturel, les koïs étant des poissons d'élevage. Par exemple, le type « doitsu » n'a que quelques grandes écailles, généralement le long de la ligne latérale et sur la surface dorsale ; le « matsuba » a les écailles en cône de pin ; le « ginrin » présente des écailles à l'éclat métallique. L'asagi-koï de l'illustration a une tonalité bleue, avec des écailles matsuba ; les joues, la base des nageoires et des parties de la poitrine sont rouges. La double page suivante montre une sélection de variétés.

• **REMARQUE** Les koïs deviennent vite trop grands pour l'aquarium ; ils atteignent leur taille optimale et leurs plus belles couleurs dans un bassin extérieur. Leurs brillantes couleurs se détachent bien sur le fond sombre d'une pièce d'eau. Grands consommateurs de plantes, ils doivent disposer d'une bonne qualité d'eau d'où la nécessité d'une bonne filtration.

nageoire
caudale
puissante

ASAGI-KOÏ

nageoires à base rouge

• écailles,
matsuba,
tons bleutés

ASIE DE L'EST

• joues rouges

Régime Omnivore	Niveaux de nage Tous	Tempérament

Famille CYPRINIDÉS	Espèce *Cyprinus carpio*	Taille Variable

Assortiment coloré de jeunes koïs en aquarium.

nageoire caudale
• puissante

couleur
• unie

ORENJI OGON

écailles
en cône de pin

TAISHO SANKE

KIN MATSUBA

nageoire caudale
• à bords noirs

reflets
métalliques •

• jaune
plus vif
sur la tête

Régime Omnivore	Niveaux de nage Tous	Tempérament

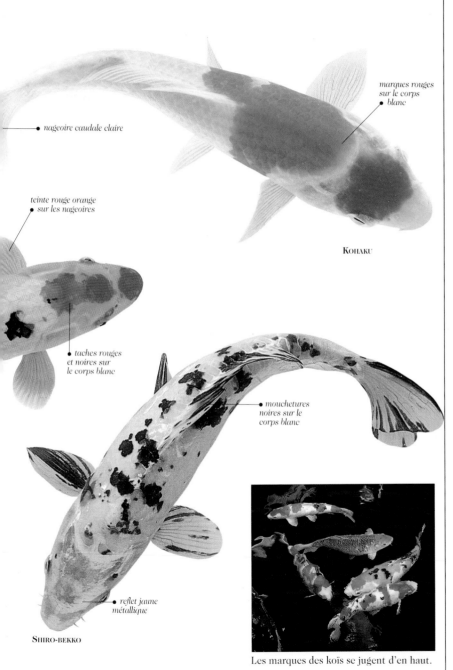

nageoire caudale claire

teinte rouge orange
sur les nageoires

marques rouges
sur le corps
blanc

KOHAKU

taches rouges
et noires sur
le corps blanc

mouchetures
noires sur le
corps blanc

reflet jaune
métallique

SHIRO-BEKKO

Les marques des koïs se jugent d'en haut.

AUTRES POISSONS D'EAU DOUCE FROIDE

O N S'INTÉRESSE surtout en matière de poissons d'eau douce froide, aux poissons rouges et aux koïs, mais il y a d'autres possibilités en ce domaine. Moins connus, les poissons nord-américains, tels les centrarchidés, se trouvent aussi sur le marché, tout comme des bouvières et d'autres espèces asiatiques. Le genre *Lepomis* porte une extension de l'opercule en forme de pavillon d'oreille.

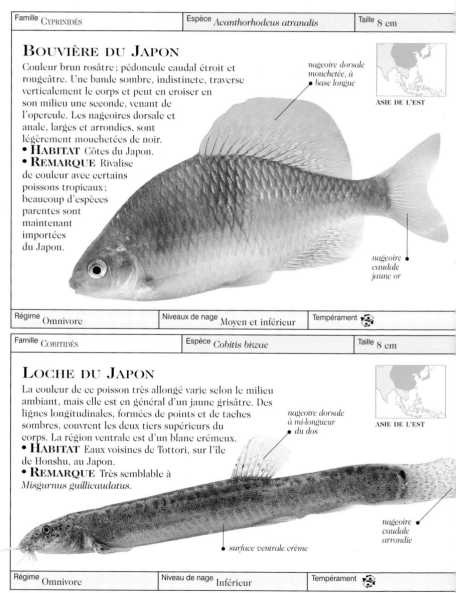

Famille CYPRINIDÉS	Espèce *Acanthorhodeus atranalis*	Taille 8 cm

BOUVIÈRE DU JAPON

Couleur brun rosâtre ; pédoncule caudal étroit et rougeâtre. Une bande sombre, indistincte, traverse verticalement le corps et peut en croiser en son milieu une seconde, venant de l'opercule. Les nageoires dorsale et anale, larges et arrondies, sont légèrement mouchetées de noir.
• **HABITAT** Côtes du Japon.
• **REMARQUE** Rivalise de couleur avec certains poissons tropicaux ; beaucoup d'espèces parentes sont maintenant importées du Japon.

nageoire dorsale mouchetée, à
• base longue

ASIE DE L'EST

nageoire •
caudale
jaune or

Régime Omnivore	Niveaux de nage Moyen et inférieur	Tempérament

Famille COBITIDÉS	Espèce *Cobitis biwae*	Taille 8 cm

LOCHE DU JAPON

La couleur de ce poisson très allongé varie selon le milieu ambiant, mais elle est en général d'un jaune grisâtre. Des lignes longitudinales, formées de points et de taches sombres, couvrent les deux tiers supérieurs du corps. La région ventrale est d'un blanc crémeux.
• **HABITAT** Eaux voisines de Tottori, sur l'île de Honshu, au Japon.
• **REMARQUE** Très semblable à *Misgurnus guillicaudatus*.

nageoire dorsale
à mi-longueur
• du dos

ASIE DE L'EST

nageoire
caudale
arrondie

• *surface ventrale crème*

Régime Omnivore	Niveau de nage Inférieur	Tempérament

Famille GASTÉROSTÉIDÉS	Espèce *Gasterosteus aculeatus*	Taille 8 cm

ÉPINOCHE À TROIS ÉPINES

Des mouchetures brunes couvrent le corps argenté. Trois épines érectiles à l'avant de la nageoire dorsale. Plaques osseuses le long des flancs. Durant le frai, le bas de la tête du mâle, sa gorge et son ventre deviennent brillants.
• **HABITAT** Eaux côtières d'Europe ; présent en Amérique du Nord, en Asie septentrionale et en Algérie.
• **REMARQUE** La femelle dépose ses œufs dans un nid en tunnel, construit par le mâle avec des végétaux. Il les féconde et les surveille jusqu'à éclosion. Exige une nourriture vivante.

EUROPE CENTRALE
ET OCCIDENTALE

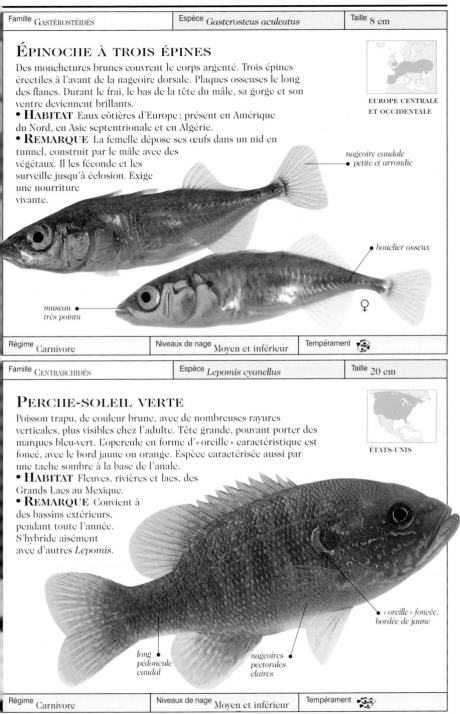

nageoire caudale
• *petite et arrondie*

• *bouclier osseux*

museau •
très pointu

♀

Régime Carnivore	Niveaux de nage Moyen et inférieur	Tempérament

Famille CENTRARCHIDÉS	Espèce *Lepomis cyanellus*	Taille 20 cm

PERCHE-SOLEIL VERTE

Poisson trapu, de couleur brune, avec de nombreuses rayures verticales, plus visibles chez l'adulte. Tête grande, pouvant porter des marques bleu-vert. L'opercule en forme d'« oreille » caractéristique est foncé, avec le bord jaune ou orange. Espèce caractérisée aussi par une tache sombre à la base de l'anale.
• **HABITAT** Fleuves, rivières et lacs, des Grands Lacs au Mexique.
• **REMARQUE** Convient à des bassins extérieurs, pendant toute l'année. S'hybride aisément avec d'autres *Lepomis*.

ÉTATS-UNIS

*« oreille » foncée,
bordée de jaune*

long •
*pédoncule
caudal*

nageoires •
*pectorales
claires*

Régime Carnivore	Niveaux de nage Moyen et inférieur	Tempérament

Famille CENTRARCHIDÉS	Espèce *Lepomis gibbosus*	Taille 22 cm

PERCHE-SOLEIL

Ovale, brun doré, couvert de mouchetures irisées bleu-vert. Région ventrale jaune. Tête et opercules marqués de lignes ondulantes bleu-vert ; bord de l'opercule noir, à bord arrière rougeâtre. Ces couleurs s'intensifient pendant le frai.
• **HABITAT** Fleuves, rivières et lacs des États-Unis, du Dakota du Nord à la Caroline du Sud ; présent au centre-sud du Canada, jusqu'au Québec.
• **REMARQUE** S'hybride couramment avec *Lepomis cyanellus* et *L. macrochirus*. Comme chez tous, la reproduction a lieu dans des nids creusés par le mâle.
• **AUTRE NOM** Perche arc-en-ciel.

bord arrière des nageoires bordé de bleu-vert

ÉTATS-UNIS

ventre jaune

bord de l'opercule noir

Régime Carnivore	Niveaux de nage Moyen et inférieur	Tempérament

Famille CENTRARCHIDÉS	Espèce *Lepomis humilis*	Taille 10 cm

PERCHE-SOLEIL À POINTS ORANGE

Profil beaucoup plus mince que chez les autres espèces du genre. Coloration pâle, d'un brun verdâtre parsemé de points rouge orange chez les mâles, brun foncé chez les femelles. Reflet bleuâtre sur les opercules et les flancs ; poitrine et région ventrale jaunâtres chez le mâle. Le bord de l'opercule caractéristique est foncé et à bord blanc.
• **HABITAT** Fleuves, rivières et lacs des États-Unis, du Dakota du Nord au Texas.
• **REMARQUE** Le mâle émet une sorte de grognement pendant le frai. Hybridations avec d'autres centrarchidés.

bord de l'opercule foncé

ÉTATS-UNIS

nageoires arrondies

points rouge orange chez le mâle

Régime Carnivore	Niveaux de nage Moyen et inférieur	Tempérament

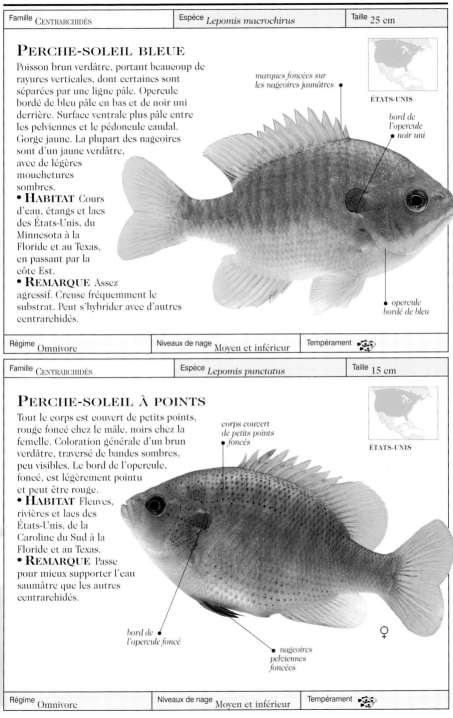

Famille CENTRARCHIDÉS	Espèce *Lepomis macrochirus*	Taille 25 cm

PERCHE-SOLEIL BLEUE

Poisson brun verdâtre, portant beaucoup de rayures verticales, dont certaines sont séparées par une ligne pâle. Opercule bordé de bleu pâle en bas et de noir uni derrière. Surface ventrale plus pâle entre les pelviennes et le pédoncule caudal. Gorge jaune. La plupart des nageoires sont d'un jaune verdâtre, avec de légères mouchetures sombres.
• **HABITAT** Cours d'eau, étangs et lacs des États-Unis, du Minnesota à la Floride et au Texas, en passant par la côte Est.
• **REMARQUE** Assez agressif. Creuse fréquemment le substrat. Peut s'hybrider avec d'autres centrarchidés.

marques foncées sur les nageoires jaunâtres •

ÉTATS-UNIS

bord de l'opercule noir uni

opercule bordé de bleu

Régime Omnivore	Niveaux de nage Moyen et inférieur	Tempérament

Famille CENTRARCHIDÉS	Espèce *Lepomis punctatus*	Taille 15 cm

PERCHE-SOLEIL À POINTS

Tout le corps est couvert de petits points, rouge foncé chez le mâle, noirs chez la femelle. Coloration générale d'un brun verdâtre, traversé de bandes sombres, peu visibles. Le bord de l'opercule, foncé, est légèrement pointu et peut être rouge.
• **HABITAT** Fleuves, rivières et lacs des États-Unis, de la Caroline du Sud à la Floride et au Texas.
• **REMARQUE** Passe pour mieux supporter l'eau saumâtre que les autres centrarchidés.

corps couvert de petits points foncés •

ÉTATS-UNIS

bord de l'opercule foncé •

nageoires pelviennes foncées

♀

Régime Omnivore	Niveaux de nage Moyen et inférieur	Tempérament

Famille CATOSTOMIDÉS	Espèce Myxocyprinus asiaticus sinensis	Taille 30 cm

MYXOCYPRINUS ASIATICUS SINENSIS

Le profil très arqué de ce poisson est exagéré par la grande nageoire dorsale triangulaire et par le ventre presque plat. Sa couleur de base est brun or ; la sous-espèce représentée ici est d'un rouille rosé. Trois larges bandes foncées, verticales, la dernière couvrant le court pédoncule caudal et s'étendant à la nageoire caudale, bien étalée. Tête petite et paraissant se fondre dans le corps.
• **HABITAT** Lacs du Japon ; d'autres sous-espèces se trouvent en Chine.
• **REMARQUE** Se vend fréquemment avec des poissons tropicaux, mais ne demande pas de températures élevées. Apprécie la nourriture végétale.

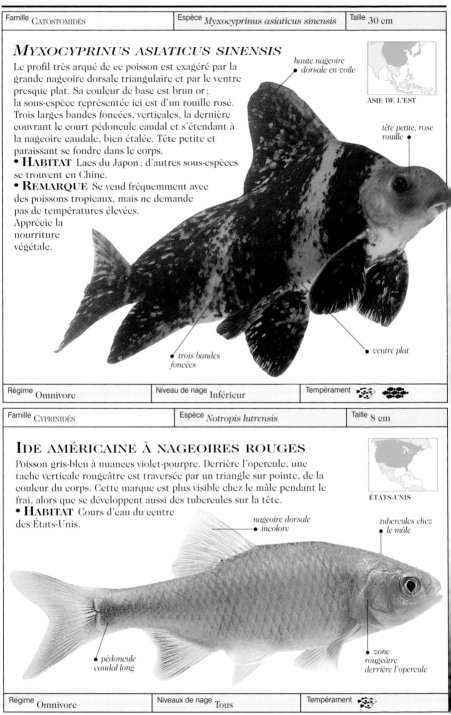

haute nageoire
• dorsale en voile

ASIE DE L'EST

tête petite, rose
rouille •

trois bandes
foncées

• ventre plat

Régime Omnivore	Niveau de nage Inférieur	Tempérament

Famille CYPRINIDÉS	Espèce Notropis lutrensis	Taille 8 cm

IDE AMÉRICAINE À NAGEOIRES ROUGES

Poisson gris-bleu à nuances violet-pourpre. Derrière l'opercule, une tache verticale rougeâtre est traversée par un triangle sur pointe, de la couleur du corps. Cette marque est plus visible chez le mâle pendant le frai, alors que se développent aussi des tubercules sur la tête.
• **HABITAT** Cours d'eau du centre des États-Unis.

ÉTATS-UNIS

nageoire dorsale
• incolore

tubercules chez
• le mâle

• pédoncule
caudal long

• zone
rougeâtre
derrière l'opercule

Régime Omnivore	Niveaux de nage Tous	Tempérament

Famille CYPRINIDÉS	Espèce *Phoxinus phoxinus*	Taille 14 cm

VAIRON

Poisson élancé, d'un jaune argenté, moucheté de brun sur la partie supérieure du corps ; plus bas, combinaison de marques qui forment soit un réseau horizontal régulier, soit une large bande foncée. Surface ventrale d'un rose argenté. Les deux sexes ont des tubercules pendant le frai mais, en cette période, la poitrine du mâle rougit tandis que la femelle devient plus grasse.
• **HABITAT** Cours d'eau d'Europe ; présent en Asie.
• **REMARQUE** Connu de longue date en Europe. Exige une eau bien oxygénée ; certains aquariophiles vont jusqu'à simuler un courant rapide.

Vairon mangeant un ver vivant.

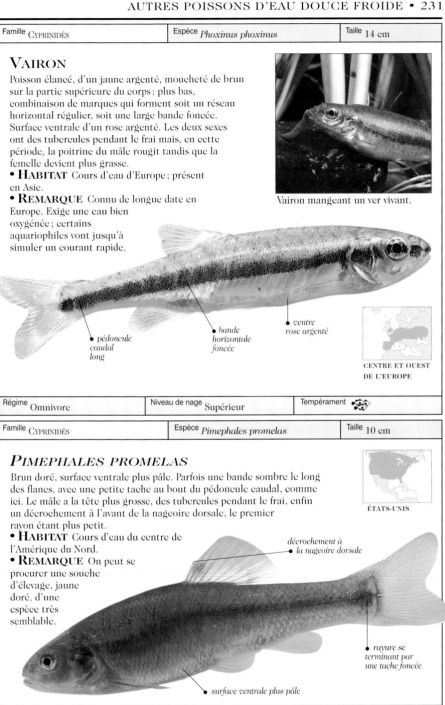

• pédoncule caudal long

• bande horizontale foncée

• ventre rose argenté

CENTRE ET OUEST DE L'EUROPE

Régime Omnivore	Niveau de nage Supérieur	Tempérament

Famille CYPRINIDÉS	Espèce *Pimephales promelas*	Taille 10 cm

PIMEPHALES PROMELAS

Brun doré, surface ventrale plus pâle. Parfois une bande sombre le long des flancs, avec une petite tache au bout du pédoncule caudal, comme ici. Le mâle a la tête plus grosse, des tubercules pendant le frai, enfin un décrochement à l'avant de la nageoire dorsale, le premier rayon étant plus petit.
• **HABITAT** Cours d'eau du centre de l'Amérique du Nord.
• **REMARQUE** On peut se procurer une souche d'élevage, jaune doré, d'une espèce très semblable.

ÉTATS-UNIS

décrochement à • la nageoire dorsale

rayure se terminant par une tache foncée

• surface ventrale plus pâle

Régime Omnivore	Niveaux de nage Supérieur et moyen	Tempérament

| Famille CYPRINIDÉS | Espèce Rhodeus ocellatus | Taille 8 cm |

RHODEUS OCELLATUS

Forme semblable à celle des barbus (*voir p. 46*). Coloration d'un violet rosâtre sur les flancs, avec une rayure verticale rose derrière l'opercule. Ligne bleue horizontale, du milieu du corps à la nageoire caudale, où elle se termine par une tache rouge qui s'étend sur la nageoire, parfois à moucheture turquoise. Tache turquoise sur le profil dorsal, jusqu'à l'œil surmonté de rouge. La femelle a un long oviposteur.

• **HABITAT** Lacs et rivières du Japon.

• **REMARQUE** Un nombre considérable de *Rhodeus* envahissent actuellement le marché et la confusion règne quant à l'identification exacte de chaque espèce.

ligne bleue
à l'arrière

ASIE DE L'EST

œil à bord
supérieur rouge

flancs d'un
violet rosâtre

la ligne bleue se
termine par du rouge

| Régime Omnivore | Niveaux de nage Moyen et inférieur | Tempérament |

| Famille CYPRINIDÉS | Espèce Rhodeus sericeus | Taille 8 cm |

BOUVIÈRE

La couleur turquoise de ce poisson décoratif n'est visible que sous un éclairage optimal ; elle affecte surtout le haut du corps. Ligne bleue du milieu du corps à la nageoire caudale, où elle se termine par une tache sombre. Nageoires généralement incolores.

• **HABITAT** Lacs, étangs et ruisseaux d'Europe centrale et orientale ; présent en Asie Mineure.

• **REMARQUE** En usant de son long oviposteur, la femelle pond dans un bivalve. La fécondation par le mâle se fait lorsque le mollusque aspire de l'eau : cette circulation d'eau dans la coquille évente les œufs jusqu'à l'éclosion. Les alevins s'échappent alors.

CENTRE ET EST
DE L'EUROPE

ligne bleue se
terminant en
tache

nageoires
incolores

écailles bien
apparentes

| Régime Omnivore | Niveaux de nage Moyen et inférieur | Tempérament |

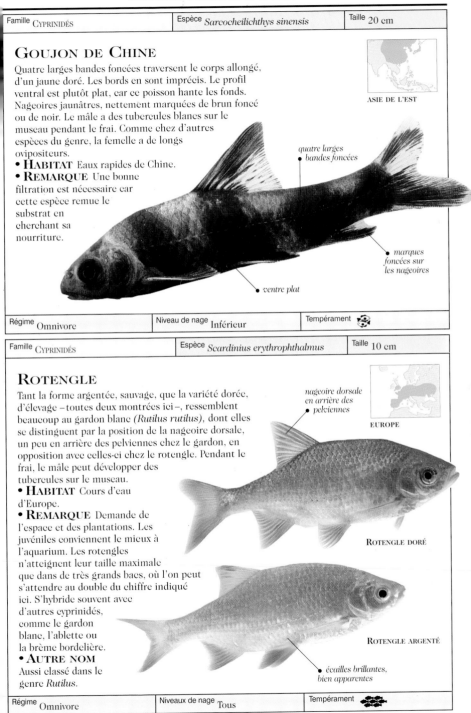

Famille CYPRINIDÉS	Espèce *Sarcocheilichthys sinensis*	Taille 20 cm

GOUJON DE CHINE

Quatre larges bandes foncées traversent le corps allongé, d'un jaune doré. Les bords en sont imprécis. Le profil ventral est plutôt plat, car ce poisson hante les fonds. Nageoires jaunâtres, nettement marquées de brun foncé ou de noir. Le mâle a des tubercules blancs sur le museau pendant le frai. Comme chez d'autres espèces du genre, la femelle a de longs oviposituers.
• **HABITAT** Eaux rapides de Chine.
• **REMARQUE** Une bonne filtration est nécessaire car cette espèce remue le substrat en cherchant sa nourriture.

ASIE DE L'EST

quatre larges bandes foncées

marques foncées sur les nageoires

ventre plat

Régime Omnivore	Niveau de nage Inférieur	Température

Famille CYPRINIDÉS	Espèce *Scardinius erythrophthalmus*	Taille 10 cm

ROTENGLE

Tant la forme argentée, sauvage, que la variété dorée, d'élevage –toutes deux montrées ici –, ressemblent beaucoup au gardon blanc *(Rutilus rutilus)*, dont elles se distinguent par la position de la nageoire dorsale, un peu en arrière des pelviennes chez le gardon, en opposition avec celles-ci chez le rotengle. Pendant le frai, le mâle peut développer des tubercules sur le museau.
• **HABITAT** Cours d'eau d'Europe.
• **REMARQUE** Demande de l'espace et des plantations. Les juvéniles conviennent le mieux à l'aquarium. Les rotengles n'atteignent leur taille maximale que dans de très grands bacs, où l'on peut s'attendre au double du chiffre indiqué ici. S'hybride souvent avec d'autres cyprinidés, comme le gardon blanc, l'ablette ou la brème bordelière.
• **AUTRE NOM** Aussi classé dans le genre *Rutilus*.

nageoire dorsale en arrière des pelviennes

EUROPE

ROTENGLE DORÉ

ROTENGLE ARGENTÉ

écailles brillantes, bien apparentes

Régime Omnivore	Niveaux de nage Tous	Température

POISSONS MARINS TROPICAUX

POISSONS D'ANÉMONES

C ES POISSONS de la famille des poma-centridés doivent leur nom au fait qu'ils s'abritent entre les tentacules des anémones de mer. Lorsqu'ils ont choisi une anémone, ils s'y frottent progressive-ment pour s'immuniser contre le venin du cœlentéré. Également appelés poissons-clowns en raison de leur nage assez maladroite, ils sont robustes et représen-tent un sujet idéal pour le débutant.

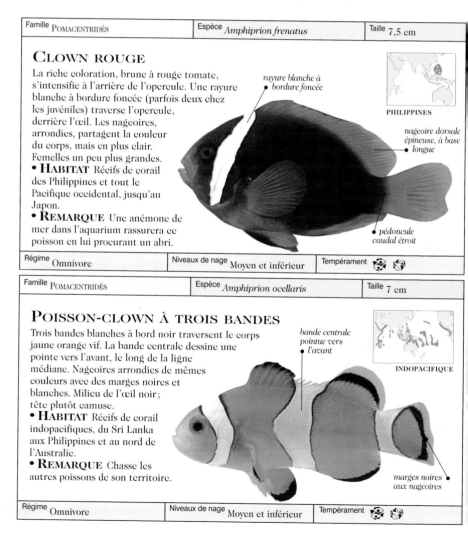

Famille POMACENTRIDÉS	Espèce *Amphiprion frenatus*	Taille 7,5 cm

CLOWN ROUGE

La riche coloration, brune à rouge tomate, s'intensifie à l'arrière de l'opercule. Une rayure blanche à bordure foncée (parfois deux chez les juvéniles) traverse l'opercule, derrière l'œil. Les nageoires, arrondies, partagent la couleur du corps, mais en plus clair. Femelles un peu plus grandes.
• **HABITAT** Récifs de corail des Philippines et tout le Pacifique occidental, jusqu'au Japon.
• **REMARQUE** Une anémone de mer dans l'aquarium rassurera ce poisson en lui procurant un abri.

rayure blanche à bordure foncée

PHILIPPINES

nageoire dorsale épineuse, à base longue

pédoncule caudal étroit

Régime Omnivore	Niveaux de nage Moyen et inférieur	Tempérament

Famille POMACENTRIDÉS	Espèce *Amphiprion ocellaris*	Taille 7 cm

POISSON-CLOWN À TROIS BANDES

Trois bandes blanches à bord noir traversent le corps jaune orange vif. La bande centrale dessine une pointe vers l'avant, le long de la ligne médiane. Nageoires arrondies de mêmes couleurs avec des marges noires et blanches. Milieu de l'œil noir ; tête plutôt camuse.
• **HABITAT** Récifs de corail indopacifiques, du Sri Lanka aux Philippines et au nord de l'Australie.
• **REMARQUE** Chasse les autres poissons de son territoire.

bande centrale pointue vers l'avant

INDOPACIFIQUE

marges noires aux nageoires

Régime Omnivore	Niveaux de nage Moyen et inférieur	Tempérament

Famille POMACENTRIDÉS	Espèce *Amphiprion perideraion*	Taille 7,5 cm

POISSON-CLOWN À COLLIER

Bande blanche étroite du haut du museau au pédoncule caudal, le long du profil dorsal ; le reste du corps est d'un rose doré délicat. Une mince rayure verticale, blanche bordée de noir, recouvre l'opercule. L'œil, foncé, a la pupille cerclée d'or. Les nageoires, arrondies, sont de nuances plus pâles que celles du corps. Nageoires dorsale et caudale du mâle bordées d'orange.

• **HABITAT** Philippines ; présent, dans les récifs coralliens, de la Thaïlande à l'Australie du Nord et à Hongkong.

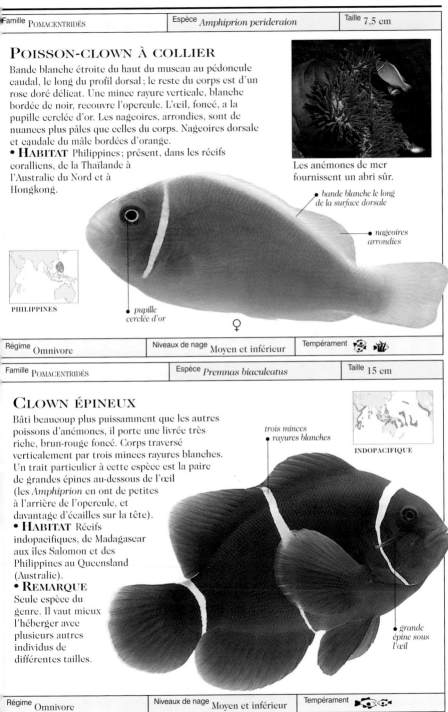

Les anémones de mer fournissent un abri sûr.

bande blanche le long de la surface dorsale

nageoires arrondies

PHILIPPINES

pupille cerclée d'or

♀

Régime Omnivore	Niveaux de nage Moyen et inférieur	Tempérament

Famille POMACENTRIDÉS	Espèce *Premnas biaculeatus*	Taille 15 cm

CLOWN ÉPINEUX

Bâti beaucoup plus puissamment que les autres poissons d'anémones, il porte une livrée très riche, brun-rouge foncé. Corps traversé verticalement par trois minces rayures blanches. Un trait particulier à cette espèce est la paire de grandes épines au-dessous de l'œil (les *Amphiprion* en ont de petites à l'arrière de l'opercule, et davantage d'écailles sur la tête).

• **HABITAT** Récifs indopacifiques, de Madagascar aux îles Salomon et des Philippines au Queensland (Australie).

• **REMARQUE** Seule espèce du genre. Il vaut mieux l'héberger avec plusieurs autres individus de différentes tailles.

trois minces rayures blanches

INDOPACIFIQUE

grande épine sous l'œil

Régime Omnivore	Niveaux de nage Moyen et inférieur	Tempérament

POISSONS-ANGES

LES POMACANTHIDÉS, ou poissons-anges, se distinguent de leurs parents, les chétodontidés, ou poissons-papillons, par la présence d'une épine aiguë à l'arrière de l'opercule. Les juvéniles ont une livrée très différente de celle les adultes. La reproduction se fait par dispersion des œufs mais elle est rare dans un aquarium de dimensions moyennes, car les poissons y sont souvent immatures, ou l'espace manque. Les pomacanthidés sont mangeurs de polypes, en particulier de coraux vivants ainsi que d'éponges. Leurs exigences alimentaires en font des sujets trop délicats pour une simple collection d'amateur ; cependant on trouve de plus en plus sur le marché de nourritures préparées contenant les ingrédients naturels requis.

Famille POMACANTHIDÉS	Espèce *Centropyge argi*	Taille 7,5 cm

ANGE-DE-MER NAIN

Corps d'un riche bleu foncé ; tête et poitrine jaunes, pouvant varier du jaune pur au pourpre doré suivant les sous-espèces peuplant différents lieux. Les nageoires dorsale et anale, à base longue, sont de même couleur que le corps, mais traversées de rayures noires, jusqu'au bord d'un bleu électrique.
• **HABITAT** Récifs de corail des Caraïbes ; présent dans l'Atlantique occidental.
• **REMARQUE** Poisson robuste, ne demandant pas un grand aquarium. Tend à vivre en couple ; donc, à l'achat, vérifiez si deux poissons paraissent inséparables.

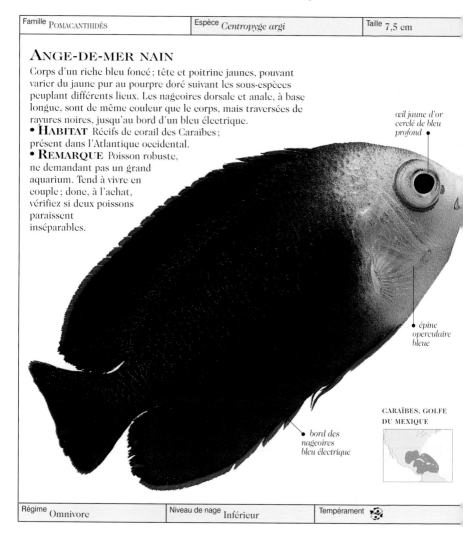

œil jaune d'or cerclé de bleu profond •

• *épine operculaire bleue*

CARAÏBES, GOLFE DU MEXIQUE

• *bord des nageoires bleu électrique*

Régime Omnivore	Niveau de nage Inférieur	Tempérament

Famille POMACANTHIDÉS	Espèce *Centropyge bicolor*	Taille 13 cm

HOLACANTHE BICOLORE

L'arrière du corps est d'un bleu profond, l'avant jaune vif. Ils sont séparés par une mince ligne verticale blanche ; il en va de même entre l'arrière et la nageoire caudale. Une petite bande bleue traverse le front.

• **HABITAT** Récifs de corail, des Indes orientales aux îles Samoa ; largement distribué dans le Pacifique occidental.

• **REMARQUE** Le mâle, plus grand, se reproduit avec un harem de femelles, plus petites. L'une de celles-ci peut changer de sexe pour remplacer un mâle qui meurt ou qui quitte le groupe. Espèce très vulnérable à l'empoisonnement par le cuivre.

petite bande bleue sur le front

INDOPACIFIQUE

bord de la nageoire anale bleu pâle

Régime Omnivore	Niveaux de nage Tous	Tempérament

Famille POMACANTHIDÉS	Espèce *Centropyge bispinosus*	Taille 13 cm

POISSON-ANGE SOMBRE

La couleur est généralement un mélange de rouge doré et d'indigo, la répartition des marques pouvant varier suivant le milieu ambiant. Des rayures verticales et des mouchetures sombres recouvrent le tout. Les nageoires dorsale, anale et caudale ont des marques foncées et les bords bleu pâle. Les pectorales sont jaune uni, les pelviennes jaune orange vif. Les juvéniles (comme ici) ont plus d'indigo que de doré mais, chez les adultes, les régions foncées s'estompent et le poisson devient plus clair.

• **HABITAT** Récifs coralliens de la côte d'Afrique orientale, des Indes orientales et de l'Australasie, jusqu'à la moitié du Pacifique.

• **REMARQUE** Poisson timide, qui a besoin de nombreuses cachettes.

bord de la nageoire dorsale bleu pâle

INDOPACIFIQUE

indigo prédominant chez le juvénile

Régime Omnivore	Niveaux de nage Tous	Tempérament

Famille POMACANTHIDÉS	Espèce *Centropyge eibli*	Taille 15 cm

POISSON-ANGE DE EIBL

Corps gris à doré, avec des rayures verticales ondulantes, régulièrement espacées. Ces lignes, rouge or à l'avant, deviennent or et noir vers l'arrière, où elles s'assortissent aux parties noires de la nageoire dorsale, du pédoncule caudal et de la nageoire caudale. Nageoire dorsale, anale et caudale peuvent avoir les bords dorés ou bleu pâle, selon les populations. Quelques marques dorées sur l'anale et la dorsale. Œil cerclé d'or puis de bleu, puis à nouveau d'or. Épine operculaire bleu clair.

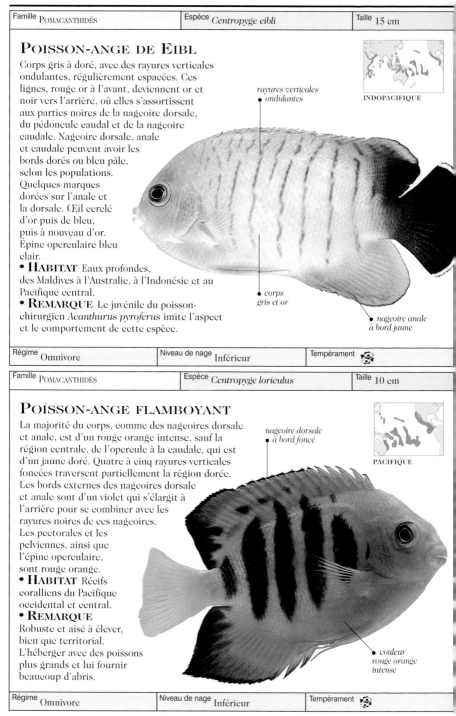

rayures verticales ondulantes

INDOPACIFIQUE

corps gris et or

nageoire anale à bord jaune

• **HABITAT** Eaux profondes, des Maldives à l'Australie, à l'Indonésie et au Pacifique central.
• **REMARQUE** Le juvénile du poisson-chirurgien *Acanthurus pyroferus* imite l'aspect et le comportement de cette espèce.

Régime Omnivore	Niveau de nage Inférieur	Tempérament

Famille POMACANTHIDÉS	Espèce *Centropyge loriculus*	Taille 10 cm

POISSON-ANGE FLAMBOYANT

La majorité du corps, comme des nageoires dorsale et anale, est d'un rouge orange intense, sauf la région centrale, de l'opercule à la caudale, qui est d'un jaune doré. Quatre à cinq rayures verticales foncées traversent partiellement la région dorée. Les bords externes des nageoires dorsale et anale sont d'un violet qui s'élargit à l'arrière pour se combiner avec les rayures noires de ces nageoires. Les pectorales et les pelviennes, ainsi que l'épine operculaire, sont rouge orange.

nageoire dorsale à bord foncé

PACIFIQUE

couleur rouge orange intense

• **HABITAT** Récifs coralliens du Pacifique occidental et central.
• **REMARQUE** Robuste et aisé à élever, bien que territorial. L'héberger avec des poissons plus grands et lui fournir beaucoup d'abris.

Régime Omnivore	Niveau de nage Inférieur	Tempérament

Famille POMACANTHIDÉS	Espèce *Euxiphipops navarchus*	Taille 25 cm

ÉVENTAIL DU JAPON

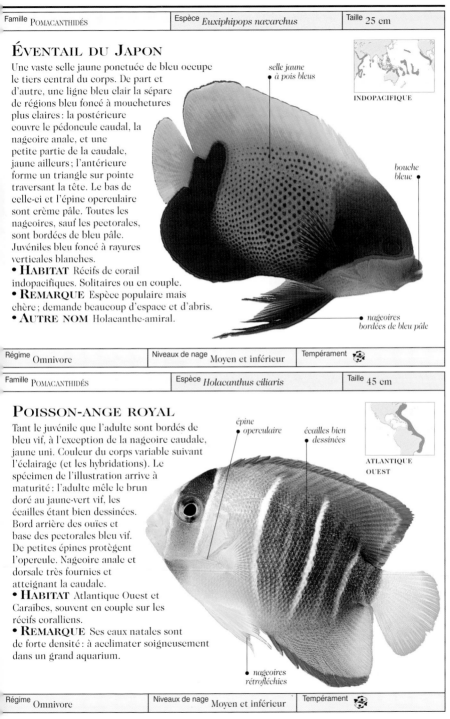

Une vaste selle jaune ponctuée de bleu occupe le tiers central du corps. De part et d'autre, une ligne bleu clair la sépare de régions bleu foncé à mouchetures plus claires : la postérieure couvre le pédoncule caudal, la nageoire anale, et une petite partie de la caudale, jaune ailleurs ; l'antérieure forme un triangle sur pointe traversant la tête. Le bas de celle-ci et l'épine operculaire sont crème pâle. Toutes les nageoires, sauf les pectorales, sont bordées de bleu pâle. Juvéniles bleu foncé à rayures verticales blanches.
• **HABITAT** Récifs de corail indopacifiques. Solitaires ou en couple.
• **REMARQUE** Espèce populaire mais chère ; demande beaucoup d'espace et d'abris.
• **AUTRE NOM** Holacanthe-amiral.

selle jaune à pois bleus

INDOPACIFIQUE

bouche bleue

nageoires bordées de bleu pâle

Régime Omnivore	Niveaux de nage Moyen et inférieur	Tempérament

Famille POMACANTHIDÉS	Espèce *Holacanthus ciliaris*	Taille 45 cm

POISSON-ANGE ROYAL

Tant le juvénile que l'adulte sont bordés de bleu vif, à l'exception de la nageoire caudale, jaune uni. Couleur du corps variable suivant l'éclairage (et les hybridations). Le spécimen de l'illustration arrive à maturité : l'adulte mêle le brun doré au jaune-vert vif, les écailles étant bien dessinées. Bord arrière des ouïes et base des pectorales bleu vif. De petites épines protègent l'opercule. Nageoire anale et dorsale très fournies et atteignant la caudale.
• **HABITAT** Atlantique Ouest et Caraïbes, souvent en couple sur les récifs coralliens.
• **REMARQUE** Ses eaux natales sont de forte densité : à acclimater soigneusement dans un grand aquarium.

épine operculaire

écailles bien dessinées

ATLANTIQUE OUEST

nageoires rétrofléchies

Régime Omnivore	Niveaux de nage Moyen et inférieur	Tempérament

Famille POMACANTHIDÉS	Espèce *Holacanthus tricolor*	Taille 60 cm

HOLACANTHE TRICOLORE

Le juvénile est jaune uni, avec sur le flanc une tache foncée, bordée de bleu, sous l'arrière de la dorsale ; chez l'adulte, cette tache couvre les trois quarts du corps : seules la tête, la poitrine et la nuque restent jaunes. Nageoires dorsale et anale foncées, bordées de jaune et de rouge ; pectorales, pelviennes et caudale jaunes.

• **HABITAT** Récifs de corail de la région caraïbe.

• **REMARQUE** En aquarium, agressivité intraspécifique : ne pas héberger ce poisson en couple ni en groupe. Nourriture contenant le plus possible d'éponge naturelle.

nageoires bordées de jaune et de rouge

ATLANTIQUE OUEST

tache foncée couvrant la majorité du corps chez l'adulte

traits bleus autour de l'œil

Régime Omnivore	Niveau de nage Inférieur	Tempérament

Famille POMACANTHIDÉS	Espèce *Holacanthus trimaculatus*	Taille 25 cm

POISSON-ANGE À TROIS TACHES

Les grandes nageoires sont arrondies et non pointues comme celles de la plupart des poissons-anges ; elles accentuent ainsi la silhouette ovale du poisson. *Trimaculatus* se réfère aux trois taches qu'il porte : une sur le front et une, moins nette, derrière chaque opercule. Les nageoires pectorales, pelviennes, dorsale et caudale ont la couleur du corps, tandis que l'anale, d'un jaune un peu plus pâle, porte un arc noir sur sa partie extérieure.

• **HABITAT** Récifs de corail, d'Afrique orientale aux Philippines.

• **REMARQUE** Demande une eau de haute qualité et une grande variété d'aliments, même verts.

• **AUTRE NOM** Aussi classé comme *Apolemichthys*.

tache sur le front

INDOPACIFIQUE

bouche bleue

arc noir sur nageoire anale

Régime Omnivore	Niveau de nage Inférieur	Tempérament

Famille POMACANTHIDÉS	Espèce *Pomacanthus annularis*	Taille 40 cm

POISSON-ANGE À ANNEAU

Les juvéniles ont le corps bleu foncé, avec des
rayures verticales blanches, alternativement
minces et larges. La nageoire caudale est claire
mais peut avoir des mouchetures pâles. Mêmes
couleurs chez le juvénile de *P. chrysurus*, sauf
que ce dernier a la caudale jaune. L'adulte
est brun foncé, doré, avec des rayures
bleu roi ; le terme « anneau » désigne
l'ocelle à l'arrière de la tête.
• **HABITAT** Du Sri Lanka aux
îles Salomon.
• **REMARQUE** A
besoin d'algues.

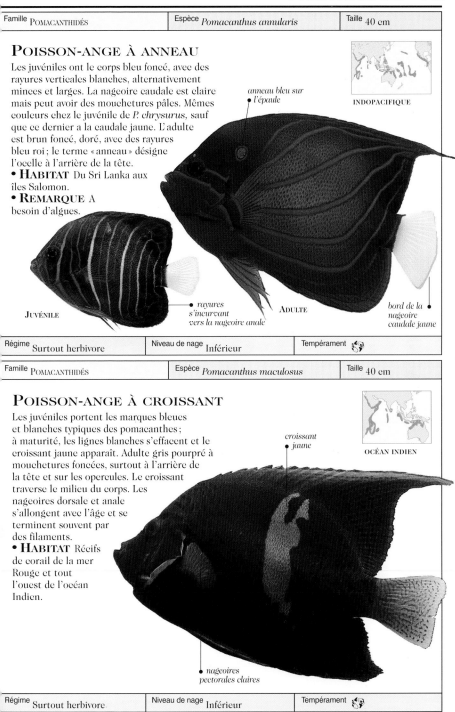

*anneau bleu sur
l'épaule*

INDOPACIFIQUE

JUVÉNILE

*rayures
s'incurvant
vers la nageoire anale*

ADULTE

*bord de la
nageoire
caudale jaune*

Régime Surtout herbivore	Niveau de nage Inférieur	Tempérament

Famille POMACANTHIDÉS	Espèce *Pomacanthus maculosus*	Taille 40 cm

POISSON-ANGE À CROISSANT

Les juvéniles portent les marques bleues
et blanches typiques des pomacanthes ;
à maturité, les lignes blanches s'effacent et le
croissant jaune apparaît. Adulte gris pourpré à
mouchetures foncées, surtout à l'arrière de
la tête et sur les opercules. Le croissant
traverse le milieu du corps. Les
nageoires dorsale et anale
s'allongent avec l'âge et se
terminent souvent par
des filaments.
• **HABITAT** Récifs
de corail de la mer
Rouge et tout
l'ouest de l'océan
Indien.

*croissant
jaune*

OCÉAN INDIEN

*nageoires
pectorales claires*

Régime Surtout herbivore	Niveau de nage Inférieur	Tempérament

Famille POMACANTHIDÉS	Espèce *Pomacanthus imperator*	Taille 30 cm

POISSON-ANGE EMPEREUR

Le juvénile (*ci-contre*) est bleu foncé, avec des marques blanches concentriques, plutôt ovales. Devant l'opercule, elles deviennent presque verticales, avec une légère courbure vers l'arrière. Les nageoires anale, dorsale et caudale ont des marques foncées. L'adulte (*ci-dessous*) a la caudale d'un jaune uni et le corps jaune, traversé de rayures gris-bleu pâle, qui s'étendent sur la dorsale. Celle-ci devient pointue à maturité. L'anale garde le bleu foncé du juvénile. Bouche jaune rosâtre bordée de bleu clair, une couleur qui se répète sur l'épine operculaire. Les nageoires pelviennes ont un peu de rouge.

• **HABITAT** Indopacifique, de la mer Rouge aux îles Hawaii et à l'Australie.

• **REMARQUE** Relativement rare. Peut atteindre une taille impressionnante. Préfère vivre avec d'autres grandes espèces.

• **AUTRE NOM** Holacanthe-empereur.

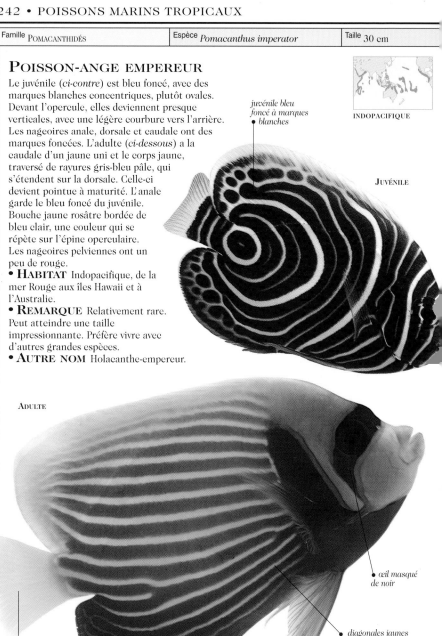

juvénile bleu foncé à marques
• *blanches*

INDOPACIFIQUE

JUVÉNILE

ADULTE

• *œil masqué de noir*

• *diagonales jaunes chez l'adulte*

• *nageoire caudale jaune unie*

Régime Omnivore	Niveaux de nage Moyen et inférieur	Tempérament

Famille POMACANTHIDÉS	Espèce *Pomacanthus paru*	Taille 30 cm

POISSON-ANGE FRANÇAIS

Juvéniles noirs, avec quatre ou cinq rayures verticales jaunes, éclatantes. Chez l'adulte, elles faiblissent et le poisson devient gris foncé. En même temps, la majeure partie du corps, à l'arrière des opercules, se couvre de mouchetures, qui s'étendent sur une partie de la nageoire anale et surtout de la dorsale (souvent parée d'une pointe de couleur claire).
• **HABITAT** Atlantique Ouest et Caraïbes, de la Floride au Brésil.
• **REMARQUE** En aquarium, les jeunes peuvent se quereller. L'adulte ressemble à *P. arcuatus*, dont les mouchetures sont plus vives et qui possède une tache jaune à la base des nageoires pectorales.
• **AUTRE NOM** Poisson indien.

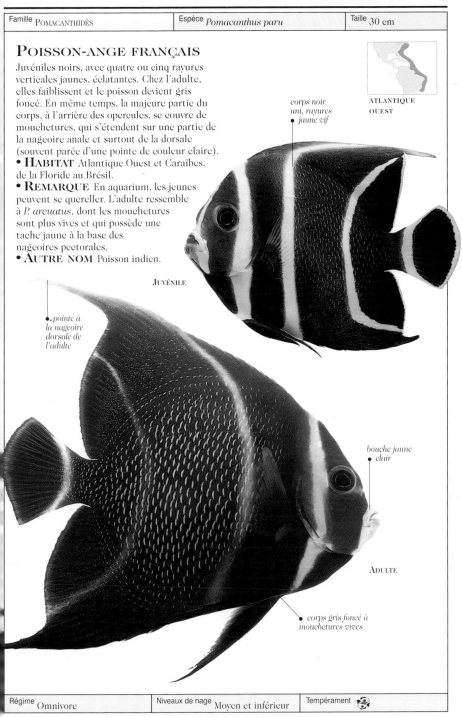

corps noir
uni, rayures
• jaune vif

ATLANTIQUE
OUEST

JUVÉNILE

•. *pointe à
la nageoire
dorsale de
l'adulte*

*bouche jaune
• clair*

ADULTE

*corps gris foncé à
mouchetures vives*

Régime Omnivore	Niveaux de nage Moyen et inférieur	Tempérament

Famille POMACANTHIDÉS	Espèce *Pomacanthus semicirculatus*	Taille 38 cm

POISSON-ANGE À DEMI-CERCLES

L'adulte est rarement vu en aquarium. Le juvénile a le corps bleu à brun foncé, couvert de fines rayures blanches. Celles-ci forment un dessin semicirculaire, autour d'un point du pédoncule caudal. Chez l'adulte, les marques de la nageoire caudale ressemblent à de l'écriture arabe.
• **HABITAT** Récifs, de la mer Rouge aux Samoa et au Japon.
• **REMARQUE** Espace et abris sont essentiels.

nageoire dorsale à bord bleu

INDOPACIFIQUE

dessin en demi-cercle chez le juvénile

Régime Omnivore	Niveaux de nage Moyen et inférieur	Tempérament

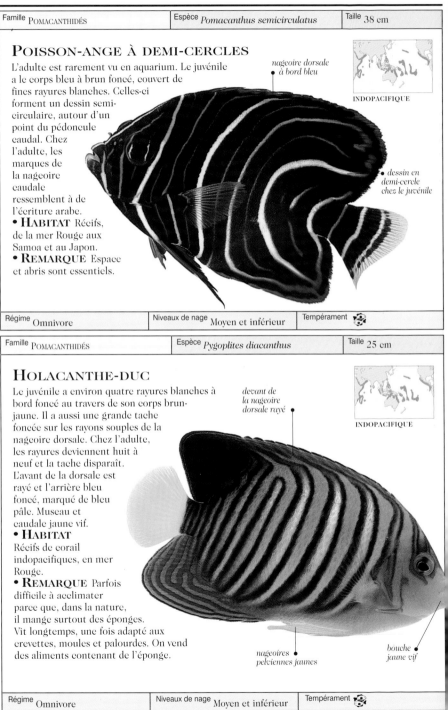

Famille POMACANTHIDÉS	Espèce *Pygoplites diacanthus*	Taille 25 cm

HOLACANTHE-DUC

Le juvénile a environ quatre rayures blanches à bord foncé au travers de son corps brunjaune. Il a aussi une grande tache foncée sur les rayons souples de la nageoire dorsale. Chez l'adulte, les rayures deviennent huit à neuf et la tache disparaît. L'avant de la dorsale est rayé et l'arrière bleu foncé, marqué de bleu pâle. Museau et caudale jaune vif.
• **HABITAT** Récifs de corail indopacifiques, en mer Rouge.
• **REMARQUE** Parfois difficile à acclimater parce que, dans la nature, il mange surtout des éponges. Vit longtemps, une fois adapté aux crevettes, moules et palourdes. On vend des aliments contenant de l'éponge.

devant de la nageoire dorsale rayé

INDOPACIFIQUE

nageoires pelviennes jaunes

bouche jaune vif

Régime Omnivore	Niveaux de nage Moyen et inférieur	Tempérament

POISSONS-PAPILLONS

LES CHÉTODONTIDÉS, ou poissons papillons, rivalisent avec les poissons-anges par la somptuosité des couleurs et des dessins. Hélas, tant qu'ils ne se sentiront pas à l'aise dans l'aquarium, ils resteront cachés. Et ce sont les espèces les plus colorées qui s'adaptent souvent le moins bien à la captivité, même si la présence de cachettes aide à les acclimater. La nuit, elles préfèrent se retirer parmi les coraux et y modifient parfois leur livrée. Ces poissons timides risquent d'abandonner leur nourriture aux autres espèces. Il faut leur présenter avec précaution des vers, des aliments séchés et des algues.

Famille CHÉTODONTIDÉS	Espèce *Chaetodon auriga*	Taille 20 cm

CHÉTODON-COCHER

Poisson aux trois quarts blanc, rayé de diagonales sombres en deux réseaux perpendiculaires. Vers l'arrière, les diagonales semblent se confondre et la couleur s'assombrit. Une bande verticale foncée traverse la tête et l'œil ; le museau est barré de lignes jaunes. Dorsale épineuse, dont la couleur varie du blanc au jaune en sa moitié avant ; l'arrière est jaune uni, avec un ocelle dans le coin supérieur. Chez les juvéniles, cet ocelle est plus pâle.
• **HABITAT** Très commun dans tous les récifs indopacifiques.
• **REMARQUE** Aisé à obtenir, c'est un bon choix.

INDOPACIFIQUE

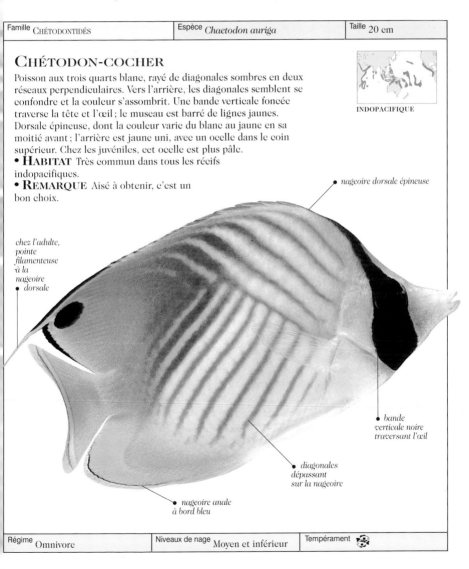

nageoire dorsale épineuse

chez l'adulte, pointe filamenteuse à la nageoire dorsale

bande verticale noire traversant l'œil

diagonales dépassant sur la nageoire

nageoire anale à bord bleu

Régime Omnivore	Niveaux de nage Moyen et inférieur	Tempérament

Famille CHÉTODONTIDÉS	Espèce *Chaetodon lunula*	Taille 20 cm

CHÉTODON RAYÉ

La couleur est jaune avec des diagonales foncées à partir des nageoires pectorales. Une bande foncée, bordée de rayures blanches –une très mince à l'avant et une large à l'arrière–, traverse le front en masquant les yeux. Il y a des épines, bien détachées, à l'avant des nageoires dorsale et anale. Les juvéniles sont plus pâles en avant de l'œil et présentent un ocelle sur la dorsale. Puis l'ocelle s'efface et le nez pâle jaunit.
• **HABITAT** Hauts-fonds, de l'Afrique orientale à l'Australie et aux îles Hawaii.
• **REMARQUE** *C. fasciatus*, espèce semblable, habite la mer Rouge et n'a pas la zone foncée proche du pédoncule caudal.

des diagonales foncées traversent le corps

INDOPACIFIQUE

épines bien détachées

masque blanc et noir

Régime Carnivore	Niveaux de nage Moyen et inférieur	Tempérament

Famille CHÉTODONTIDÉS	Espèce *Chaetodon quadrimaculatus*	Taille 20 cm

CHÉTODON À QUATRE TACHES

Deux régions de couleurs bien distinctes : la surface dorsale, brun foncé, s'éclaircit à mi-hauteur pour faire place à du jaune doré. Deux taches blanches dans la région brune, sous la nageoire dorsale, dont la base est brune aussi. Comme l'anale, elle a une ligne bleue à mi-section. Les nageoires sont d'or rougeâtre. Pédoncule caudal brun, avec une zone rouge à la naissance de la queue. Œil traversé d'une bande rouge orange, bordée de deux rayures foncées et suivie d'une autre à l'arrière, d'un blanc jaunâtre.
• **HABITAT** Récifs de corail autour des îles Hawaii.
• **REMARQUE** Très semblable à *C. unimaculatus* mais moins commun. Une distribution limitée indique souvent une alimentation spécialisée, ce qui pose des problèmes d'acclimatation en aquarium. Une espèce à laisser plutôt dans la nature tant qu'une nourriture adaptée ne sera pas commercialisée.

deux taches blanches sous la nageoire dorsale

PACIFIQUE

pédoncule caudal brun

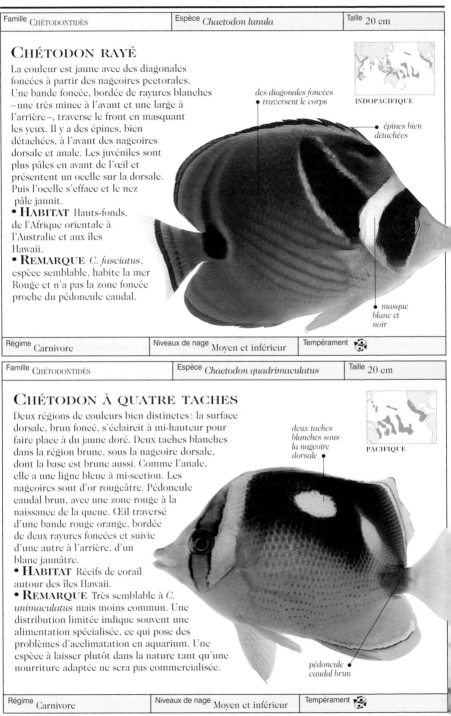

Régime Carnivore	Niveaux de nage Moyen et inférieur	Tempérament

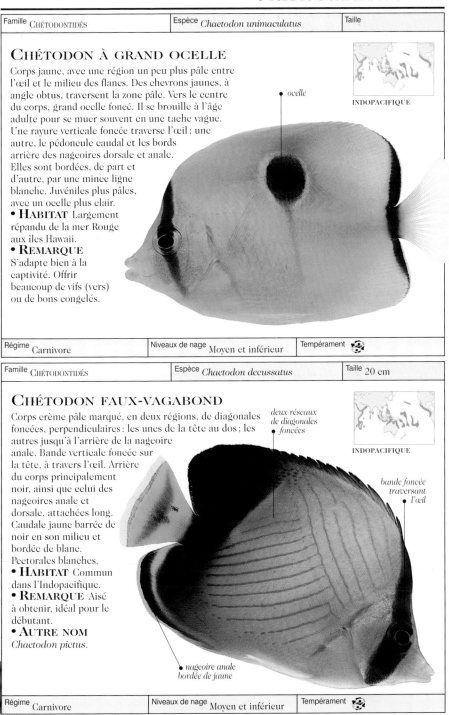

| Famille CHÉTODONTIDÉS | Espèce *Chaetodon unimaculatus* | Taille |

CHÉTODON À GRAND OCELLE

Corps jaune, avec une région un peu plus pâle entre l'œil et le milieu des flancs. Des chevrons jaunes, à angle obtus, traversent la zone pâle. Vers le centre du corps, grand ocelle foncé. Il se brouille à l'âge adulte pour se muer souvent en une tache vague. Une rayure verticale foncée traverse l'œil ; une autre, le pédoncule caudal et les bords arrière des nageoires dorsale et anale. Elles sont bordées, de part et d'autre, par une mince ligne blanche. Juvéniles plus pâles, avec un ocelle plus clair.
• **HABITAT** Largement répandu de la mer Rouge aux îles Hawaii.
• **REMARQUE** S'adapte bien à la captivité. Offrir beaucoup de vifs (vers) ou de bons congelés.

ocelle

INDOPACIFIQUE

| Régime Carnivore | Niveaux de nage Moyen et inférieur | Tempérament |

| Famille CHÉTODONTIDÉS | Espèce *Chaetodon decussatus* | Taille 20 cm |

CHÉTODON FAUX-VAGABOND

Corps crème pâle marqué, en deux régions, de diagonales foncées, perpendiculaires : les unes de la tête au dos ; les autres jusqu'à l'arrière de la nageoire anale. Bande verticale foncée sur la tête, à travers l'œil. Arrière du corps principalement noir, ainsi que celui des nageoires anale et dorsale, attachées long. Caudale jaune barrée de noir en son milieu et bordée de blanc. Pectorales blanches.
• **HABITAT** Commun dans l'Indopacifique.
• **REMARQUE** Aisé à obtenir, idéal pour le débutant.
• **AUTRE NOM** *Chaetodon pictus.*

deux réseaux de diagonales foncées

INDOPACIFIQUE

bande foncée traversant l'œil

nageoire anale bordée de jaune

| Régime Carnivore | Niveaux de nage Moyen et inférieur | Tempérament |

Famille CHÉTODONTIDÉS	Espèce *Chelmon rostratus*	Taille 18 cm

CHELMON À BEC MÉDIOCRE

Un corps simplement argenté est inhabituel chez les chétodontidés, mais cette absence de couleur vive ou profonde est compensée par les quatre bandes verticales orange à bord noir. La première traverse l'œil et la quatrième un ocelle foncé, cerclé de blanc (présentant une fausse cible à un attaquant). Une cinquième longe l'arrière des nageoires dorsale et anale, en précédant une rayure noire bordée de blanc. Une rayure orange longe aussi le profil frontal et le nez. Pelviennes marquées d'orange et de blanc. Orange plus profond chez les juvéniles.

- **HABITAT** Indopacifique et hauts-fonds de la mer Rouge.
- **REMARQUE** Le long « bec » est utilisé pour prélever de la nourriture dans les coraux. Poisson apprécié mais ni robuste, ni adaptable ; abris et cachettes l'aideront à se sentir en sécurité. Donnez-lui beaucoup de vers.

ocelle

INDOPACIFIQUE

quatre bandes traversent le corps

Régime Carnivore	Niveaux de nage Moyen et inférieur	Tempérament

Famille CHÉTODONTIDÉS	Espèce *Forcipiger longirostris*	Taille 25 cm

CHELMON À LONG BEC

Vues de loin, les couleurs contrastées de ce poisson camouflent sa silhouette de façon surprenante. Couleur principale jaune vif ; moitié supérieure de la tête, en avant de l'opercule, noir de jais ; mâchoire inférieure et gorge argentées. Bords arrière des nageoires dorsale et anale bleu pâle ; celle-ci porte une tache noire, ronde.

- **HABITAT** Commun dans les coraux des hauts-fonds, dans la mer Rouge et l'Indopacifique jusqu'à l'Amérique centrale et le Mexique.
- **REMARQUE** *F. flavissimus* lui ressemble, sauf par le nombre des épines de la dorsale et les dimensions du « bec ».

INDOPACIFIQUE

longues mâchoires aidant à la prise de nourriture

rayons antérieurs épineux

tache ronde imitant l'œil

Régime Carnivore	Niveaux de nage Moyen et inférieur	Tempérament

Famille CHÉTODONTIDÉS	Espèce *Heniochus acuminatus*	Taille 18 cm

COCHER

Ses nageoires dorsale et anale lui donnent une silhouette en hauteur, contrastant avec celle des autres membres de son groupe. Corps blanc, avec deux bandes noires s'incurvant vers l'arrière. La partie supérieure de la nageoire dorsale forme une longue traîne blanche ; blanche aussi, la section correspondante de l'anale. L'arrière de la dorsale, à rayons souples, est jaune vif, tout comme la caudale. Il peut y avoir de petites protubérances cornées au-dessus des yeux. Les juvéniles n'ont pas les rayons allongés de la dorsale.

• **HABITAT** Mer Rouge et tout l'Indopacifique.
• **REMARQUE** Un grand aquarium est nécessaire pour héberger plusieurs cochers car un individu dominant peut brimer les autres. D'autres espèces du genre sont rarement importées.

INDOPACIFIQUE

rayons allongés à la nageoire dorsale

bandes noires incurvées vers l'arrière

marque noire traversant l'œil

nageoire caudale jaune vif

Régime Omnivore	Niveaux de nage Moyen et inférieur	Tempérament

DEMOISELLES

C ES POISSONS, appelés demoiselles, appartiennent à la famille des pomacentridés, comme les poissons d'anémones, dont ils partagent l'habitat. Cependant ils ne bénéficient pas de la même immunité vis-à-vis des anémones de mer et ne s'aventurent donc pas entre leurs tentacules venimeux. Ils peuvent se quereller dans l'aquarium s'ils manquent d'espace et d'abris. Il règne une certaine confusion dans la classification de leurs espèces.

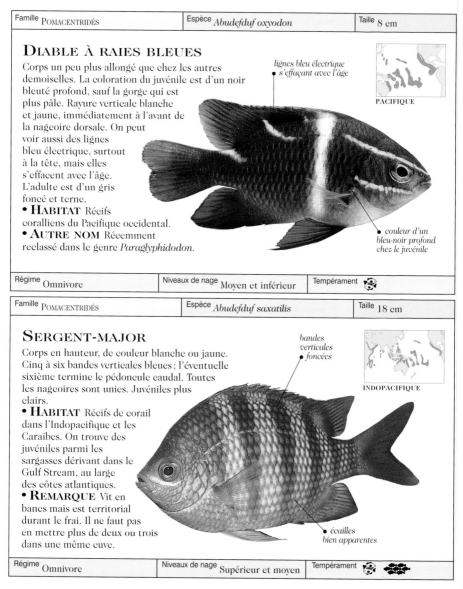

Famille POMACENTRIDÉS	Espèce *Abudefduf oxyodon*	Taille 8 cm

DIABLE À RAIES BLEUES

Corps un peu plus allongé que chez les autres demoiselles. La coloration du juvénile est d'un noir bleuté profond, sauf la gorge qui est plus pâle. Rayure verticale blanche et jaune, immédiatement à l'avant de la nageoire dorsale. On peut voir aussi des lignes bleu électrique, surtout à la tête, mais elles s'effacent avec l'âge. L'adulte est d'un gris foncé et terne.
• **HABITAT** Récifs coralliens du Pacifique occidental.
• **AUTRE NOM** Récemment reclassé dans le genre *Paraglyphidodon*.

lignes bleu électrique s'effaçant avec l'âge

PACIFIQUE

couleur d'un bleu-noir profond chez le juvénile

Régime Omnivore	Niveaux de nage Moyen et inférieur	Tempérament

Famille POMACENTRIDÉS	Espèce *Abudefduf saxatilis*	Taille 18 cm

SERGENT-MAJOR

Corps en hauteur, de couleur blanche ou jaune. Cinq à six bandes verticales bleues ; l'éventuelle sixième termine le pédoncule caudal. Toutes les nageoires sont unies. Juvéniles plus clairs.
• **HABITAT** Récifs de corail dans l'Indopacifique et les Caraïbes. On trouve des juvéniles parmi les sargasses dérivant dans le Gulf Stream, au large des côtes atlantiques.
• **REMARQUE** Vit en bancs mais est territorial durant le frai. Il ne faut pas en mettre plus de deux ou trois dans une même cuve.

bandes verticales foncées

INDOPACIFIQUE

écailles bien apparentes

Régime Omnivore	Niveaux de nage Supérieur et moyen	Tempérament

Famille POMACENTRIDÉS	Espèce *Chromis cyanea*	Taille 5 cm

DEMOISELLE BLEUE

Corps allongé ; profil dorsal un peu plus arrondi que le ventral. Milieu du corps d'un bleu brillant, avec un dégradé du dessus, plus foncé, au dessous, argenté. Des écailles marquées de noir en leur milieu forment des lignes pointillées horizontales, surtout dans la moitié inférieure du corps. Nageoire caudale très fourchue.

ATLANTIQUE OUEST

• **HABITAT** Sur les récifs de l'Atlantique tropical Ouest.
• **REMARQUE** En période de frai, un oviposteur orange apparaît chez la femelle en vue de la ponte. Dans la nature, poisson mangeur de planeton.

œil noir

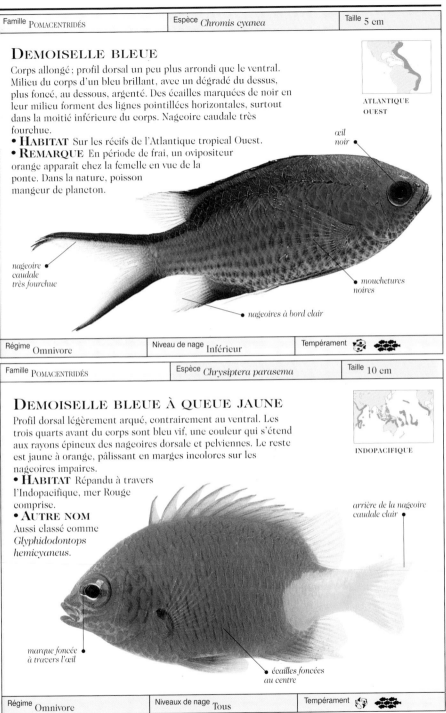

nageoire caudale très fourchue

mouchetures noires

nageoires à bord clair

Régime Omnivore	Niveau de nage Inférieur	Tempérament

Famille POMACENTRIDÉS	Espèce *Chrysiptera parasema*	Taille 10 cm

DEMOISELLE BLEUE À QUEUE JAUNE

Profil dorsal légèrement arqué, contrairement au ventral. Les trois quarts avant du corps sont bleu vif, une couleur qui s'étend aux rayons épineux des nageoires dorsale et pelviennes. Le reste est jaune à orange, pâlissant en marges incolores sur les nageoires impaires.

INDOPACIFIQUE

• **HABITAT** Répandu à travers l'Indopacifique, mer Rouge comprise.
• **AUTRE NOM** Aussi classé comme *Glyphidodontops hemicyaneus.*

arrière de la nageoire caudale clair

marque foncée à travers l'œil

écailles foncées au centre

Régime Omnivore	Niveaux de nage Tous	Tempérament

Famille POMACENTRIDÉS		Espèce *Dascyllus aruanus*		Taille 8 cm

DEMOISELLE À QUEUE BLANCHE

Poisson massif, au front s'élevant brusquement. Corps blanc à trois rayures noires. La première va de la bouche aux rayons de la nageoire dorsale inclus ; la suivante, légèrement oblique, investit les pelviennes. Queue claire, ce qui distingue ce poisson de *D. melanurus* (*page de droite*), dont la caudale est noire.

• **HABITAT** Dans les coraux indopacifiques ; en mer Rouge mais non aux îles Hawaii.

• **REMARQUE** Espèce robuste, aisée à obtenir, idéale pour le débutant.

trois bandes noires •

INDOPACIFIQUE

• *terminaison blanche du pédoncule caudal*

Régime Omnivore	Niveaux de nage Tous	Tempérament

Famille POMACENTRIDÉS		Espèce *Dascyllus carneus*		Taille 8 cm

DASCYLLUS CARNEUS

Forme typique des pomacentridés mais couleurs moins fortes que celles de la plupart des demoiselles. Une rayure verticale noire, indistincte, sépare l'avant foncé, brunâtre, de l'arrière crémeux. Tête et corps mouchetés de bleu. Chez certains spécimens, tache blanche sur le dos. Nageoire caudale claire, de même que le bord arrière de la dorsale, foncée quant au reste. Autres nageoires noires.

• **HABITAT** Coraux de l'océan Indien et du Pacifique occidental.

rayure noire indistincte •

INDOPACIFIQUE

nageoire caudale claire •

• *points bleus sur le corps*

• **REMARQUE** Généralement paisible ; querelles intraspécifiques toutefois possibles.

Régime Carnivore	Niveaux de nage Tous	Tempérament

Famille POMACENTRIDÉS	Espèce *Dascyllus melanurus*	Taille 7,5 cm

DEMOISELLE À QUEUE NOIRE

Pomacentridé typique par son corps massif et haut, ainsi que par son front s'élevant brusquement. Très semblable à *D. aruanus* (*page de gauche*), le corps blanc étant rayé de trois bandes régulièrement espacées. Comme l'indique le nom vernaculaire, le caractère permettant une identification immédiate est la zone noire de la nageoire caudale, qui forme comme une quatrième rayure.

rayures s'étendant sur la nageoire dorsale

PACIFIQUE

• **HABITAT** Autour des coraux, dans tout le Pacifique occidental.
• **REMARQUE** À l'état sauvage, comme la plupart des *Dascyllus*, ne s'écarte jamais des coraux ; l'aquarium doit donc être bien fourni en abris.

queue noire caractéristique

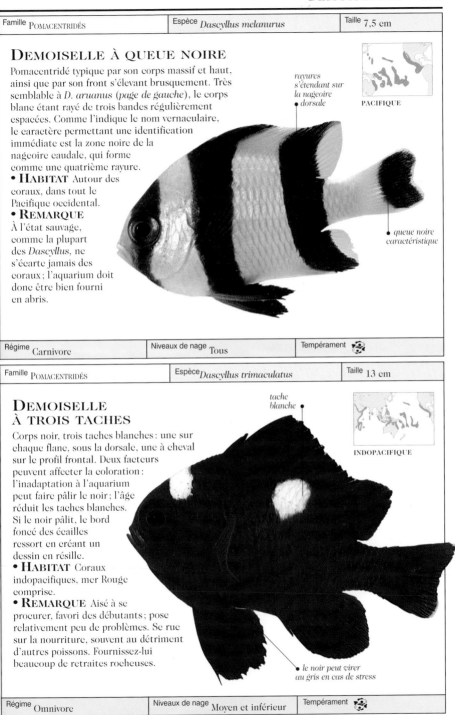

Régime Carnivore	Niveaux de nage Tous	Tempérament

Famille POMACENTRIDÉS	Espèce *Dascyllus trimaculatus*	Taille 13 cm

DEMOISELLE À TROIS TACHES

tache blanche

Corps noir, trois taches blanches : une sur chaque flanc, sous la dorsale, une à cheval sur le profil frontal. Deux facteurs peuvent affecter la coloration : l'inadaptation à l'aquarium peut faire pâlir le noir ; l'âge réduit les taches blanches. Si le noir pâlit, le bord foncé des écailles ressort en créant un dessin en résille.

INDOPACIFIQUE

• **HABITAT** Coraux indopacifiques, mer Rouge comprise.
• **REMARQUE** Aisé à se procurer, favori des débutants ; pose relativement peu de problèmes. Se rue sur la nourriture, souvent au détriment d'autres poissons. Fournissez-lui beaucoup de retraites rocheuses.

le noir peut virer au gris en cas de stress

Régime Omnivore	Niveaux de nage Moyen et inférieur	Tempérament

Famille POMACENTRIDÉS	Espèce *Microspathodon chrysurus*	Taille 20 cm

BIJOU À QUEUE JAUNE

Juvénile foncé, noir bleuté, avec des points bleu vif. Nageoires dorsale, anale et pelviennes foncées, à bord bleu clair ; caudale incolore. Les adultes perdent les points bleus et leur nageoire caudale devient jaune éclatant.
• **HABITAT** Bancs de coraux rouges des Caraïbes ; présent dans tout l'Atlantique tropical Ouest.
• **REMARQUE** Non affecté par les aiguillons des coraux rouges, où il se réfugie à l'abri des prédateurs.

Microspathodon sur un banc de coraux.

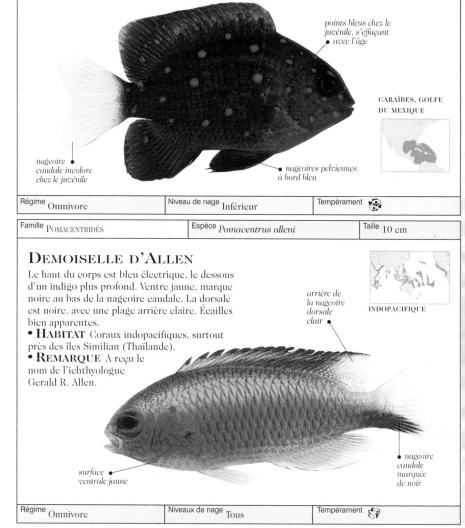

points bleus chez le juvénile, s'effaçant avec l'âge

CARAÏBES, GOLFE DU MEXIQUE

nageoire caudale incolore chez le juvénile

nageoires pelviennes à bord bleu

Régime Omnivore	Niveau de nage Inférieur	Tempérament

Famille POMACENTRIDÉS	Espèce *Pomacentrus alleni*	Taille 10 cm

DEMOISELLE D'ALLEN

Le haut du corps est bleu électrique, le dessous d'un indigo plus profond. Ventre jaune, marque noire au bas de la nageoire caudale. La dorsale est noire, avec une plage arrière claire. Écailles bien apparentes.
• **HABITAT** Coraux indopacifiques, surtout près des îles Similian (Thaïlande).
• **REMARQUE** A reçu le nom de l'ichthyologue Gerald R. Allen.

arrière de la nageoire dorsale clair

INDOPACIFIQUE

surface ventrale jaune

nageoire caudale marquée de noir

Régime Omnivore	Niveaux de nage Tous	Tempérament

Famille POMACENTRIDÉS	Espèce *Pomacentrus caeruleus*	Taille 10 cm

DEMOISELLE BLEU-VERT

Espèce remarquable, au corps allongé, d'un bleu brillant, avec une macule noire à l'arrière de la nageoire dorsale, attachée long. Ligne noire partant du nez à travers l'œil. Chaque écaille porte en son centre une marque jaune clair.
• **HABITAT** Répandu dans tout l'Indopacifique.
• **REMARQUE** Identification parfois hasardeuse, parce que les marques noires peuvent varier et que certains spécimens âgés portent plus de jaune.
• **AUTRE NOM** Aussi classé dans les genres *Eupomacentrus* et *Glyphidodontops*.

INDOPACIFIQUE

ligne noire à travers l'œil •

nageoires pelviennes
• à rayons allongés

nageoire • caudale claire

Régime Omnivore	Niveaux de nage Tous	Tempérament

Famille POMACENTRIDÉS	Espèce *Stegastes planifrons*	Taille 15 cm

DEMOISELLE ORANGE

Trois taches ornent le corps de ce juvénile : deux de part et d'autre de la base de la nageoire dorsale, une sur le dessus du pédoncule caudal. Vague marque sombre à la base des pectorales, dont la taille varie avec l'âge. Adulte gris foncé uni.
• **HABITAT** Coraux et roches calcaires des Caraïbes ; présent partout dans l'Atlantique tropical Ouest.
• **REMARQUE** Adulte assez agressif, nageant en eau plus profonde.
• **AUTRE NOM** Anciennement classé comme *Eupomacentrus planifrons.*

CARAÏBES, GOLFE DU MEXIQUE

• juvénile de couleur jaune orange

tache foncée sur • le pédoncule caudal

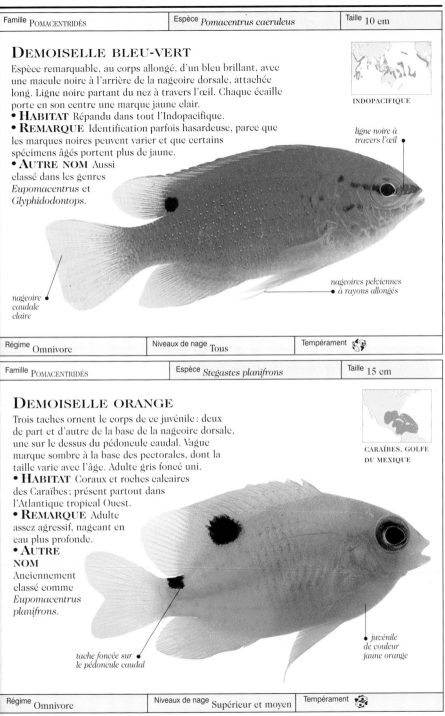

Régime Omnivore	Niveaux de nage Supérieur et moyen	Tempérament

CHIRURGIENS

DE NOMBREUX acanthuridés sont querelleurs et certain portent une épine aiguë, d'où leur nom de poissons-chirurgiens. Autres traits distinctifs : les nageoires dorsale et anale à base longue, et le front en forte pente. Les acanthuridés ont besoin de nourriture verte et se reproduisent par dispersion des œufs.

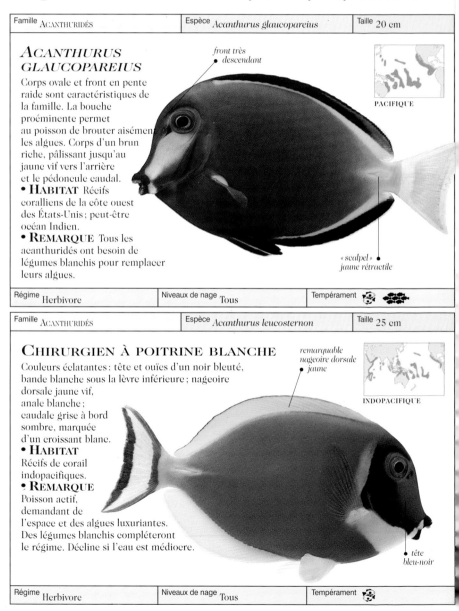

Famille ACANTHURIDÉS		Espèce *Acanthurus glaucopareius*		Taille 20 cm

ACANTHURUS GLAUCOPAREIUS

Corps ovale et front en pente raide sont caractéristiques de la famille. La bouche proéminente permet au poisson de brouter aisément les algues. Corps d'un brun riche, pâlissant jusqu'au jaune vif vers l'arrière et le pédoncule caudal.
• **HABITAT** Récifs coralliens de la côte ouest des États-Unis ; peut-être océan Indien.
• **REMARQUE** Tous les acanthuridés ont besoin de légumes blanchis pour remplacer leurs algues.

front très descendant

PACIFIQUE

« scalpel » jaune rétractile

Régime Herbivore	Niveaux de nage Tous	Tempérament

Famille ACANTHURIDÉS		Espèce *Acanthurus leucosternon*		Taille 25 cm

CHIRURGIEN À POITRINE BLANCHE

Couleurs éclatantes : tête et ouïes d'un noir bleuté, bande blanche sous la lèvre inférieure ; nageoire dorsale jaune vif, anale blanche ; caudale grise à bord sombre, marquée d'un croissant blanc.
• **HABITAT** Récifs de corail indopacifiques.
• **REMARQUE** Poisson actif, demandant de l'espace et des algues luxuriantes. Des légumes blanchis compléteront le régime. Décline si l'eau est médiocre.

remarquable nageoire dorsale jaune

INDOPACIFIQUE

tête bleu-noir

Régime Herbivore	Niveaux de nage Tous	Tempérament

Famille ACANTHURIDÉS	Espèce *Naso lituratus*	Taille 20 cm

NASIQUE À ÉPERONS ORANGE

Corps fuselé, beige pâle. Bouche accentuée par des marques rouges et orange aux lèvres. Des lignes bleues et brunes sur les opercules font un effet de plissé. Deux « scalpels », de chaque côté. Nageoire caudale en croissant, dont les rayons supérieurs et inférieurs se prolongent en filaments.
• **HABITAT** Coraux, de la mer Rouge et de l'océan Indien aux îles Hawaii.
• **REMARQUE** A besoin de beaucoup de verdure.

INDOPACIFIQUE

lignes bleues et brunes sur l'opercule

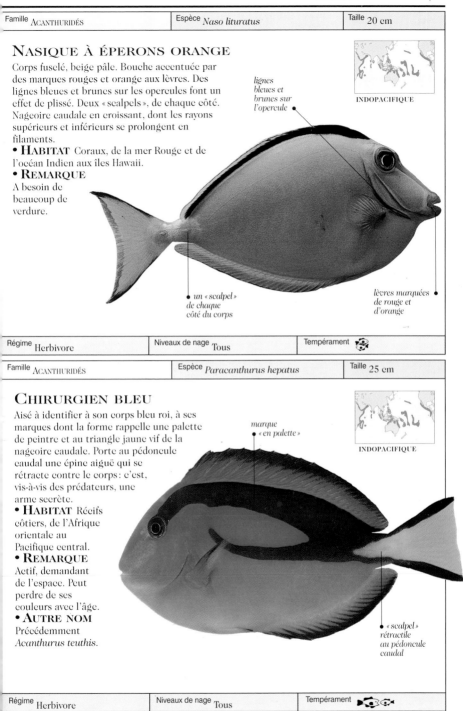

un « scalpel » de chaque côté du corps

lèvres marquées de rouge et d'orange

Régime Herbivore	Niveaux de nage Tous	Tempérament

Famille ACANTHURIDÉS	Espèce *Paracanthurus hepatus*	Taille 25 cm

CHIRURGIEN BLEU

Aisé à identifier à son corps bleu roi, à ses marques dont la forme rappelle une palette de peintre et au triangle jaune vif de la nageoire caudale. Porte au pédoncule caudal une épine aiguë qui se rétracte contre le corps : c'est, vis-à-vis des prédateurs, une arme secrète.
• **HABITAT** Récifs côtiers, de l'Afrique orientale au Pacifique central.
• **REMARQUE** Actif, demandant de l'espace. Peut perdre de ses couleurs avec l'âge.
• **AUTRE NOM** Précédemment *Acanthurus teuthis*.

marque « en palette »

INDOPACIFIQUE

« scalpel » rétractile au pédoncule caudal

Régime Herbivore	Niveaux de nage Tous	Tempérament

| Famille ACANTHURIDÉS | Espèce *Zebrasoma flavescens* | Taille 20 cm |

CHIRURGIEN JAUNE

Corps ovale, modifié par les nageoires qui l'entourent en lui donnant une apparence de disque. « Bec » relativement long, front en pente raide, yeux placés haut. Couleur jaune vif, plus pâle autour des yeux. « Scalpels » blancs au pédoncule caudal. Toutes les nageoires sont jaunes comme le corps. Juvéniles et adultes de même couleur, à la différence de bien d'autres acanthuridés. Les écailles, petites, donnent un effet velouté.

• **HABITAT** Hauts-fonds, surtout autour des îles Hawaii.

• **REMARQUE** Ressemble au juvénile d'*Acanthurus caeruleus*.

nageoires jaune uni

PACIFIQUE

front relevé et nez long

petites écailles

| Régime Herbivore | Niveaux de nage Tous | Tempérament |

| Famille ACANTHURIDÉS | Espèce *Zebrasoma xanthurum* | Taille 20 cm |

ACANTHURE À QUEUE JAUNE

Corps ovale mais semblant discoïde à cause des nageoires, portées droites. Nez assez proéminent, front relevé, yeux placés haut. Couleur bleue pourprée, profonde ; mouchetures et lignes rouge pourpre, concentrées sur la tête et l'avant du corps. Nageoires dorsale et anale de la couleur du corps et marquées de points et de rayures. « Scalpels » rétractiles, de couleur peu tranchée, sur le pédoncule caudal ; en revanche, la nageoire caudale est jaune vif.

• **HABITAT** De la mer Rouge et de l'océan Indien au Pacifique central.

• **REMARQUE** Territorial et habituellement laissé seul, bien que certains recommandent de l'héberger en groupe. Demande de la verdure et notamment des légumes blanchis ; un décor couvert d'algues fournit le « pâturage » idéal.

points et lignes pourpres

INDOPACIFIQUE

queue jaune vif

| Régime Herbivore | Niveaux de nage Tous | Tempérament |

BALISTES

U NE CARACTÉRISTIQUE déterminante des balistidés est leur capacité à bloquer leurs premières nageoires dorsales en position érigée, ce qui leur évite d'être avalés ou extraits d'une crevasse par un prédateur. Ils nagent essentiellement par des mouvements des nageoires dorsale et anale. Les balistes frayent à l'intérieur de trous creusés dans le sable. Certaines espèces surveillent leurs œufs.

Famille BALISTIDÉS	Espèce *Balistoides conspicillum*	Taille 50 cm

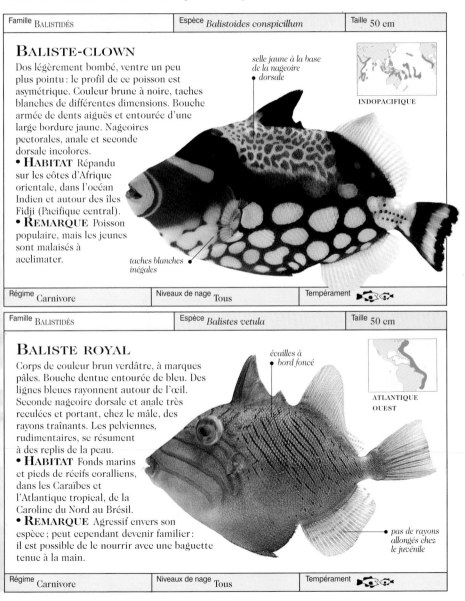

BALISTE-CLOWN

Dos légèrement bombé, ventre un peu plus pointu : le profil de ce poisson est asymétrique. Couleur brune à noire, taches blanches de différentes dimensions. Bouche armée de dents aiguës et entourée d'une large bordure jaune. Nageoires pectorales, anale et seconde dorsale incolores.
• **HABITAT** Répandu sur les côtes d'Afrique orientale, dans l'océan Indien et autour des îles Fidji (Pacifique central).
• **REMARQUE** Poisson populaire, mais les jeunes sont malaisés à acclimater.

selle jaune à la base de la nageoire • dorsale

INDOPACIFIQUE

taches blanches • inégales

Régime Carnivore	Niveaux de nage Tous	Tempérament

Famille BALISTIDÉS	Espèce *Balistes vetula*	Taille 50 cm

BALISTE ROYAL

Corps de couleur brun verdâtre, à marques pâles. Bouche dentue entourée de bleu. Des lignes bleues rayonnent autour de l'œil. Seconde nageoire dorsale et anale très reculées et portant, chez le mâle, des rayons traînants. Les pelviennes, rudimentaires, se résument à des replis de la peau.
• **HABITAT** Fonds marins et pieds de récifs coralliens, dans les Caraïbes et l'Atlantique tropical, de la Caroline du Nord au Brésil.
• **REMARQUE** Agressif envers son espèce ; peut cependant devenir familier : il est possible de le nourrir avec une baguette tenue à la main.

écailles à • bord foncé

ATLANTIQUE OUEST

pas de rayons allongés chez le juvénile

Régime Carnivore	Niveaux de nage Tous	Tempérament

Famille BALISTIDÉS	Espèce *Odonus niger*	Taille 50 cm

BALISTE BLEU

Ce poisson peut présenter diverses nuances de brun, de vert, de pourpre ou de bleu. Profil moins anguleux que chez les autres balistes. Deux nageoires dorsales; pelviennes réduites à des moignons, voire à des replis de la peau. La grande seconde nageoire dorsale et l'anale fournissent la force motrice, bien plus que la caudale en lyre, aux rayons extérieurs allongés.
• **HABITAT** Mer Rouge, océan Indien et jusqu'au Pacifique central.
• **REMARQUE** S'est reproduit en captivité; œufs déposés, fécondés puis placés dans des nids ou enfouis dans le substrat.

tête plus pâle que le corps

INDOPACIFIQUE

nageoire dorsale puissante servant au mouvement

lignes faciales bleues

nageoire caudale en lyre

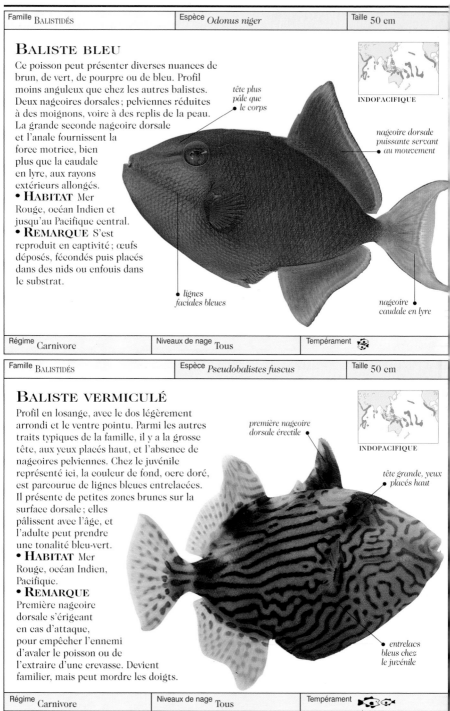

Régime Carnivore	Niveaux de nage Tous	Tempérament

Famille BALISTIDÉS	Espèce *Pseudobalistes fuscus*	Taille 50 cm

BALISTE VERMICULÉ

Profil en losange, avec le dos légèrement arrondi et le ventre pointu. Parmi les autres traits typiques de la famille, il y a la grosse tête, aux yeux placés haut, et l'absence de nageoires pelviennes. Chez le juvénile représenté ici, la couleur de fond, ocre doré, est parcourue de lignes bleues entrelacées. Il présente de petites zones brunes sur la surface dorsale; elles pâlissent avec l'âge, et l'adulte peut prendre une tonalité bleu-vert.
• **HABITAT** Mer Rouge, océan Indien, Pacifique.
• **REMARQUE** Première nageoire dorsale s'érigeant en cas d'attaque, pour empêcher l'ennemi d'avaler le poisson ou de l'extraire d'une crevasse. Devient familier, mais peut mordre les doigts.

première nageoire dorsale érectile

INDOPACIFIQUE

tête grande, yeux placés haut

entrelacs bleus chez le juvénile

Régime Carnivore	Niveaux de nage Tous	Tempérament

Famille BALISTIDÉS	Espèce *Rhinecanthus aculeatus*	Taille 30 cm

BALISTE-PICASSO

Corps plus allongé que celui des autres balistidés. Son décor « moderniste » lui a valu le nom de Picasso. Une marge jaune, entourant les lèvres, se prolonge au-delà de l'opercule pour rejoindre une rayure bleu foncé traversant l'œil. Cela fait paraître la bouche plus grande qu'elle n'est.

• **HABITAT** Hauts-fonds de la mer Rouge et indopacifiques, jusqu'aux îles Hawaii.

• **REMARQUE** Poisson national à Hawaii, où son nom local signifie « poisson qui porte une aiguille, a un groin et crie comme un porc ».

les marques de la bouche en exagèrent la dimension

deux nageoires dorsales

INDOPACIFIQUE

camouflage bizarre

Régime Carnivore	Niveaux de nage Tous	Tempérament

LABRES

LES LABRIDÉS tropicaux ont des comportements particuliers, tels le déparasitage et le toilettage d'autres poissons ; ils se construisent, pour la nuit, des sortes de cocons de mucus. Le changement de sexe est courant, si nécessaire, dans les collectivités de même sexe. Reproduction par dispersion des œufs.

Famille LABRIDÉS	Espèce *Bodianus rufus*	Taille 60 cm

LABRE ESPAGNOL

Chez le juvénile représenté ici, le haut du corps est pourpre bleuté, de l'œil presque jusqu'au bout de la nageoire dorsale. Les adultes sont principalement rouges, avec du jaune au bas des flancs. La plupart des sujets d'aquarium, jeunes, ont le dos pourpre ou brun bleuté, le ventre et la queue jaunes.

• **HABITAT** Affleurements rocheux des Caraïbes et de l'Atlantique tropical Ouest.

• **REMARQUE** Les juvéniles peuvent se comporter en « nettoyeurs ».

région dorsale pourpre bleuté chez le juvénile

CARAÏBES, GOLFE DU MEXIQUE

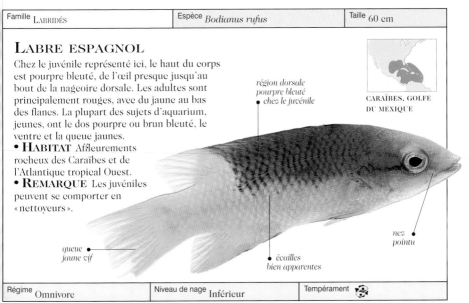

queue jaune vif

écailles bien apparentes

nez pointu

Régime Omnivore	Niveau de nage Inférieur	Tempérament

| Famille LABRIDÉS | Espèce *Bodianus pulchellus* | Taille 25 cm |

COSSYPHE DE CUBA

La plus grande partie du corps de l'adulte est carmin, avec quelques mouchetures foncées. Une bande blanche va en s'effilant des lèvres à l'arrière du corps. Les derniers rayons de la nageoire dorsale et le haut de la caudale sont jaunes.

• **HABITAT** Affleurement rocheux des Caraïbes ; présent ailleurs dans l'Atlantique Ouest.

• **REMARQUE** Les juvéniles peuvent « nettoyer » d'autres poissons.

tache foncée à l'extrémité de la nageoire pectorale

CARAÏBES, GOLFE DU MEXIQUE

chez l'adulte, bande blanche se rétrécissant

parties arrière jaunes

écailles à bord foncé

| Régime Carnivore | Niveaux de nage Tous | Tempérament |

| Famille LABRIDÉS | Espèce *Coris aygula* | Taille 120 cm |

GIRELLE À TACHES ORANGE

Les juvéniles ont le corps blanc, moucheté de noir vers la tête. La nageoire dorsale a le bord noir et blanc, et deux ocelles foncés, cerclés de blanc, avec, à la base, deux taches orange. L'adulte est vert, avec des nageoires violettes, bordées de jaune et de pourpre.

• **HABITAT** Récifs coralliens de la mer Rouge et indopacifiques, à l'exclusion des îles Hawaii et de l'Australie.

• **AUTRE NOM** *Coris angulata.*

ocelles foncés, cerclés de blanc

INDOPACIFIQUE

mouchetures foncées chez le juvénile

nageoire anale bordée de noir et de blanc

marque en croissant à la base de la nageoire caudale

| Régime Omnivore | Niveau de nage Inférieur | Tempérament |

| Famille LABRIDÉS | Espèce *Coris gaimard* | Taille 30 cm |

CORIS GAIMARD

Le corps, cylindrique, gagne en hauteur avec l'âge.
La couleur du juvénile est rouge vif ou orange, avec des
nageoires marquées de blanc, alors que l'adulte est brun-
rouge foncé, avec des mouchetures bleues et des marques
faciales bleu-vert. Nageoires dorsale et anale rouges,
bordées de bleu ; caudale partiellement jaune.
• **HABITAT** Récifs coralliens, du centre de l'océan
Indien aux îles Hawaii, mais non en Australie.
• **REMARQUE** *C. gaimard africana*
adulte est coloré de même et
habite les récifs de la
côte orientale
d'Afrique.

marques
dorsales
blanches chez
le juvénile

INDOPACIFIQUE

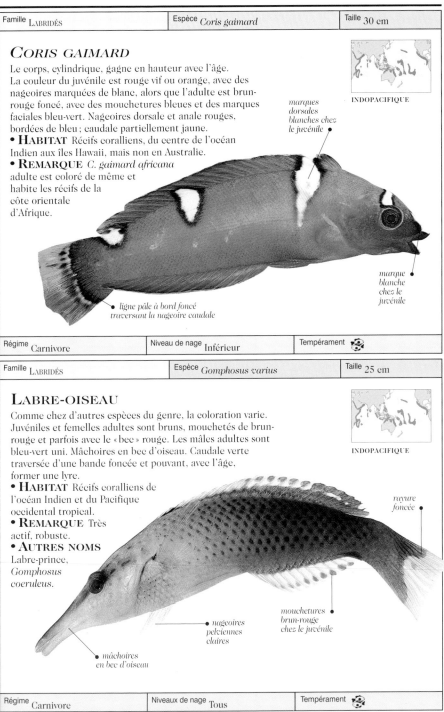

• marque
blanche
chez le
juvénile

• ligne pâle à bord foncé
traversant la nageoire caudale

| Régime Carnivore | Niveau de nage Inférieur | Tempérament |

| Famille LABRIDÉS | Espèce *Gomphosus varius* | Taille 25 cm |

LABRE-OISEAU

Comme chez d'autres espèces du genre, la coloration varie.
Juvéniles et femelles adultes sont bruns, mouchetés de brun-
rouge et parfois avec le «bec» rouge. Les mâles adultes sont
bleu-vert uni. Mâchoires en bec d'oiseau. Caudale verte
traversée d'une bande foncée et pouvant, avec l'âge,
former une lyre.
• **HABITAT** Récifs coralliens de
l'océan Indien et du Pacifique
occidental tropical.
• **REMARQUE** Très
actif, robuste.
• **AUTRES NOMS**
Labre-prince,
Gomphosus
coeruleus.

INDOPACIFIQUE

rayure
foncée •

mouchetures •
brun-rouge
chez le juvénile

• nageoires
pelviennes
claires

• mâchoires
en bec d'oiseau

| Régime Carnivore | Niveaux de nage Tous | Tempérament |

Famille LABRIDÉS	Espèce *Labroides phtirophagus*	Taille 10 cm

LABROÏDE À QUEUE ROUGE

Le juvénile représenté ici a le corps brillamment coloré : avant jaune ; bande longitudinale foncée, s'élargissant à l'arrière et incluant le milieu de la nageoire caudale aux bords supérieur et inférieur cerise ; dorsale et anale bleues. Les adultes perdent ces belles couleurs.

• **HABITAT** Établit des stations de nettoyage sur les récifs coralliens (îles Hawaii et Pacifique occidental).
• **REMARQUE** Lui donner mollusques ou artémias.

nageoire dorsale à base longue

PACIFIQUE

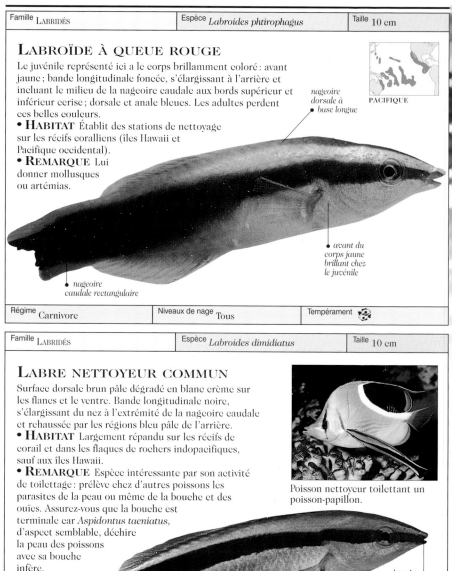

avant du corps jaune brillant chez le juvénile

nageoire caudale rectangulaire

Régime Carnivore	Niveaux de nage Tous	Tempérament

Famille LABRIDÉS	Espèce *Labroides dimidiatus*	Taille 10 cm

LABRE NETTOYEUR COMMUN

Surface dorsale brun pâle dégradé en blanc crème sur les flancs et le ventre. Bande longitudinale noire, s'élargissant du nez à l'extrémité de la nageoire caudale et rehaussée par les régions bleu pâle de l'arrière.
• **HABITAT** Largement répandu sur les récifs de corail et dans les flaques de rochers indopacifiques, sauf aux îles Hawaii.
• **REMARQUE** Espèce intéressante par son activité de toilettage : prélève chez d'autres poissons les parasites de la peau ou même de la bouche et des ouïes. Assurez-vous que la bouche est terminale car *Aspidontus taeniatus*, d'aspect semblable, déchire la peau des poissons avec sa bouche infère.

Poisson nettoyeur toilettant un poisson-papillon.

bouche terminale

INDOPACIFIQUE

rayure noire s'élargissant

régions bleu pâle vers l'arrière

Régime Carnivore	Niveaux de nage Tous	Tempérament

| Famille LABRIDÉS | Espèce *Lienardella fasciata* | Taille 25 cm |

POISSON-ARLEQUIN

Son corps massif rend ce poisson très semblable aux grands cichlidés américains d'eau douce. Corps gris, traversé de rayures verticales rouges ou orange, à bords bleus. Nageoires dorsale et anale orange ou rouges; pelviennes et caudale à bord rouge. Dents bleues.
• **HABITAT** Récifs de corail du Pacifique occidental, y compris les Nouvelles-Hébrides, Taïwan et la Grande Barrière de corail.
• **REMARQUE** Demande beaucoup d'espace et un substrat doux pour s'y enfouir la nuit.

PACIFIQUE

rayures orange vif, à bords bleus

dents bleues

nageoire caudale à bord rouge

les nageoires pectorales fournissent la force motrice

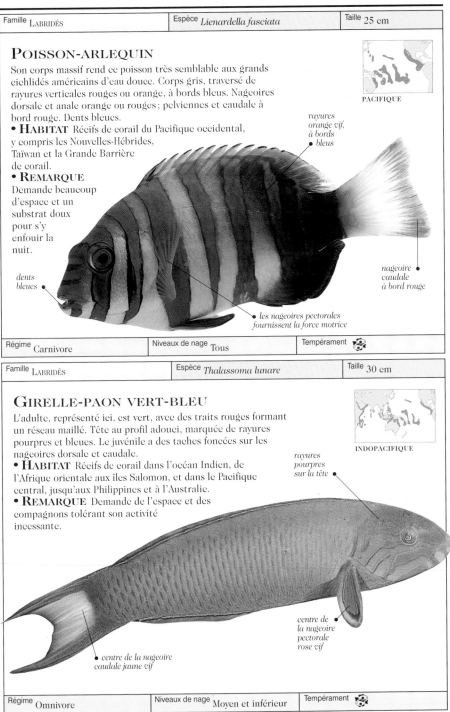

| Régime Carnivore | Niveaux de nage Tous | Tempérament |

| Famille LABRIDÉS | Espèce *Thalassoma lunare* | Taille 30 cm |

GIRELLE-PAON VERT-BLEU

L'adulte, représenté ici, est vert, avec des traits rouges formant un réseau maillé. Tête au profil adouci, marquée de rayures pourpres et bleues. Le juvénile a des taches foncées sur les nageoires dorsale et caudale.
• **HABITAT** Récifs de corail dans l'océan Indien, de l'Afrique orientale aux îles Salomon, et dans le Pacifique central, jusqu'aux Philippines et à l'Australie.
• **REMARQUE** Demande de l'espace et des compagnons tolérant son activité incessante.

INDOPACIFIQUE

rayures pourpres sur la tête

centre de la nageoire pectorale rose vif

centre de la nageoire caudale jaune vif

| Régime Omnivore | Niveaux de nage Moyen et inférieur | Tempérament |

BARBIERS ET MÉROUS

BEAUCOUP de membres de la famille des serranidés sont très attrayants, mais seules les petites espèces, prédatrices dans la nature, conviennent à un aquarium de taille moyenne. Quelques-uns parmi les plus petits de ces poissons se parent des couleurs les plus éclatantes. La reproduction en captivité est hasardeuse, car l'hermaphrodisme des serranidés induit des changements de sexe dans la vie des individus : chacun possède les potentialités mâles et femelles, mais non simultanément. Beaucoup s'assombrissent, pâlissent ou deviennent bicolores pendant le frai, les femelles ayant alors le ventre distendu par les œufs.

Famille SERRANIDÉS	Espèce *Anthias squamipinnis*	Taille 12 cm

BARBIER ROUGE

Le corps, rose doré, est couvert d'écailles bien apparentes. La tête est rose à violette, et une rayure assez mince, orange doré, part du haut de la bouche, passe sous l'œil et atteint la base de la nageoire pectorale. Dorsale à base longue, rose avec des points dorés ; celle du mâle a le troisième rayon allongé. Les deux sexes ont la nageoire caudale en lyre et la femelle peut y présenter une tache rose en V.
• **HABITAT** Largement distribué, en vastes bancs, autour des récifs coralliens, de l'Afrique orientale au Pacifique central.
• **REMARQUE** Risque de refuser la nourriture morte, mais il y a moyen de le tromper, en la jetant dans des remous ou en l'agitant au bout d'un fil. Ne peut vivre solitaire.

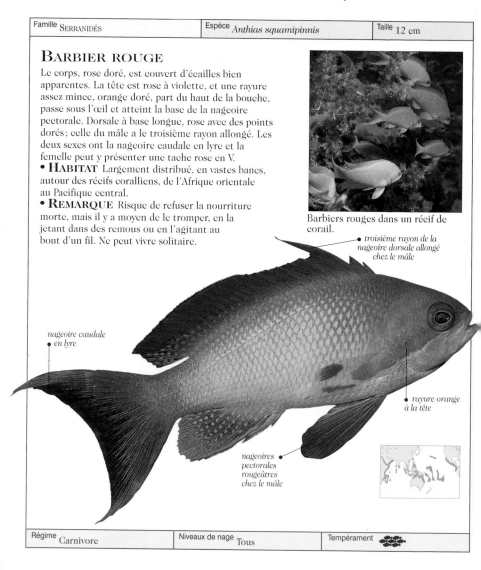

Barbiers rouges dans un récif de corail.

troisième rayon de la nageoire dorsale allongé chez le mâle

nageoire caudale en lyre

rayure orange à la tête

nageoires pectorales rougeâtres chez le mâle

Régime Carnivore	Niveaux de nage Tous	Tempérament

Famille SERRANIDÉS	Espèce *Chromileptis altivelis*	Taille 60 cm

MÉROU DE GRACE KELLY

Nombreuses mouchetures noires couvrant le corps crème à blanc, plus abondantes avec l'âge. Les grandes nageoires pectorales représentent le principal moyen de locomotion. La dorsale, à base longue, présente un décrochement annonçant la section arrière, aux rayons souples.
• **HABITAT** Récifs coralliens de l'océan Indien et des côtes du Sud-Est asiatique, des Philippines et du Queensland (Australie).
• **REMARQUE** Chasse en nageant la tête en bas. Les jeunes s'acclimatent bien si on leur procure de l'espace et des abris.

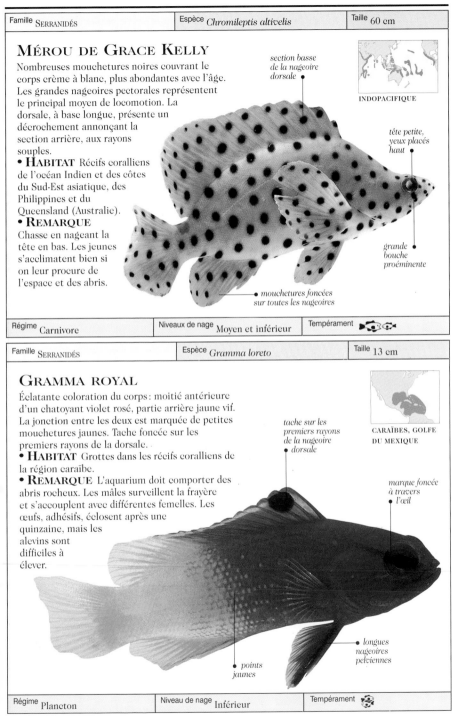

section basse de la nageoire dorsale •

INDOPACIFIQUE

tête petite, yeux placés haut •

grande • bouche proéminente

• mouchetures foncées sur toutes les nageoires

Régime Carnivore	Niveaux de nage Moyen et inférieur	Tempérament

Famille SERRANIDÉS	Espèce *Gramma loreto*	Taille 13 cm

GRAMMA ROYAL

Éclatante coloration du corps : moitié antérieure d'un chatoyant violet rosé, partie arrière jaune vif. La jonction entre les deux est marquée de petites mouchetures jaunes. Tache foncée sur les premiers rayons de la dorsale.
• **HABITAT** Grottes dans les récifs coralliens de la région caraïbe.
• **REMARQUE** L'aquarium doit comporter des abris rocheux. Les mâles surveillent la frayère et s'accouplent avec différentes femelles. Les œufs, adhésifs, éclosent après une quinzaine, mais les alevins sont difficiles à élever.

tache sur les premiers rayons de la nageoire • dorsale

CARAÏBES, GOLFE DU MEXIQUE

marque foncée à travers • l'œil

• longues nageoires pelviennes

• points jaunes

Régime Plancton	Niveau de nage Inférieur	Tempérament

PLATAX ET POISSONS-CARDINAUX

LES PLATACINÉS, ou poissons chauves-souris, se reconnaissent à leurs nageoires en aile, mais la détermination des espèces est difficile. L'adulte devient grisâtre, et la classification des variantes de couleur est hypothétique. Les apogonidés, ou poissons-cardinaux, sont surtout nocturnes. Se caractérisent par l'incubation buccale et la présence de deux nageoires dorsales érigées.

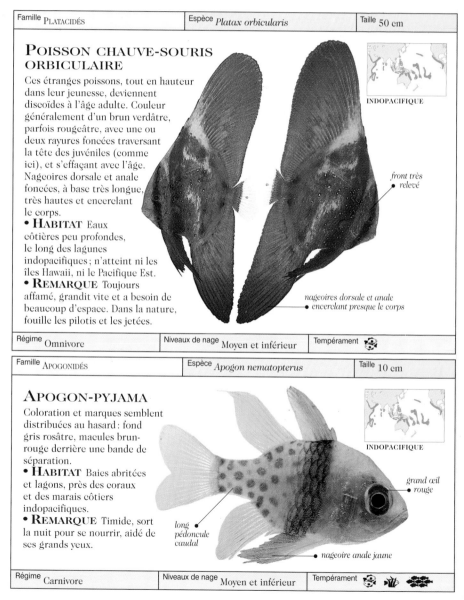

Famille PLATACIDÉS	Espèce *Platax orbicularis*	Taille 50 cm

POISSON CHAUVE-SOURIS ORBICULAIRE

Ces étranges poissons, tout en hauteur dans leur jeunesse, deviennent discoïdes à l'âge adulte. Couleur généralement d'un brun verdâtre, parfois rougeâtre, avec une ou deux rayures foncées traversant la tête des juvéniles (comme ici), et s'effaçant avec l'âge. Nageoires dorsale et anale foncées, à base très longue, très hautes et encerclant le corps.
• **HABITAT** Eaux côtières peu profondes, le long des lagunes indopacifiques ; n'atteint ni les îles Hawaii, ni le Pacifique Est.
• **REMARQUE** Toujours affamé, grandit vite et a besoin de beaucoup d'espace. Dans la nature, fouille les pilotis et les jetées.

INDOPACIFIQUE

front très relevé

nageoires dorsale et anale encerclant presque le corps

Régime Omnivore	Niveaux de nage Moyen et inférieur	Tempérament

Famille APOGONIDÉS	Espèce *Apogon nematopterus*	Taille 10 cm

APOGON-PYJAMA

Coloration et marques semblent distribuées au hasard : fond gris rosâtre, macules brun-rouge derrière une bande de séparation.
• **HABITAT** Baies abritées et lagons, près des coraux et des marais côtiers indopacifiques.
• **REMARQUE** Timide, sort la nuit pour se nourrir, aidé de ses grands yeux.

INDOPACIFIQUE

grand œil rouge

long pédoncule caudal

nageoire anale jaune

Régime Carnivore	Niveaux de nage Moyen et inférieur	Tempérament

BLENNIES

U N TRAIT commun aux membres de la famille des blennidés est leur peau visqueuse. Beaucoup de blennies sont des hôtes du fond marin ; ils y vivent au pied des récifs ou des coraux, en eau peu profonde, légèrement en dessous de la ligne des marées. Les antennes qu'ils portent au-dessus des yeux sont des terminaisons sensorielles ; certaines espèces n'en ont pas.

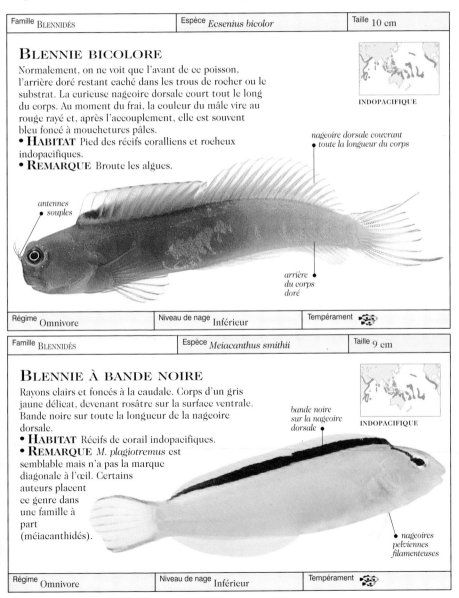

Famille BLENNIDÉS	Espèce *Ecsenius bicolor*	Taille 10 cm

BLENNIE BICOLORE

Normalement, on ne voit que l'avant de ce poisson, l'arrière doré restant caché dans les trous de rocher ou le substrat. La curieuse nageoire dorsale court tout le long du corps. Au moment du frai, la couleur du mâle vire au rouge rayé et, après l'accouplement, elle est souvent bleu foncé à mouchetures pâles.
- **HABITAT** Pied des récifs coralliens et rocheux indopacifiques.
- **REMARQUE** Broute les algues.

INDOPACIFIQUE

nageoire dorsale couvrant
• toute la longueur du corps

antennes
• souples

arrière •
du corps
doré

Régime Omnivore	Niveau de nage Inférieur	Tempérament

Famille BLENNIDÉS	Espèce *Meiacanthus smithii*	Taille 9 cm

BLENNIE À BANDE NOIRE

Rayons clairs et foncés à la caudale. Corps d'un gris jaune délicat, devenant rosâtre sur la surface ventrale. Bande noire sur toute la longueur de la nageoire dorsale.
- **HABITAT** Récifs de corail indopacifiques.
- **REMARQUE** *M. plagiotremus* est semblable mais n'a pas la marque diagonale à l'œil. Certains auteurs placent ce genre dans une famille à part (méiacanthidés).

bande noire
sur la nageoire
dorsale •

INDOPACIFIQUE

nageoires •
pelviennes
filamenteuses

Régime Omnivore	Niveau de nage Inférieur	Tempérament

POISSONS-COFFRES

C ES POISSONS, de la famille des ostraciontidés, ressemblent à des coffrets. Les nageoires pelviennes sont absentes et certaines espèces présentent à leur place des moignons osseux. Ce sont les mouvements des nageoires dorsale, anale et pectorales qui assurent une nage lente. Stressés, ces poissons sécrètent un venin ; il faut les accueillir dans un aquarium vierge.

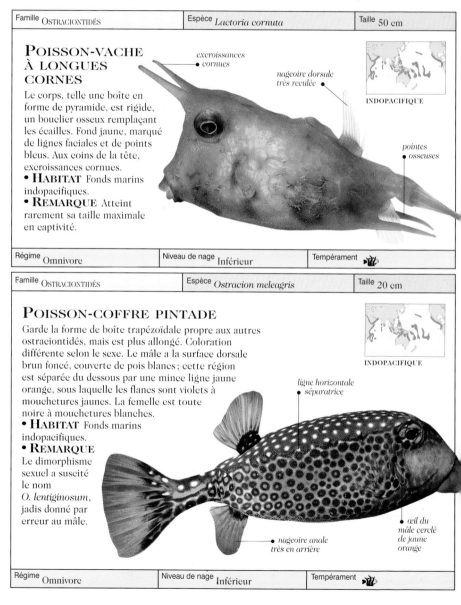

Famille OSTRACIONTIDÉS	Espèce *Lactoria cornuta*	Taille 50 cm

POISSON-VACHE À LONGUES CORNES

Le corps, telle une boîte en forme de pyramide, est rigide, un bouclier osseux remplaçant les écailles. Fond jaune, marqué de lignes faciales et de points bleus. Aux coins de la tête, excroissances cornues.
• **HABITAT** Fonds marins indopacifiques.
• **REMARQUE** Atteint rarement sa taille maximale en captivité.

excroissances cornues

nageoire dorsale très reculée

INDOPACIFIQUE

pointes osseuses

Régime Omnivore	Niveau de nage Inférieur	Tempérament

Famille OSTRACIONTIDÉS	Espèce *Ostracion meleagris*	Taille 20 cm

POISSON-COFFRE PINTADE

Garde la forme de boîte trapézoïdale propre aux autres ostraciontidés, mais est plus allongé. Coloration différente selon le sexe. Le mâle a la surface dorsale brun foncé, couverte de pois blancs ; cette région est séparée du dessous par une mince ligne jaune orange, sous laquelle les flancs sont violets à mouchetures jaunes. La femelle est toute noire à mouchetures blanches.
• **HABITAT** Fonds marins indopacifiques.
• **REMARQUE** Le dimorphisme sexuel a suscité le nom *O. lentiginosum*, jadis donné par erreur au mâle.

INDOPACIFIQUE

ligne horizontale séparatrice

œil du mâle cerclé de jaune orange

nageoire anale très en arrière

Régime Omnivore	Niveau de nage Inférieur	Tempérament

POISSONS-LIMES

LA PEAU épaisse et rugueuse des monacanthidés les a fait comparer à des limes, d'où leur nom vernaculaire. Apparentés à la famille des balistidés, ils s'en distinguent par l'impossibilité pour eux de verrouiller la première nageoire dorsale en position érigée. Les monacanthidés nagent parfois la tête en bas. À l'état sauvage, ils se nourrissent de polypes et d'algues.

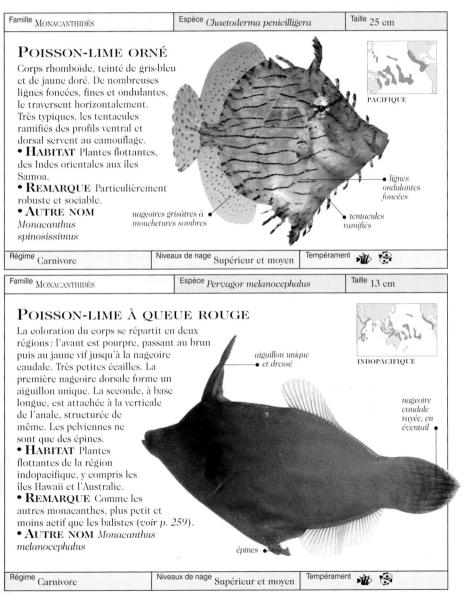

Famille MONACANTHIDÉS	Espèce *Chaetoderma penicilligera*	Taille 25 cm

POISSON-LIME ORNÉ

Corps rhomboïde, teinté de gris-bleu et de jaune doré. De nombreuses lignes foncées, fines et ondulantes, le traversent horizontalement. Très typiques, les tentacules ramifiés des profils ventral et dorsal servent au camouflage.
• **HABITAT** Plantes flottantes, des Indes orientales aux îles Samoa.
• **REMARQUE** Particulièrement robuste et sociable.
• **AUTRE NOM** *Monacanthus spinosissimus*

PACIFIQUE

lignes ondulantes foncées

nageoires grisâtres à mouchetures sombres

tentacules ramifiés

Régime Carnivore	Niveaux de nage Supérieur et moyen	Tempérament

Famille MONACANTHIDÉS	Espèce *Pervagor melanocephalus*	Taille 13 cm

POISSON-LIME À QUEUE ROUGE

La coloration du corps se répartit en deux régions : l'avant est pourpre, passant au brun puis au jaune vif jusqu'à la nageoire caudale. Très petites écailles. La première nageoire dorsale forme un aiguillon unique. La seconde, à base longue, est attachée à la verticale de l'anale, structurée de même. Les pelviennes ne sont que des épines.
• **HABITAT** Plantes flottantes de la région indopacifique, y compris les îles Hawaii et l'Australie.
• **REMARQUE** Comme les autres monacanthes, plus petit et moins actif que les balistes (*voir p. 259*).
• **AUTRE NOM** *Monacanthus melanocephalus*

aiguillon unique et dressé

INDOPACIFIQUE

nageoire caudale rayée, en éventail

épines

Régime Carnivore	Niveaux de nage Supérieur et moyen	Tempérament

GOBIES

L ES GOBIIDÉS sont très semblables, par la forme du corps, aux blennidés (*voir p. 269*). Les gobies s'en distinguent toutefois par leurs nageoires pelviennes, qui se réunissent en ventouse ; ils les utilisent pour s'ancrer à un rocher ou à un autre lieu de repos. D'aucuns sont brillamment colorés. Se reproduisent en aquarium mais les alevins, minuscules, sont difficiles à élever.

Famille GOBIIDÉS	Espèce *Cryptocentrus cinctus*	Taille 7,5 cm

GOBIE SOUFRE

Corps allongé, jaune soufre à mouchetures blanches bleuâtres, parfois restreintes à la tête. Nageoires également soufre ; deux nageoires dorsales, parfois mouchetées aussi.
• **HABITAT** Hauts-fonds indopacifiques.
• **REMARQUE** À héberger avec de petits poissons ou dans un aquarium spécifique, avec des cachettes rocheuses et une couche de sable corallien.

INDOPACIFIQUE

yeux placés haut

deux nageoires dorsales

corps jaune soufre

Régime Carnivore	Niveau de nage Inférieur	Tempérament

Famille GOBIIDÉS	Espèce *Lythrypnus dalli*	Taille 5 cm

GOBIE DE CATALINA

Une brillante coloration rouge et des rayures verticales d'un bleu roi éclatant ornent ce poisson remarquable. Les rayures commencent au-dessus de l'œil et s'amincissent vers l'arrière pour disparaître à mi-corps. La première des deux nageoires dorsales a, chez le mâle, des rayons allongés et un peu plus foncés.
• **HABITAT** Affleurements rocheux sur les côtes de Californie.
• **REMARQUE** Préférez un aquarium spécifique, bien que ce poisson soit moins agressif que d'autres gobies. Vie courte.

Plusieurs gobies dans un aquarium bien planté.

rayures bleues éclatantes

corps brillamment coloré de rouge

PACIFIQUE EST

Régime Carnivore	Niveau de nage Inférieur	Tempérament

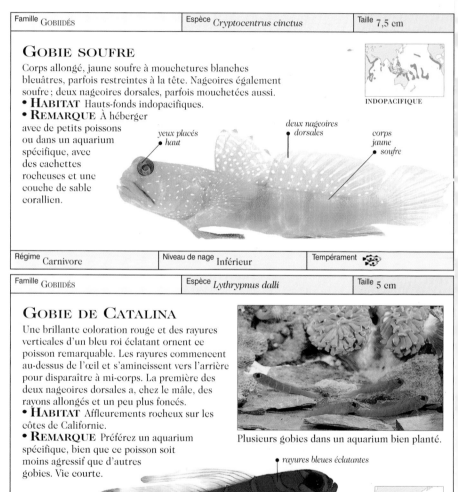

| Famille GOBIIDÉS | Espèce Nemateleotris decora | Taille 6 cm |

NEMATELEOTRIS DECORA

Double coloration : moitié avant jaune or, avec du violet sur la tête et le long du dos ; moitié arrière d'un brun grisâtre. Premiers rayons de la nageoire dorsale allongés et colorés de noir, de violet et de rouge, tout comme la seconde dorsale, l'anale et la caudale en lyre.
• **HABITAT** Grottes dans les récifs coralliens, du centre de l'océan Indien au Pacifique central.
• **REMARQUE** Les genres *Eleotris* et *Nemateleotris* n'ont pas les nageoires pelviennes fusionnées mais séparées. Il est essentiel de fournir des abris.

INDOPACIFIQUE

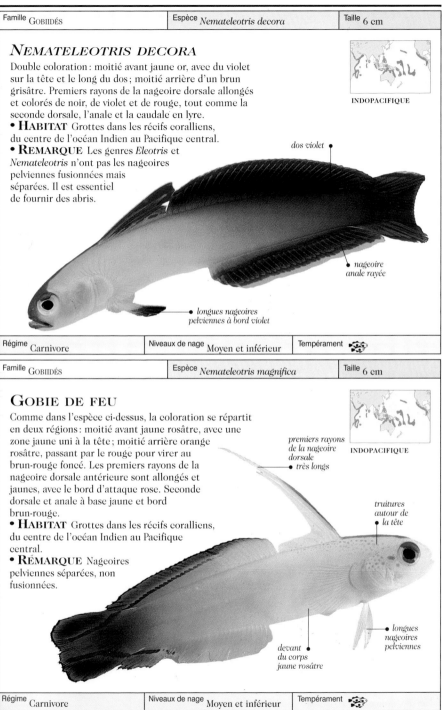

dos violet

nageoire anale rayée

longues nageoires pelviennes à bord violet

| Régime Carnivore | Niveaux de nage Moyen et inférieur | Tempérament |

| Famille GOBIIDÉS | Espèce Nemateleotris magnifica | Taille 6 cm |

GOBIE DE FEU

Comme dans l'espèce ci-dessus, la coloration se répartit en deux régions : moitié avant jaune rosâtre, avec une zone jaune uni à la tête ; moitié arrière orange rosâtre, passant par le rouge pour virer au brun-rouge foncé. Les premiers rayons de la nageoire dorsale antérieure sont allongés et jaunes, avec le bord d'attaque rose. Seconde dorsale et anale à base jaune et bord brun-rouge.
• **HABITAT** Grottes dans les récifs coralliens, du centre de l'océan Indien au Pacifique central.
• **REMARQUE** Nageoires pelviennes séparées, non fusionnées.

INDOPACIFIQUE

premiers rayons de la nageoire dorsale très longs

truitures autour de la tête

longues nageoires pelviennes

devant du corps jaune rosâtre

| Régime Carnivore | Niveaux de nage Moyen et inférieur | Tempérament |

GROGNEURS ET POISSONS-ÉPERVIERS

C OMME les serranidés, les pomadasyidés, ou grogneurs, deviennent généralement trop grands pour un aquarium moyen. Leurs marques corporelles changent parfois entre le stade juvénile et l'âge adulte. Quant aux cirrhitidés, appelés poissons-éperviers parce qu'ils se perchent pour guetter leur proie, ils mangent des poissons mais pas d'invertébrés. Ils se reproduisent en déposant leurs œufs.

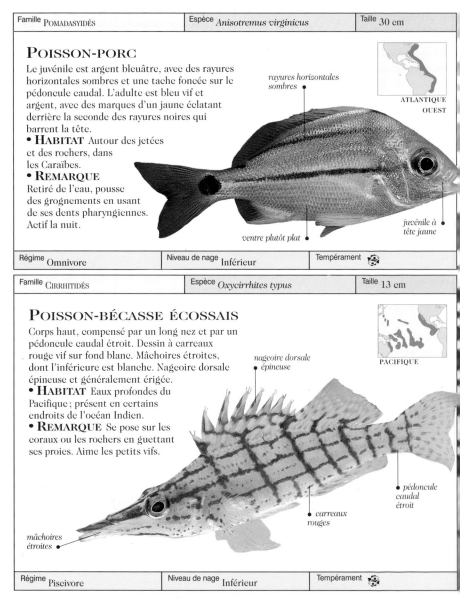

Famille POMADASYIDÉS	Espèce *Anisotremus virginicus*	Taille 30 cm

POISSON-PORC

Le juvénile est argent bleuâtre, avec des rayures horizontales sombres et une tache foncée sur le pédoncule caudal. L'adulte est bleu vif et argent, avec des marques d'un jaune éclatant derrière la seconde des rayures noires qui barrent la tête.
• **HABITAT** Autour des jetées et des rochers, dans les Caraïbes.
• **REMARQUE** Retiré de l'eau, pousse des grognements en usant de ses dents pharyngiennes. Actif la nuit.

rayures horizontales sombres

ATLANTIQUE OUEST

ventre plutôt plat

juvénile à tête jaune

Régime Omnivore	Niveau de nage Inférieur	Tempérament

Famille CIRRHITIDÉS	Espèce *Oxycirrhites typus*	Taille 13 cm

POISSON-BÉCASSE ÉCOSSAIS

Corps haut, compensé par un long nez et par un pédoncule caudal étroit. Dessin à carreaux rouge vif sur fond blanc. Mâchoires étroites, dont l'inférieure est blanche. Nageoire dorsale épineuse et généralement érigée.
• **HABITAT** Eaux profondes du Pacifique ; présent en certains endroits de l'océan Indien.
• **REMARQUE** Se pose sur les coraux ou les rochers en guettant ses proies. Aime les petits vifs.

nageoire dorsale épineuse

PACIFIQUE

pédoncule caudal étroit

carreaux rouges

mâchoires étroites

Régime Piscivore	Niveau de nage Inférieur	Tempérament

OPISTOGNATHES ET POISSONS-SCORPIONS

C ARACTÉRISTIQUE la plus remarquable des opistognathidés : leur habitude de se creuser des trous dans le substrat, où ils se retirent la queue la première. Quant aux poissons-scorpions de la famille des scorpénidés, malgré leur nage gracieuse, ce sont de féroces prédateurs. Certaines nageoires contiennent un venin puissant : à approcher avec une extrême précaution.

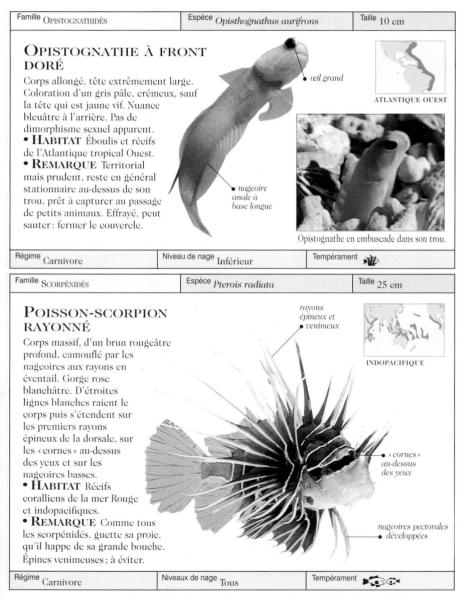

Famille OPISTOGNATHIDÉS	Espèce *Opisthognathus aurifrons*	Taille 10 cm

OPISTOGNATHE À FRONT DORÉ

Corps allongé, tête extrêmement large. Coloration d'un gris pâle, crémeux, sauf la tête qui est jaune vif. Nuancé bleuâtre à l'arrière. Pas de dimorphisme sexuel apparent.
• **HABITAT** Éboulis et récifs de l'Atlantique tropical Ouest.
• **REMARQUE** Territorial mais prudent, reste en général stationnaire au-dessus de son trou, prêt à capturer au passage de petits animaux. Effrayé, peut sauter : fermer le couvercle.

œil grand

ATLANTIQUE OUEST

nageoire anale à base longue

Opistognathe en embuscade dans son trou.

Régime Carnivore	Niveau de nage Inférieur	Tempérament

Famille SCORPÉNIDÉS	Espèce *Pterois radiata*	Taille 25 cm

POISSON-SCORPION RAYONNÉ

Corps massif, d'un brun rougeâtre profond, camouflé par les nageoires aux rayons en éventail. Gorge rose blanchâtre. D'étroites lignes blanches raient le corps puis s'étendent sur les premiers rayons épineux de la dorsale, sur les « cornes » au-dessus des yeux et sur les nageoires basses.
• **HABITAT** Récifs coralliens de la mer Rouge et indopacifiques.
• **REMARQUE** Comme tous les scorpénidés, guette sa proie, qu'il happe de sa grande bouche. Épines venimeuses ; à éviter.

rayons épineux et venimeux

INDOPACIFIQUE

« cornes » au-dessus des yeux

nageoires pectorales développées

Régime Carnivore	Niveaux de nage Tous	Tempérament

| Famille SCORPÉNIDÉS | Espèce *Pterois volitans* | Taille 35 cm |

POISSON-SCORPION

Corps barré verticalement de rayures brun-rouge, claires et foncées. Œil camouflé par ces marques, sous une paire de « cornes ». Les premières épines de la nageoire dorsale, aux marques claires et foncées sont très venimeuses.
• **HABITAT** Mer Rouge et récifs de corail indopacifiques.
• **REMARQUE** Approcher avec grande précaution. Donner de la nourriture carnée, morte ou vive ; pas de viande rouge.
• **AUTRE NOM** Rascasse volante.

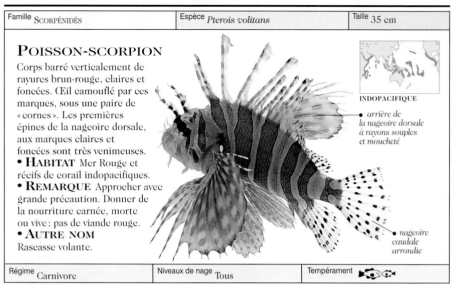

INDOPACIFIQUE

• arrière de la nageoire dorsale à rayons souples et moucheté

• nageoire caudale arrondie

| Régime Carnivore | Niveaux de nage Tous | Tempérament |

POISSONS-MANDARINS

C ES POISSONS et leurs cousins, les dragonnets, de la famille des callionymidés, sont des espèces attrayantes mais timides, hantant les fonds. *Synchiropus splendidus* (*ci-dessous*) est le plus coloré. Les mâles, plus éclatants, ont des rayons allongés aux nageoires dorsale et anale. Fécondation interne, avant dispersion des œufs. Mangent de petits animaux marins.

| Famille CALLIONYMIDÉS | Espèce *Synchiropus splendidus* | Taille 7,5 cm |

POISSON-MANDARIN

Corps vert doré à bleuâtre, orné d'un réseau complexe de larges lignes bleues à bord foncé, qui s'étendent sur les nageoires. Yeux noir et or ; bas de la tête pâle, sous une ligne foncée allant du nez à l'opercule tacheté d'or.
• **HABITAT** À couvert, au pied des récifs du Pacifique, au sud de l'Australie.
• **REMARQUE** À héberger dans un aquarium tranquille, loin des poissons turbulents.

rayons épineux sur la
• première nageoire dorsale

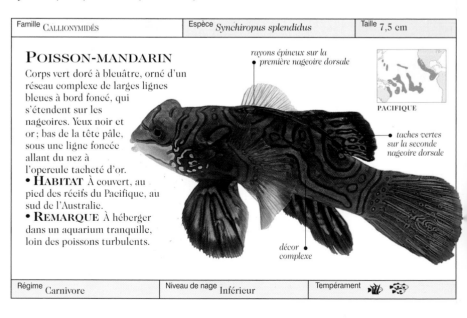

PACIFIQUE

• taches vertes sur la seconde nageoire dorsale

décor •
complexe

| Régime Carnivore | Niveau de nage Inférieur | Tempérament |

MURÈNES

L ES MURÉNIDÉS ne conviennent qu'aux plus grands aquariums, mais constituent une véritable attraction. Dans la nature, ces poissons habitent des trous rocheux et d'autres abris, comme les coraux et les épaves de navires. À traiter avec la plus grande précaution : la moindre de leurs morsures peut se révéler très douloureuse. Seules les grandes murènes, dont la croissance n'a pas été entravée, peuvent se reproduire et, du reste, plusieurs espèces migrent avant le frai. Ne mettez jamais ces prédateurs en présence de petits poissons.

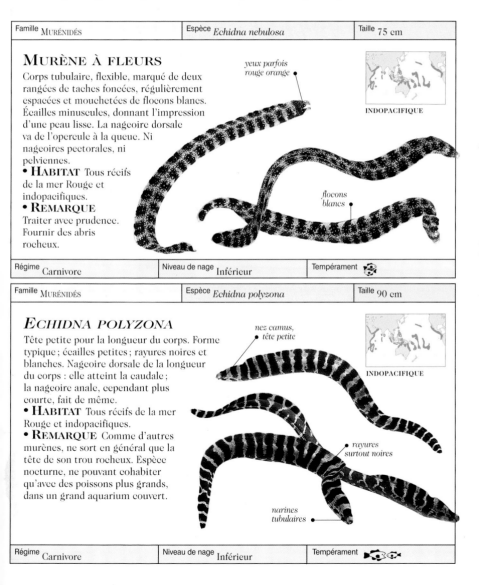

Famille MURÉNIDÉS	Espèce *Echidna nebulosa*	Taille 75 cm

MURÈNE À FLEURS

Corps tubulaire, flexible, marqué de deux rangées de taches foncées, régulièrement espacées et mouchetées de flocons blancs. Écailles minuscules, donnant l'impression d'une peau lisse. La nageoire dorsale va de l'opercule à la queue. Ni nageoires pectorales, ni pelviennes.
• **HABITAT** Tous récifs de la mer Rouge et indopacifiques.
• **REMARQUE** Traiter avec prudence. Fournir des abris rocheux.

yeux parfois rouge orange

INDOPACIFIQUE

flocons blancs

Régime Carnivore	Niveau de nage Inférieur	Tempérament

Famille MURÉNIDÉS	Espèce *Echidna polyzona*	Taille 90 cm

ECHIDNA POLYZONA

Tête petite pour la longueur du corps. Forme typique ; écailles petites ; rayures noires et blanches. Nageoire dorsale de la longueur du corps : elle atteint la caudale ; la nageoire anale, cependant plus courte, fait de même.
• **HABITAT** Tous récifs de la mer Rouge et indopacifiques.
• **REMARQUE** Comme d'autres murènes, ne sort en général que la tête de son trou rocheux. Espèce nocturne, ne pouvant cohabiter qu'avec des poissons plus grands, dans un grand aquarium couvert.

nez camus, tête petite

INDOPACIFIQUE

rayures surtout noires

narines tubulaires

Régime Carnivore	Niveau de nage Inférieur	Tempérament

Famille MURÉNIDÉS	Espèce *Muraena lentiginosa*	Taille 60 cm

MURAENA LENTIGINOSA

Cette murène brune est couverte d'ocelles jaunâtres
à bord foncé, disposés en rangées et s'étendant aux
nageoires. Nageoires dorsale, anale et caudale
contiguës. Pas d'écailles. Narines typiquement
tubulaires. Mâchoires puissantes, dents aiguës.
• **HABITAT** Grottes et crevasses sous-marines,
du golfe de Californie au Pérou.
• **REMARQUE** Poisson
d'exception pour grand
aquarium. Manipuler
avec prudence.

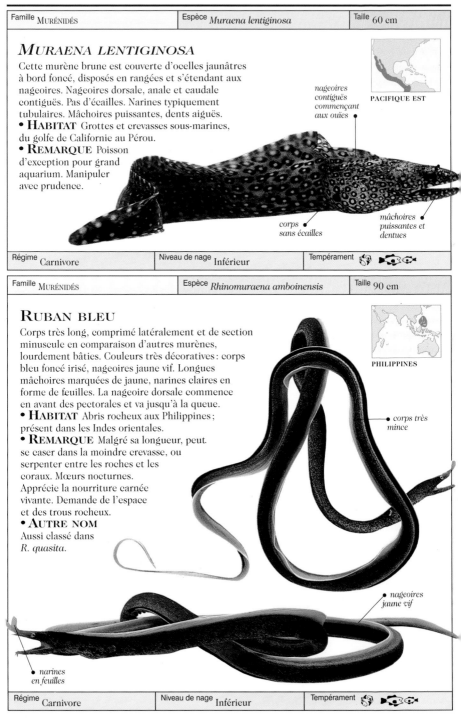

*nageoires
contiguës
commençant
aux ouïes*

PACIFIQUE EST

*corps
sans écailles*

*mâchoires
puissantes et
dentues*

Régime Carnivore	Niveau de nage Inférieur	Tempérament

Famille MURÉNIDÉS	Espèce *Rhinomuraena amboinensis*	Taille 90 cm

RUBAN BLEU

Corps très long, comprimé latéralement et de section
minuscule en comparaison d'autres murènes,
lourdement bâties. Couleurs très décoratives : corps
bleu foncé irisé, nageoires jaune vif. Longues
mâchoires marquées de jaune, narines claires en
forme de feuilles. La nageoire dorsale commence
en avant des pectorales et va jusqu'à la queue.
• **HABITAT** Abris rocheux aux Philippines ;
présent dans les Indes orientales.
• **REMARQUE** Malgré sa longueur, peut
se caser dans la moindre crevasse, ou
serpenter entre les roches et les
coraux. Mœurs nocturnes.
Apprécie la nourriture carnée
vivante. Demande de l'espace
et des trous rocheux.
• **AUTRE NOM**
Aussi classé dans
R. quasita.

PHILIPPINES

*corps très
mince*

*nageoires
jaune vif*

*narines
en feuilles*

Régime Carnivore	Niveau de nage Inférieur	Tempérament

SYNGNATHES ET HIPPOCAMPES

L A FAMILLE des syngnathidés, comprend les aiguilles de mer et les hippocampes. Ses espèces colorées se plaisent dans un aquarium à décor rocailleux où vivent des invertébrés. Certaines habitent les estuaires et tolèrent donc une eau de teneur variable en sel. Leur bouche est petite. Comme ils mangent du vif, on retiendra les artémias et les alevins de poissons ovovivipares.

Famille SYNGNATHIDÉS	Espèce *Dunkerocampus dactyliophorus*	Taille 18,5 cm

AIGUILLE DE MER ZÉBRÉE

Corps jaune pâle, encerclé d'anneaux brun rougeâtre, régulièrement espacés, du nez au pédoncule caudal. Long «bec» tubulaire. Œil caché dans l'un des anneaux.
• **HABITAT** Récifs coralliens des Philippines; présent dans les Indes orientales et le Pacifique occidental.
• **REMARQUE** Espèce de récif, ne tolérant pas une salinité réduite. Les œufs fécondés sont incubés par le mâle.

PHILIPPINES

nageoire caudale rouge à bord blanc

long nez tubulaire

queue préhensile permettant l'ancrage

Régime Carnivore	Niveau de nage Inférieur	Tempérament

Famille SYNGNATHIDÉS	Espèce *Syngnathoides biaculeatus*	Taille 30 cm

AIGUILLE DE MER CORNUE

Le nom de ce poisson se réfère aux deux excroissances filamenteuses qui poussent sur la tête de certains spécimens. Le vert de la surface dorsale devient, plus bas, un jaune pâle. Museau tubulaire, bouche petite, portant un petit barbillon à la mâchoire inférieure. Absence de nageoires pelviennes, anale et caudale.
• **HABITAT** Eaux côtières peu profondes, de l'Afrique orientale au Pacifique occidental.
• **REMARQUE** Comme l'hippocampe, s'ancre par la queue. Le mâle fait incuber dans sa poche ventrale les œufs fécondés.

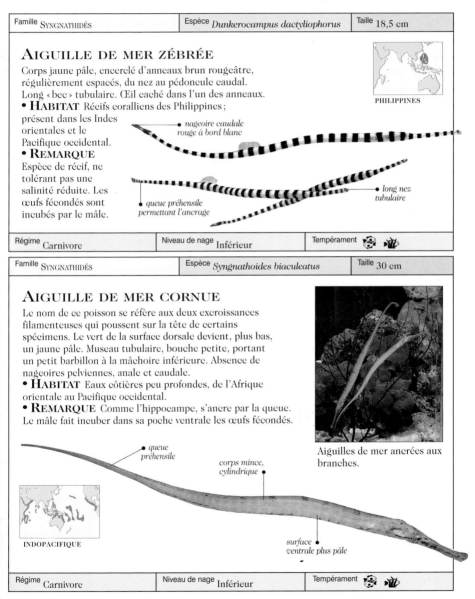

Aiguilles de mer ancrées aux branches.

queue préhensile

corps mince, cylindrique

INDOPACIFIQUE

surface ventrale plus pâle

Régime Carnivore	Niveau de nage Inférieur	Tempérament

Famille SYNGNATHIDÉS	Espèce *Hippocampus kuda*	Taille 25 cm

HIPPOCAMPE DORÉ

Sa position de nage est verticale, avec de légères inclinaisons vers l'avant ou vers l'arrière suivant la direction empruntée. Corps couvert d'un bouclier osseux. Tête de cheval, perpendiculaire au corps, se terminant par un long museau tubulaire et une bouche extensible. Une petite « couronne » osseuse peut se développer sur la tête.

• **HABITAT** Eaux côtières indopacifiques peu profondes.

• **REMARQUE** Demande des vifs (petits poissons, crustacés). Apprécie un aquarium spécifique, avec des branches où s'accrocher. Les femelles déposent leurs œufs dans la poche abdominale du mâle, d'où le frai éclôt des semaines plus tard.

yeux placés haut, permettant une bonne vision panoramique

INDOPACIFIQUE

« *couronne* » *osseuse*

tête de cheval

long museau tubulaire

plaques osseuses formant des crêtes et des anneaux

queue préhensile servant d'ancre

Régime Petits vifs	Niveaux de nage Moyen et inférieur	Tempérament

POISSONS PORCS-ÉPICS, POISSONS-BALLONS ET BOURSES

L E NOM de la première de ces deux familles, les diodontidés (poissons porcs-épics), signifie en grec «à deux dents» : les dents antérieures étant fusionnées, il n'en reste, en pratique, qu'une supérieure et une inférieure.

Écailles armées d'épines pointues, dissuasives vis-à-vis des prédateurs quand le poisson se gonfle. Les tétraodontidés (poissons-ballons et bourses) ont quatre dents, deux par mâchoire. Tous aiment les petites proies vivantes.

Famille DIODONTIDÉS	Espèce *Diodon holocanthus*	Taille 50 cm

SOUFFLEUR ÉPINEUX

Le corps, brun doré, a le dessous pâle et des taches noires réparties çà et là. Les nageoires pectorales sont grandes mais il n'y a pas de pelviennes ; dorsale et anale attachées en arrière ; caudale arrondie. Le poisson garde ses épines plaquées contre le corps mais il se gonfle s'il est effrayé.
• **HABITAT** Varech et recoins rocheux proches de la côte, dans la région indopacifique mais aussi l'Atlantique.
• **REMARQUE** Crustacés, mollusques et autres invertébrés seraient mangés ; à exclure de l'aquarium.

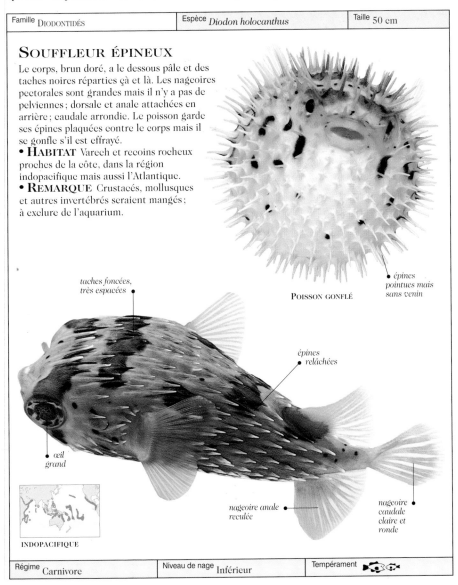

taches foncées, très espacées

épines pointues mais sans venin

POISSON GONFLÉ

épines relâchées

œil grand

nageoire anale reculée

nageoire caudale claire et ronde

INDOPACIFIQUE

Régime Carnivore	Niveau de nage Inférieur	Tempérament

Famille TÉTRAODONTIDÉS	Espèce *Canthigaster margaritatus*	Taille 15 cm

CANTHIGASTER-PAON

Des lignes blanc bleuâtre, à bord foncé, ornent
le dessus du corps, surtout le front.
Fond brun foncé, surface ventrale plus pâle.
Au-dessus, les flancs sont couverts d'ocelles
blanes aux cernes foncés, qui se poursuivent
sur la nageoire caudale. Ocelle plus grand,
foncé et cerné de blanc, à la base de la dorsale,
très reculée.
• **HABITAT** Récifs de corail indopacifiques.
• **REMARQUE** Quatre dents osseuses dans
la bouche. Les couleurs
voyantes indiquent que
le poisson peut être
venimeux ou avoir
mauvais goût pour les
prédateurs. Se gonfle
partiellement.

*gibbosités
frontales
abritant de
grands yeux*

INDOPACIFIQUE

*ventre
pâle*

*traits bleus sur
la nageoire caudale*

*nageoires anale
et dorsale claires*

Régime Carnivore	Niveaux de nage Moyen et inférieur	Tempérament

Famille TÉTRAODONTIDÉS	Espèce *Canthigaster valentini*	Taille 20 cm

CANTHIGASTER À SELLE

Poisson blanc, portant deux marques noires
descendant en pointe de la surface
dorsale. Région noire
autour des
yeux, selle
noire en avant
du pédoncule
caudal. Les
parties claires
sont couvertes de
taches ocre jaune.
• **HABITAT** Récifs de
corail indopacifiques, à
l'exclusion des îles Hawaii
et de l'Australie.
• **REMARQUE** Généralement
paisible, mais parfois territorial.
Apprécie les planorbes : ses mâchoires
puissantes cassent sans peine les
coquilles. Considéré par certains
comme synonyme de *C. cinctus*.

*corps haut
en son
milieu*

INDOPACIFIQUE

*taches ocre
jaune sur les
parties claires*

*nageoire
caudale
jaune
à bords
noirs*

*ventre
blanc*

Régime Carnivore	Niveaux de nage Moyen et inférieur	Tempérament

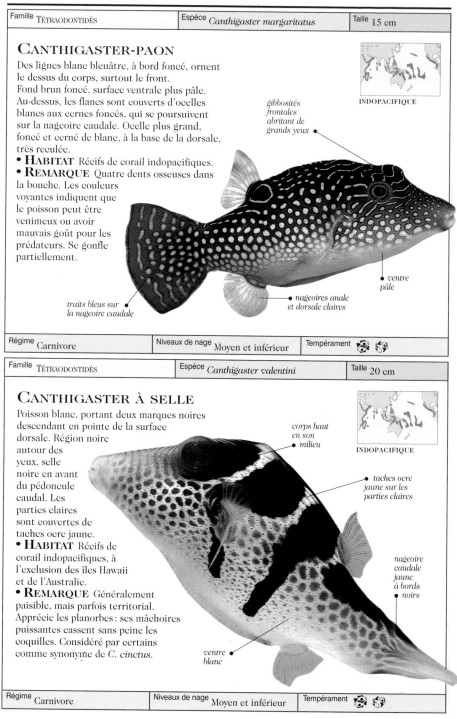

POISSONS-LAPINS ET POISSONS-RASOIRS

L ES SIGANIDÉS, ou poissons-lapins, portent des épines venimeuses aux nageoires dorsale et anale. Juvéniles souvent plus colorés que les adultes. Tous ont besoin d'espace et de nourriture verte. Les centriscidés, ou poissons-rasoirs, peuvent se dissimuler parmi les épines d'oursins. Leurs nageoires dorsale, caudale et anale sont recouvertes d'un bouclier osseux, dont l'extrémité arrière est épineuse.

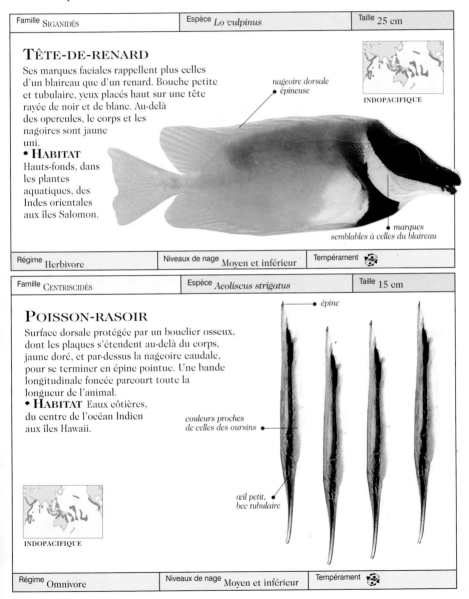

| Famille SIGANIDÉS | Espèce Lo vulpinus | Taille 25 cm |

TÊTE-DE-RENARD
Ses marques faciales rappellent plus celles d'un blaireau que d'un renard. Bouche petite et tubulaire, yeux placés haut sur une tête rayée de noir et de blanc. Au-delà des opercules, le corps et les nageoires sont jaune uni.
• HABITAT
Hauts-fonds, dans les plantes aquatiques, des Indes orientales aux îles Salomon.

nageoire dorsale épineuse

INDOPACIFIQUE

marques semblables à celles du blaireau

| Régime Herbivore | Niveaux de nage Moyen et inférieur | Tempérament |

| Famille CENTRISCIDÉS | Espèce Aeoliscus strigatus | Taille 15 cm |

POISSON-RASOIR
Surface dorsale protégée par un bouclier osseux, dont les plaques s'étendent au-delà du corps, jaune doré, et par-dessus la nageoire caudale, pour se terminer en épine pointue. Une bande longitudinale foncée parcourt toute la longueur de l'animal.
• HABITAT Eaux côtières, du centre de l'océan Indien aux îles Hawaii.

épine

couleurs proches de celles des oursins

œil petit, bec tubulaire

INDOPACIFIQUE

| Régime Omnivore | Niveaux de nage Moyen et inférieur | Tempérament |

POISSONS-SOLDATS

LA FAMILLE des holocentridés, ou poissons-soldats, comprend des espèces grégaires, aux grands yeux, présentes dans toutes les mers chaudes. Ces poissons patrouillent dans l'aquarium en grand nombre, la nuit, mais se cachent généralement durant le jour. Le plus souvent rouges, avec des marques blanches dont chaque espèce fournit sa variante distinctive. Aiment les vers et les petits poissons.

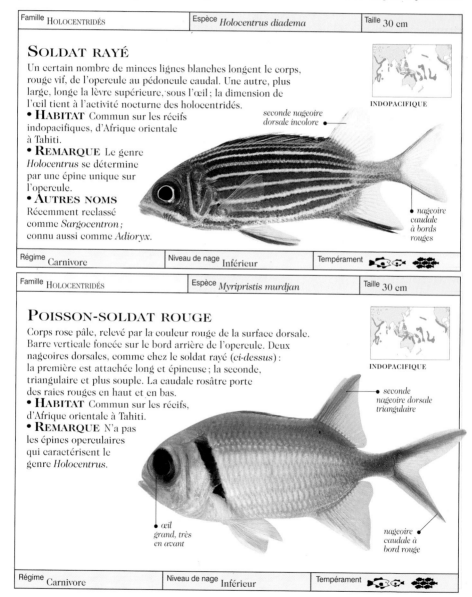

Famille HOLOCENTRIDÉS	Espèce *Holocentrus diadema*	Taille 30 cm

SOLDAT RAYÉ

Un certain nombre de minces lignes blanches longent le corps, rouge vif, de l'opercule au pédoncule caudal. Une autre, plus large, longe la lèvre supérieure, sous l'œil ; la dimension de l'œil tient à l'activité nocturne des holocentridés.

• **HABITAT** Commun sur les récifs indopacifiques, d'Afrique orientale à Tahiti.

• **REMARQUE** Le genre *Holocentrus* se détermine par une épine unique sur l'opercule.

• **AUTRES NOMS** Récemment reclassé comme *Sargocentron* ; connu aussi comme *Adioryx*.

INDOPACIFIQUE

seconde nageoire dorsale incolore

nageoire caudale à bords rouges

Régime Carnivore	Niveau de nage Inférieur	Tempérament

Famille HOLOCENTRIDÉS	Espèce *Myripristis murdjan*	Taille 30 cm

POISSON-SOLDAT ROUGE

Corps rose pâle, relevé par la couleur rouge de la surface dorsale. Barre verticale foncée sur le bord arrière de l'opercule. Deux nageoires dorsales, comme chez le soldat rayé (*ci-dessus*) : la première est attachée long et épineuse ; la seconde, triangulaire et plus souple. La caudale rosâtre porte des raies rouges en haut et en bas.

• **HABITAT** Commun sur les récifs, d'Afrique orientale à Tahiti.

• **REMARQUE** N'a pas les épines operculaires qui caractérisent le genre *Holocentrus*.

INDOPACIFIQUE

seconde nageoire dorsale triangulaire

œil grand, très en avant

nageoire caudale à bord rouge

Régime Carnivore	Niveau de nage Inférieur	Tempérament

GATERINS

L ES JUVÉNILES de la famille des hémulidés, ou gaterins, ont une coloration beaucoup plus vive que celle des adultes. Les jeunes hémulidés font d'excellents sujets pour un grand aquarium. Toutes les espèces proviennent de la région indopacifique ; certains les classent dans une sous-famille séparée (plectorhynchinés). Poissons timides et mangeurs lents, ils ont besoin de nourriture vivante.

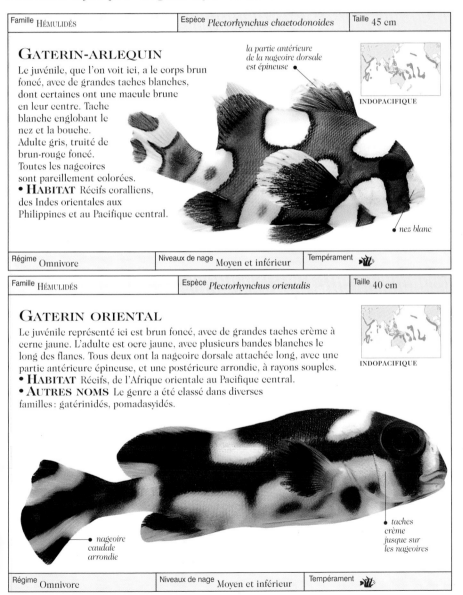

Famille HÉMULIDÉS	Espèce *Plectorhynchus chaetodonoides*	Taille 45 cm

GATERIN-ARLEQUIN

Le juvénile, que l'on voit ici, a le corps brun foncé, avec de grandes taches blanches, dont certaines ont une macule brune en leur centre. Tache blanche englobant le nez et la bouche. Adulte gris, truité de brun-rouge foncé. Toutes les nageoires sont pareillement colorées.
• **HABITAT** Récifs coralliens, des Indes orientales aux Philippines et au Pacifique central.

la partie antérieure de la nageoire dorsale est épineuse

INDOPACIFIQUE

nez blanc

Régime Omnivore	Niveaux de nage Moyen et inférieur	Tempérament

Famille HÉMULIDÉS	Espèce *Plectorhynchus orientalis*	Taille 40 cm

GATERIN ORIENTAL

Le juvénile représenté ici est brun foncé, avec de grandes taches crème à cerne jaune. L'adulte est ocre jaune, avec plusieurs bandes blanches le long des flancs. Tous deux ont la nageoire dorsale attachée long, avec une partie antérieure épineuse, et une postérieure arrondie, à rayons souples.
• **HABITAT** Récifs, de l'Afrique orientale au Pacifique central.
• **AUTRES NOMS** Le genre a été classé dans diverses familles : gatérinidés, pomadasyidés.

INDOPACIFIQUE

nageoire caudale arrondie

taches crème jusque sur les nageoires

Régime Omnivore	Niveaux de nage Moyen et inférieur	Tempérament

TRANCHOIRS

LE TRANCHOIR représenté ci-dessous est la seule espèce de la famille des zanclidés. Celle-ci est apparentée à celle des acanthuridés, qui comprend les poissons-chirurgiens, comme on peut le voir aux ressemblances physiques chez les jeunes. Le tranchoir juvénile n'a toutefois pas de « scalpel » au pédoncule caudal. Espèce grégaire, commune dans toute la région indopacifique.

Famille ZANCLIDÉS	Espèce *Zanclus canescens*	Taille 25 cm

TRANCHOIR

Cette espèce monotypique a le corps très haut, comprimé latéralement, jaune clair et blanc, traversé verticalement de bandes foncées, s'étendant sur les nageoires dorsales et anale. Une marque jaune orne le haut du « bec » proéminent, à la base du front en pente très raide. Mâchoire inférieure noire. Dorsale blanche, noire et jaune, à rayons très allongés. L'adulte porte de petites « cornes » au-dessus de l'œil.

• **HABITAT** Récifs coralliens de la région indopacifique.

• **REMARQUE** Poisson populaire mais souvent difficile à acclimater. Ne mangera pas en aquarium s'il a été transporté dans un conteneur pollué, et mourra d'inanition.

• **AUTRES NOMS** Porte-enseigne cornu. Précédemment *Z. cornutus*.

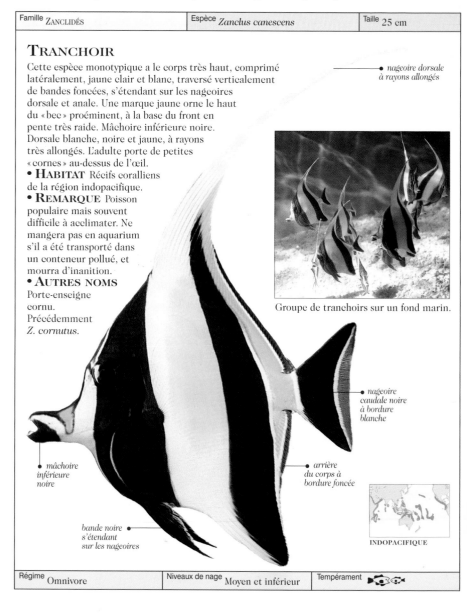

nageoire dorsale à rayons allongés

Groupe de tranchoirs sur un fond marin.

nageoire caudale noire à bordure blanche

mâchoire inférieure noire

arrière du corps à bordure foncée

bande noire s'étendant sur les nageoires

INDOPACIFIQUE

Régime Omnivore	Niveaux de nage Moyen et inférieur	Tempérament

Poissons marins d'eaux froides

Blennies

LES BLENNIES vivent en eaux froides. Actives, elles s'affairent autour des crevasses ménagées au fond de l'aquarium. Dans la nature, on les trouve dans les eaux côtières peu profondes, et souvent emprisonnées, à marée basse, dans des flaques au milieu des rochers. Les antennes caractéristiques qu'elles portent au-dessus des yeux les distinguent des espèces de couleur similaire.

Famille BLENNIIDÉS	Espèce *Blennius gattorugine*	Taille 20 cm

BLENNIE GATTORUGINE

La tête est la partie la plus haute de ce poisson au corps massif, orné d'une combinaison de rayures brun rougeâtre et blanches. Au-dessus de la bouche large, le profil se relève en pente raide pour s'aplanir entre les yeux, où poussent deux antennes ramifiées.

• **HABITAT** Eaux peu profondes et flaques côtières de l'Atlantique Est, depuis la Méditerranée jusqu'au nord de l'Écosse, mer du Nord exclue.

• **REMARQUE** Bien que territoriale et capable d'importuner les poissons plus petits, cette blennie peut se laisser intimider par des espèces plus grandes. Un aquarium spécifique lui conviendrait. Demande beaucoup d'abris rocheux, et une nourriture carnée. Peut devenir familière.

• **AUTRE NOM** *Parablennius gattorugine*.

Blennie gattorugine à l'abri des rochers.

antennes
ramifiées •

nageoire dorsale
à base très longue •

• larges rayures
brun-rouge
et blanches

EUROPE
OCCIDENTALE

Régime Omnivore	Niveau de nage Inférieur	Tempérament

Famille LUMPÉNIDÉS	Espèce *Chirolophis ascanii*	Taille 25 cm

BLENNIE DE YARRELL

Son corps rosâtre, allongé, est traversé de bandes verticales peu visibles. On trouve au-dessus des yeux les caractéristiques antennes ramifiées, de couleur rougeâtre, et de plus petites en arrière des narines. Rayons épineux à l'avant de la dorsale.
• **HABITAT** Eaux peu profondes et flaques côtières de l'Atlantique Est, autour de la Grande-Bretagne et de la Norvège ; présent en Islande.
• **REMARQUE** Ce poisson sublittoral demande des rochers, de l'eau froide et une bonne oxygénation.
• **AUTRE NOM** Aussi classé dans la famille des stichéidés.

EUROPE OCCIDENTALE

rayons épineux à l'avant de la nageoire dorsale

antenne ramifiée au-dessus de chaque œil

bandes verticales indistinctes

Régime Omnivore	Niveau de nage Inférieur	Tempérament

Famille BLENNIIDÉS	Espèce *Lipophrys pholis*	Taille 15 cm

BLENNIE COMMUNE

Corps massif, jaune crème, portant un réseau de bandes irrégulières foncées. Entre elles, nombreuses truitures foncées. La nageoire dorsale, à base longue, est légèrement échancrée en son milieu. Les nageoires pectorales, grandes et rondes, contrastent avec les minuscules pelviennes.
• **HABITAT** Eaux peu profondes et flaques côtières de l'Atlantique européen, jusqu'au Portugal et à la Méditerranée.
• **REMARQUE** Le mâle devient foncé pendant le frai. Œufs déposés sous des surplombs, dans des grottes ou des trous rocheux, et surveillés par le mâle. Ce poisson doit pouvoir s'abriter sous des rocailles. La croissance peut durer toute la vie.

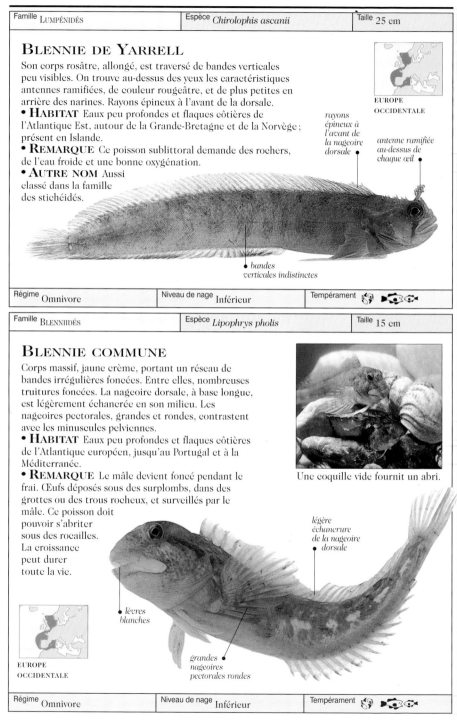

Une coquille vide fournit un abri.

légère échancrure de la nageoire dorsale

lèvres blanches

grandes nageoires pectorales rondes

EUROPE OCCIDENTALE

Régime Omnivore	Niveau de nage Inférieur	Tempérament

GOBIES ET PORTE-ÉCUELLE

L ES GOBIIDÉS, ou goujons de mer, recherchent constamment leur nourriture sur les fonds rocheux ou dans les flaques côtières. Bien que ressemblant aux blennies, les gobies et les gobiésox, ou porte-écuelle (famille des gobiésocidés), se reconnaissent à leur coloration plus vive et à leurs nageoires pelviennes formant une ventouse. Celle-ci empêche le poisson d'être emporté par le mouvement des vagues. Les gobiidés ne fraient qu'en été.

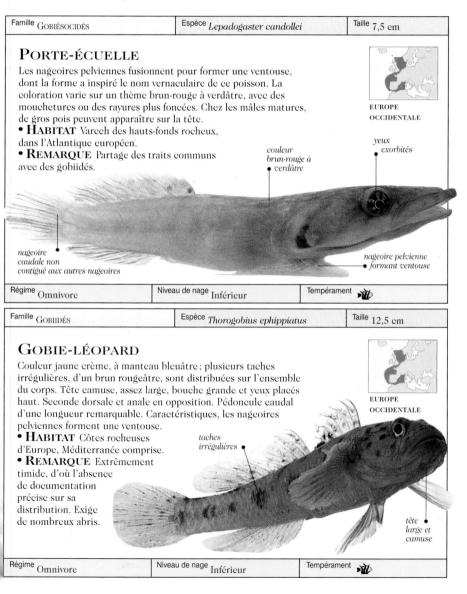

| Famille GOBIÉSOCIDÉS | Espèce *Lepadogaster candollei* | Taille 7,5 cm |

PORTE-ÉCUELLE

Les nageoires pelviennes fusionnent pour former une ventouse, dont la forme a inspiré le nom vernaculaire de ce poisson. La coloration varie sur un thème brun-rouge à verdâtre, avec des mouchetures ou des rayures plus foncées. Chez les mâles matures, de gros pois peuvent apparaître sur la tête.
• **HABITAT** Varech des hauts-fonds rocheux, dans l'Atlantique européen.
• **REMARQUE** Partage des traits communs avec des gobiidés.

EUROPE
OCCIDENTALE

yeux exorbités

couleur brun-rouge à verdâtre

nageoire caudale non contiguë aux autres nageoires

nageoire pelvienne formant ventouse

| Régime Omnivore | Niveau de nage Inférieur | Tempérament |

| Famille GOBIIDÉS | Espèce *Thorogobius ephippiatus* | Taille 12,5 cm |

GOBIE-LÉOPARD

Couleur jaune crème, à manteau bleuâtre ; plusieurs taches irrégulières, d'un brun rougeâtre, sont distribuées sur l'ensemble du corps. Tête camuse, assez large, bouche grande et yeux placés haut. Seconde dorsale et anale en opposition. Pédoncule caudal d'une longueur remarquable. Caractéristiques, les nageoires pelviennes forment une ventouse.
• **HABITAT** Côtes rocheuses d'Europe, Méditerranée comprise.
• **REMARQUE** Extrêmement timide, d'où l'absence de documentation précise sur sa distribution. Exige de nombreux abris.

EUROPE
OCCIDENTALE

taches irrégulières

tête large et camuse

| Régime Omnivore | Niveau de nage Inférieur | Tempérament |

VIEILLES

LES GRANDS labridés d'eaux froides, ou vieilles, offrent un vaste choix d'espèces à l'aquariophile, bien que, dans la plupart des cas, seuls les juvéniles puissent être gardés en captivité – lesquels amusent par le rôle de toiletteurs qu'ils jouent auprès d'autres poissons. Par chance, la phase juvénile est souvent celle où ces labridés ont le plus de couleurs. À l'âge adulte, marques et coloration peuvent se modifier et se ternir. Les couleurs varient aussi suivant le sexe et, parfois, elles s'altèrent en fonction de l'humeur du poisson et des tonalités du substrat. Les mâles en changent pendant le frai. Par ailleurs, les inversions de sexe sont assez courantes au sein de ces espèces. En aquarium, les vieilles, actives pendant le jour, s'enfouissent dans le substrat pendant la nuit.

Famille LABRIDÉS	Espèce *Centrolabrus exoletus*	Taille 17,5 cm

PETITE VIEILLE

Corps en hauteur, dont la coloration passe du brun, sur la surface dorsale, au jaune, sur les flancs, puis au blanc argenté, sur le ventre, parfois avec mouchetures. Les flancs deviennent d'un bleu irisé chez le mâle qui fraie. La bouche, terminale, est particulièrement petite. Des lignes violettes ornent la gorge. La nageoire anale porte plusieurs épines à l'avant, et une rayure foncée longe la base de la caudale.
• **HABITAT** Varech sur les hauts-fonds, de la Norvège au golfe de Biscaye, à l'exclusion du sud de la mer du Nord.
• **REMARQUE** Actif pendant le jour, se repose la nuit dans les rochers.
• **AUTRE NOM** Coquette.

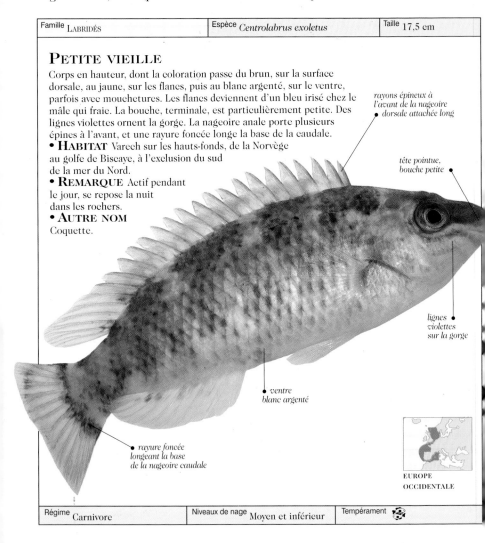

rayons épineux à l'avant de la nageoire dorsale attachée long

tête pointue, bouche petite

lignes violettes sur la gorge

ventre blanc argenté

rayure foncée longeant la base de la nageoire caudale

EUROPE OCCIDENTALE

Régime Carnivore	Niveaux de nage Moyen et inférieur	Tempérament

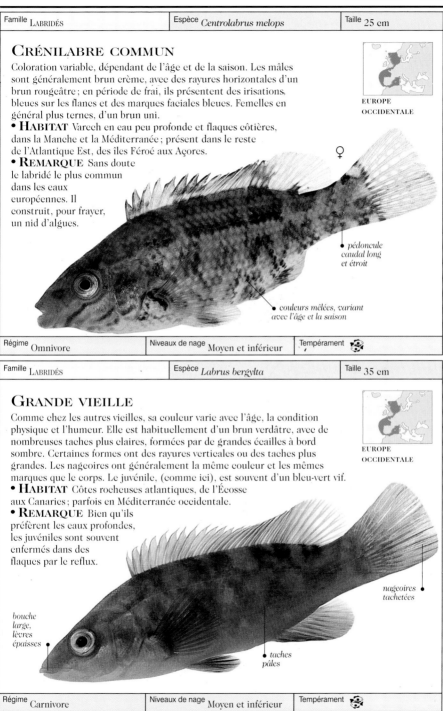

| Famille LABRIDÉS | Espèce *Centrolabrus melops* | Taille 25 cm |

CRÉNILABRE COMMUN

Coloration variable, dépendant de l'âge et de la saison. Les mâles sont généralement brun crème, avec des rayures horizontales d'un brun rougeâtre ; en période de frai, ils présentent des irisations bleues sur les flancs et des marques faciales bleues. Femelles en général plus ternes, d'un brun uni.
• **HABITAT** Varech en eau peu profonde et flaques côtières, dans la Manche et la Méditerranée ; présent dans le reste de l'Atlantique Est, des îles Féroé aux Açores.
• **REMARQUE** Sans doute le labridé le plus commun dans les eaux européennes. Il construit, pour frayer, un nid d'algues.

EUROPE
OCCIDENTALE

♀

pédoncule caudal long et étroit

couleurs mêlées, variant avec l'âge et la saison

| Régime Omnivore | Niveaux de nage Moyen et inférieur | Tempérament |

| Famille LABRIDÉS | Espèce *Labrus bergylta* | Taille 35 cm |

GRANDE VIEILLE

Comme chez les autres vieilles, sa couleur varie avec l'âge, la condition physique et l'humeur. Elle est habituellement d'un brun verdâtre, avec de nombreuses taches plus claires, formées par de grandes écailles à bord sombre. Certaines formes ont des rayures verticales ou des taches plus grandes. Les nageoires ont généralement la même couleur et les mêmes marques que le corps. Le juvénile, (comme ici), est souvent d'un bleu-vert vif.
• **HABITAT** Côtes rocheuses atlantiques, de l'Écosse aux Canaries ; parfois en Méditerranée occidentale.
• **REMARQUE** Bien qu'ils préfèrent les eaux profondes, les juvéniles sont souvent enfermés dans des flaques par le reflux.

EUROPE
OCCIDENTALE

nageoires tachetées

bouche large, lèvres épaisses

taches pâles

| Régime Carnivore | Niveaux de nage Moyen et inférieur | Tempérament |

RASCASSES ET CHABOTS

L ES SCORPÉNIDÉS et les cottidés (rascasses et chabots) sont des sédentaires, qui guettent leurs proies – d'autres poissons – en restant à l'affût sur le substrat. Ils se camouflent efficacement grâce à leur livrée complexe, à taches et à rayures. Leurs épines sont très venimeuses : il faut les approcher avec précaution. On peut éprouver des difficultés à identifier certaines espèces de scorpénidés.

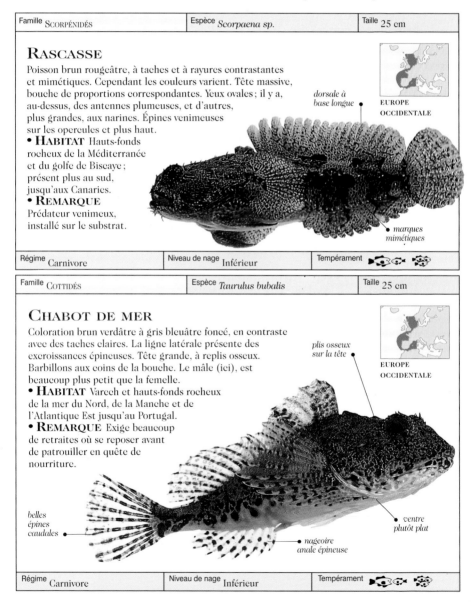

Famille SCORPÉNIDÉS	Espèce *Scorpaena sp.*	Taille 25 cm

RASCASSE

Poisson brun rougeâtre, à taches et à rayures contrastantes et mimétiques. Cependant les couleurs varient. Tête massive, bouche de proportions correspondantes. Yeux ovales ; il y a, au-dessus, des antennes plumeuses, et d'autres, plus grandes, aux narines. Épines venimeuses sur les opercules et plus haut.
• **HABITAT** Hauts-fonds rocheux de la Méditerranée et du golfe de Biscaye ; présent plus au sud, jusqu'aux Canaries.
• **REMARQUE** Prédateur venimeux, installé sur le substrat.

dorsale à base longue

EUROPE OCCIDENTALE

marques mimétiques

Régime Carnivore	Niveau de nage Inférieur	Tempérament

Famille COTTIDÉS	Espèce *Taurulus bubalis*	Taille 25 cm

CHABOT DE MER

Coloration brun verdâtre à gris bleuâtre foncé, en contraste avec des taches claires. La ligne latérale présente des excroissances épineuses. Tête grande, à replis osseux. Barbillons aux coins de la bouche. Le mâle (ici), est beaucoup plus petit que la femelle.
• **HABITAT** Varech et hauts-fonds rocheux de la mer du Nord, de la Manche et de l'Atlantique Est jusqu'au Portugal.
• **REMARQUE** Exige beaucoup de retraites où se reposer avant de patrouiller en quête de nourriture.

plis osseux sur la tête

EUROPE OCCIDENTALE

belles épines caudales

ventre plutôt plat

nageoire anale épineuse

Régime Carnivore	Niveau de nage Inférieur	Tempérament

AUTRES POISSONS MARINS D'EAUX FROIDES

L A SÉLECTION ci-après comprend des poissons que l'on peut trouver dans des flaques de rocher ou dans les eaux côtières de l'Europe et des régions voisines. C'est un sujet d'inspiration, que l'on pourra transposer aux espèces intéressantes qui fréquentent des eaux semblables en d'autres parties du monde. Rappelons que toute collecte sur la côte doit laisser le biotope intact.

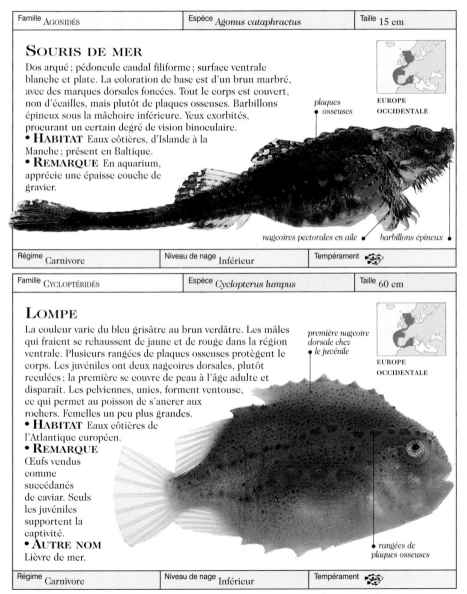

Famille AGONIDÉS	Espèce *Agonus cataphractus*	Taille 15 cm

SOURIS DE MER

Dos arqué ; pédoncule caudal filiforme ; surface ventrale blanche et plate. La coloration de base est d'un brun marbré, avec des marques dorsales foncées. Tout le corps est couvert, non d'écailles, mais plutôt de plaques osseuses. Barbillons épineux sous la mâchoire inférieure. Yeux exorbités, procurant un certain degré de vision binoculaire.
• **HABITAT** Eaux côtières, d'Islande à la Manche ; présent en Baltique.
• **REMARQUE** En aquarium, apprécie une épaisse couche de gravier.

plaques osseuses

EUROPE OCCIDENTALE

nageoires pectorales en aile • *barbillons épineux* •

Régime Carnivore	Niveau de nage Inférieur	Tempérament

Famille CYCLOPTÉRIDÉS	Espèce *Cyclopterus lumpus*	Taille 60 cm

LOMPE

La couleur varie du bleu grisâtre au brun verdâtre. Les mâles qui fraient se rehaussent de jaune et de rouge dans la région ventrale. Plusieurs rangées de plaques osseuses protègent le corps. Les juvéniles ont deux nageoires dorsales, plutôt reculées ; la première se couvre de peau à l'âge adulte et disparaît. Les pelviennes, unies, forment ventouse, ce qui permet au poisson de s'ancrer aux rochers. Femelles un peu plus grandes.
• **HABITAT** Eaux côtières de l'Atlantique européen.
• **REMARQUE** Œufs vendus comme succédanés de caviar. Seuls les juvéniles supportent la captivité.
• **AUTRE NOM** Lièvre de mer.

première nageoire dorsale chez • *le juvénile*

EUROPE OCCIDENTALE

• *rangées de plaques osseuses*

Régime Carnivore	Niveau de nage Inférieur	Tempérament

| Famille GASTÉROSTÉIDÉS | Espèce *Spinachia spinachia* | Taille 20 cm |

ÉPINOCHE DE MER

Doit son nom à ses quinze épines, vestiges de rayons antérieurs épineux de la nageoire dorsale. Corps fusiforme, tête aplatie, long pédoncule caudal. Coloration brun foncé, verdâtre ; les mâles qui fraient ont des reflets bleus. La petite nageoire dorsale et l'anale sont en opposition, très à l'arrière du corps. Les pelviennes, rudimentaires, se résument à un rayon épineux. Caudale petite et ronde.
• **HABITAT** Varech sur les hauts-fonds atlantiques, du golfe de Biscaye à la Norvège, mers du Nord et Baltique comprises.
• **REMARQUE** Tolère l'eau saumâtre. Exige de petites proies vivantes.

EUROPE OCCIDENTALE

épines sur le dos

longues mâchoires

nageoires pectorales incolores

petite nageoire caudale ronde

long pédoncule caudal

| Régime Carnivore | Niveaux de nage Tous | Tempérament |

| Famille MUGILIDÉS | Espèce *Mugil labrosus* | Taille 60 cm |

MULET À GROSSES LÈVRES

Le gris argenté et satiné du juvénile représenté ici se marque, à maturité, de nombreuses rayures horizontales foncées. Au bout de la tête pointue, une lèvre supérieure épaisse porte de petites excroissances boutonneuses. Deux nageoires dorsales, la première moins développée. Grande caudale, très puissante.
• **HABITAT** Eaux côtières atlantiques, de la Norvège au Sénégal.
• **REMARQUE** Les jeunes font d'excellents poissons d'aquarium si on les place en banc dans un très grand bac. Ils grandissent vite et l'on doit, à un certain moment, les rendre à la nature. Distinguer les différentes espèces de mulets est difficile.

EUROPE OCCIDENTALE

deux nageoires dorsales

nageoire caudale puissante

écailles bien dessinées

| Régime Omnivore | Niveau de nage Moyen | Tempérament |

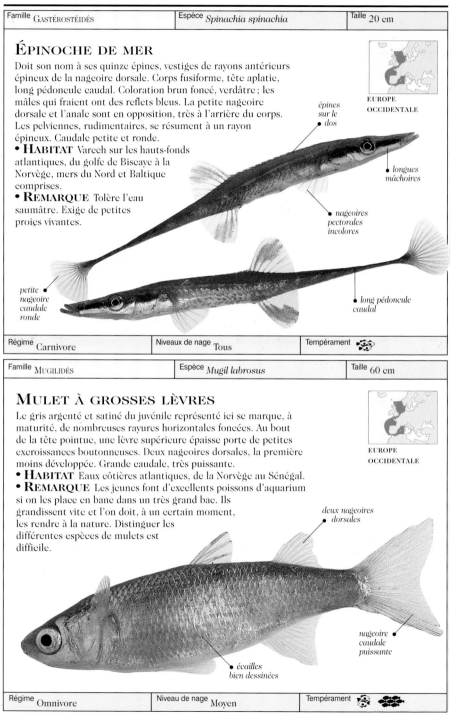

| Famille PHOLIDIDÉS | Espèce *Pholis gunnellus* | Taille 25 cm |

GONNELLE

Poisson anguilliforme mais lourdement bâti, brun et or. Rayures
verticales contrastées, qui disparaissent à maturité. Des ocelles
foncés, au cerne pâle, s'espacent régulièrement au bas de la
nageoire dorsale, attachée long. Rayure foncée traversant l'œil.
Les nageoires dorsale, caudale et anale sont contiguës.
• **HABITAT** Eaux côtières sableuses et vaseuses, souvent
au pied de rochers, dans tout l'Atlantique tempéré.
• **REMARQUE** Ce poisson mince exige des cachettes
et de la nourriture carnée.

EUROPE
OCCIDENTALE

*ocelles le long
de la nageoire dorsale*

*teintes plus fondues
chez l'adulte*

*rayure foncée
traversant l'œil*

| Régime Carnivore | Niveau de nage Inférieur | Tempérament |

| Famille POMACENTRIDÉS | Espèce *Chromis chromis* | Taille 15 cm |

CASTAGNOLE

Poisson bâti assez en hauteur, comprimé latéralement, au profil
ovale et au pédoncule caudal étroit. Coloration bleu-vert chez
le juvénile (ici) et d'un brun assez foncé chez l'adulte, qui
possède des rayons allongés aux pelviennes. Grandes
écailles à bord foncé. Œil très à l'avant de la tête,
près de la petite bouche terminale. L'avant de la
dorsale est épineux, l'arrière souple.
• **HABITAT** Affleurements rocheux en
Méditerranée et dans l'Atlantique Est,
du Portugal à l'Afrique occidentale.
• **REMARQUE** Espèce
grégaire, qui fraie comme les
cichlidés, en déposant ses œufs
sur des sites choisis et nettoyés.
Œufs surveillés par le mâle.

*partie épineuse
de la nageoire
dorsale*

EUROPE
OCCIDENTALE

*couleur
bleu-vert
chez le juvénile*

*nageoire caudale
très fourchue*

*grandes écailles
à bords foncés*

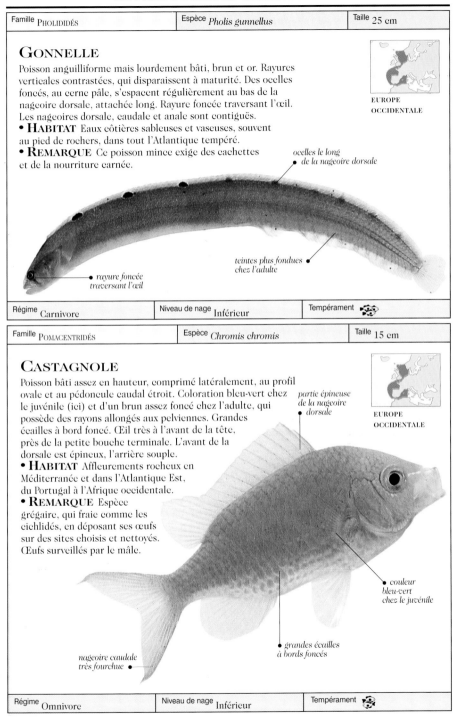

| Régime Omnivore | Niveau de nage Inférieur | Tempérament |

GLOSSAIRE

Les termes qui apparaissent en **gras** sont définis dans le glossaire.

• ACIDE
Terme qualifiant l'eau dont le pH est inférieur à 7, ce qui est souvent dû à de la végétation en décomposition ou à une filtration par de la tourbe. *Voir aussi* **Douce.**

• ADIPEUSE
Petite nageoire entre la **dorsale** et la **caudale.**

• ALCALINE
Terme qualifiant une eau dont le pH est supérieur à 7 en raison de la présence de sels dissous, généralement de calcium et de magnésium. *Voir aussi* **Dure.**

• ALEVIN
Poisson nouveau-né. *Voir aussi* **Frai.**

• ANALE
Nageoire verticale impaire située à l'arrière sous le corps.

• BANC
Groupe de poissons, généralement de la même **espèce,** nageant ensemble.

• BARBILLON
Excroissance filamenteuse proche de la bouche et servant à localiser les aliments.

• BOUCLIER OSSEUX
Ensemble de plaques imbriquées (**écailles** modifiées), couvrant la peau, particulièrement chez les poissons-chats.

• BRANCHIES
Organe respiratoire extrayant l'oxygène de l'eau.

• CAUDALE
Nageoire de la queue, souvent divisée en deux lobes.

• DAPHNIE
Petit crustacé d'eau douce, appelé aussi puce d'eau ; utilisé pour l'alimentation des poissons d'aquarium.

• DENSITÉ
Rapport entre la masse d'un certain volume d'eau chargée en sels minéraux dissous et celle du même volume d'eau pure.

• DENTS PHARYNGIENNES
Dents situées dans la gorge des cyprinoïdes.

• DORSALE
Nageoire attachée à la surface dorsale, c'est-à-dire au profil supérieur du poisson.

• DOUCE
Terme qualifiant une eau exempte de sels dissous. *Voir aussi* **Acide.**

• DURE
Terme qualifiant une eau chargée en sels dissous, surtout de calcium et de magnésium. *Voir aussi* **Alcaline.**

• ÉCAILLE
Petite plaque protectrice dans la peau du poisson.

• ESPÈCE
Groupe appartenant à un **genre** et dont les membres, partageant les mêmes caractéristiques, peuvent se reproduire entre eux.

• FAMILLE
Groupe contenant un ou plusieurs **genres.**

• FRAI
Acte et époque de la reproduction chez les poissons ; se dit aussi des œufs fraîchement pondus et des **alevins** juste nés.

• GAMMARE
Sorte de crevette d'eau douce, utilisée pour l'alimentation des poissons d'aquarium.

• GENRE
Dans la classification, groupe appartenant à une **famille** et contenant une ou plusieurs **espèces.**

• GONOPODE
Nageoire **anale** modifiée en vue de la fécondation chez le mâle de poissons **vivipares** et **ovovivipares.**

• GUANINE
Cristaux d'urée déposés sous la peau, qui réfractent et réfléchissent la lumière en créant des irisations.

• INCUBATION BUCCALE
Procédé d'incubation des œufs dans la bouche.

• LABYRINTHE
Organe respiratoire auxiliaire qui permet à certains poissons d'utiliser l'oxygène de l'air.

• LIGNE LATÉRALE
Rangée de pores longeant les flancs et servant à la détection des vibrations de l'eau.

• LONGUEUR
Dimension longitudinale du poisson mesurée du nez à l'extrémité du **pédoncule caudal** ; exclut donc la nageoire **caudale.**

• NAUPLIE
Crustacé à l'état larvaire.

• NID DE BULLES
Amas de bulles d'air solidifiées par une mucosité et servant à certains poissons pour protéger les œufs et le **frai.**

• OPERCULE
Membrane osseuse recouvrant l'**ouïe.**

• OUIE
Ouverture des cavités branchiales. *Voir aussi* **Opercule.**

• OVIPARE
Poisson dont les œufs sont fécondés et éclosent dans le milieu extérieur.

• OVIPOSITEUR
Organe saillant servant, chez les femelles de certaines **espèces ovipares,** à déposer les œufs.

• OVOVIVIPARE
Poisson qui féconde et fait incuber ses œufs dans le corps de la femelle.

• PECTORALES
Nageoires paires situées aux côtés de la tête, derrière les **ouïes.**

• PÉDONCULE CAUDAL
Partie arrière du corps, étroite et musclée, rejoignant la nageoire caudale.

• PELVIENNES
Nageoires paires situées en avant de l'**anale.**

• POISSON D'EAUX FROIDES
Terme se rapportant généralement à un poisson hébergé à température ambiante, sans chauffage de l'aquarium.

• PUCE D'EAU
Voir **Daphnie.**

• RAYON
Os supportant les tissus des nageoires.

• SAUMÂTRE
Terme qualifiant un mélange d'eau douce et d'eau de mer, présent dans les estuaires.

• SOUCHE
Voir **Variété.**

• SOUS-ESPÈCE
Sous-groupe d'une **espèce,** en général séparé géographiquement des autres populations de celle-ci.

• SUBSTRAT
Matières constituant le fond de l'eau, telles que la vase, le gravier, le rocher ou le sable.

• TAILLE
Voir **Longueur.**

• VARIÉTÉ
Lignée, ou souche, d'une **espèce,** présentant des caractéristiques particulières de forme ou de couleur et développée en aquarium.

• VESSIE NATATOIRE
Organe interne contribuant à la flottabilité du poisson.

• VIVIPARE
Poisson dont les œufs se développent dans le corps de la femelle et dont l'embryon est nourri par l'organisme maternel.

INDEX

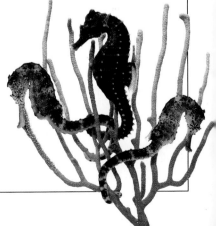

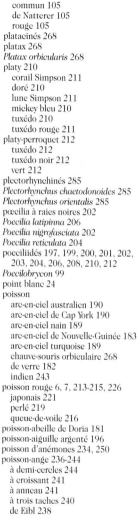

CRÉDITS ICONOGRAPHIQUES

Toutes les photographies spécialement exécutées pour cet ouvrage sont de Jerry Young, excepté les suivantes (t = toutes, v = vignette, p = principale, h = haut, b = bas, g = gauche, d = droite, c = centre) : Derek Lambert 100h, 193h, 198h, 199, 200b, 202b, 203b ; The Goldfish Bowl 10hg, 20hg, 54b, 66b, 87b, 99h, 190h, 218h, 228b, 232h, 252b, 254, 255b ; Jane Burton/Kim Taylor 15, 20bg, 22bd, 23cd, 24, 25 (toute l'alimentation), 28t, 29t, 31bd, 32t, 33t, 34, 262h, 263b, 276h, 295h ; Colin Keates 34hd ; Dave King 3, 8bg, 14bd, 15hd, 15hg, 25bd, 30g, 40hc, 44hc, 106b, 121b, 122, 178h, 186b, 196v, 242b, 243b, 248b, 259h, 271b, 281h, 283b, 292h, 297, 302.
Photographies et illustrations reproduites : Ardea 18bd, 264g (P. Morris), 235v (Ron & Valerie Taylor) ; Camera Press Ltd 8bd ; Bruce Coleman 231h (John Anthony), 26hg, 62v, 80v, 85v, 194v, 241c, 288g (Jane Burton), 225v (Eric Crichton), 31h (Adrian Davies), 30b (C.B.

& D.W. Frith), 27h (Jennifer Fry), 26bg (M.P. Price), 85b, 103h, 147v, 191v, 23g (Hans Reinhard), 30h (Carl Roessler), 287v (John Taylor), 16h (Kim Taylor), 265b (Bill Wood) ; Mary Evans Picture Library 7t ; The Goldfish Bowl 9p, 11hd, 20d, 27b, 34 cg, 54v, 66v, 67b, 88h, 90h, 110h, 113v, 128v, 141, 154v, 164v, 170v, 184v, 194, 224v, 234h, 240h, 258b, 260h, 262b, 263d, 266p, 270b, 272v, 274h, 276h, 279b, 279v, 282h, 286p ; Michael Holford 6b ; Derek Lambert 16b, 27c, 36b, 42b ; Dick Mills 9v, 18bc, 18bg, 19h, 73b, 129h, 145h, 200h, 215b, 228h, 272b, 275v, 286v ; Oxford Scientific Films 115v (Max Gibbs) ; Planet Earth Pictures 250b (Ken Lucas), 126v (Paulo Oliviera), 266v (Peter Scoones) ; William Tomey 90b, 91b, 104b, 151h ; A. van den Nieuwenhuizen 16t, 57h, 94b, 103h, 104h, 185b, 254v.
Dessins : King & King Design Associates 11, 12h, 12bg, 13h ; Linden Artists Ltd 21t (Stewart Lafford).